はじめに

本書「相続と贈与がわかる本」は 1997 年 1 月初版が発行されて以来、毎年の税法改訂を重ねて今日に至っております。

2003 年に次世代への早期の資産移転とその有効活用を通じた経済社会の活性化の観点から、相続時精算課税という制度が導入されました。今回この制度が大きく見直されました。

この見直しにより、相続時精算課税を使いやすくし、資産の早いタイミングでの世代間移転を促し、資産の移転の時期による税の不均衡が生じることのないような中立的な税制が目指されていきます。

本書は贈与税及び相続税の仕組みを分　　　　　　　　ように解

おられる

るであろ

うカのお役に立つことを願っております。

栗原　亜矢子

巻頭特集

相続税・贈与税 2024年の改正

いよいよ始まった 2024 年の相続税・贈与税の新税制。
節税するためにまずはその仕組みを理解しよう！

相続・贈与に関わる民法の改正

・不動産の相続登記の義務化

相続税・贈与税の改正

・相続時精算課税制度に年間 110 万円の控除が新設 ⇒ 減税
・暦年課税制度の「持ち戻し」期間が 3 年から 7 年に ⇒ 増税

贈与に関わる継続中の優遇措置

・住宅取得等資金の一括贈与は 2026 年 12 月 31 日まで延長
・教育資金の一括贈与は 2026 年 3 月 31 日まで
・結婚・子育て資金の一括贈与は 2025 年 3 月 31 日まで

以上の 6 件について次ページから詳しく解説しましょう。

不動産の相続登記が義務化された！

改正に関する注意点

・相続登記は3年以内に
・怠ると10万円以下の過料
・過去の相続にも適用される

**罰則付きのやや厳しい改正
期限もあるので気をつけたい**

　法改正以前は、相続した土地の登記が任意だったため、登記が行われずにそのまま放置されることも少なくなく、結果的に所有者不明の土地が増えることとなり、大きな社会問題となっていました。

　この問題の解決策として、不動産の相続登記が義務化されました。これにより、相続から3年以内に相続登記を行わなければならず、登記しなかった場合には10万円以下の過料が科せられます。また、過去の相続にも適用されるので、不動産を相続したことがある人は注意が必要です。

相続登記とは

相続財産のうち不動産

家　　　　　　　　　　土地

被相続人から相続人に名義変更

被相続人　　　　　　　　　相続人

土地・建物などの所有者が死亡した際に、相続人の名義に変える手続き

相続登記の主な手続き
①不動産の所在地の法務局を確認
②必要書類の準備と申請書の作成
③登録免許税の計算と納付

➡ 詳しくは16ページ参照

TOPICS

戸籍謄本が本籍地以外でも取得できるようになった—戸籍法改正／2024年3月1日施行

　本籍地以外の市区町村役場でも戸籍謄本や除籍謄本が取得できるようになりました。そのため、本籍地が遠方でもわざわざ足を運ぶ必要はなくなります。また、複数の本籍地にまたがる戸籍謄本の請求も一箇所の市区町村役場で行えます。ただし、データ化されていない戸籍情報、戸籍抄本や除籍抄本など一部情報のみは対象外となります。

最寄りの市区町村窓口で
戸籍証明書※を入手できる

本籍地の戸籍情報を
請求先の市区町村に連携

①請求
③交付

申請人

市区町村役場
（非本籍地）

②連携

法務省
（戸籍情報連携システム）

〇〇県A市

〇〇県B町

※電子化された戸籍謄本や除籍謄本など

相続時精算課税制度に年間110万円の基礎控除が新設され減税になった

新しい相続時精算課税制度

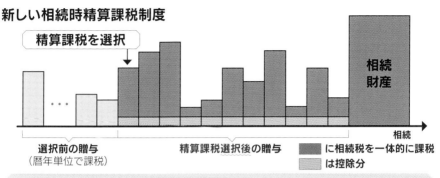

精算課税を選択

相続財産

相続

| 選択前の贈与（暦年単位で課税） | 精算課税選択後の贈与 | に相続税を一体的に課税 |
| | | は控除分 |

- 毎年110万円まで課税しない（暦年課税の基礎控除とは別途措置）
- 土地・建物が災害で一定以上の被害を受けた場合は相続時に再計算

年間110万円の基礎控除により事実上の減税措置となっている

相続時精算課税制度は、60歳以上の祖父母や親から18歳以上の子や孫への贈与を対象に、累計2500万円まで非課税になる制度ですが、まとまった金額を贈っても贈与税がかからないメリットがある一方、少ない金額でも贈与する度に申告が必要だったり、贈与者が死亡した場合は相続財産に持ち戻すなどのデメリットもありました。また、相続時精算課税制度を選択すると後から暦年課税制度（4ページ参照）への変更もできなかったので、こちらを選択する人はそれほど多くありませんでした。

今回の改正では、年間110万円の基礎控除が新たに設けられました。2024年1月1日以降の贈与に関しては、毎年110万円までは課税されず、申告の必要もありません。さらに基礎控除分の110万円は贈与税が非課税となるほか、相続財産と見なされないので、相続税もかかりません。ただし、一番最初にこの制度で贈与を受けた場合は、選択届出書と戸籍謄本等の提出が必要です。また、小規模宅地等の特例が認められないため、相続した財産の額や種類によっては相続税が高くなるケースもあります。

改正後の相続時精算課税制度での贈与税の計算

（「1年間の贈与額 − 年110万円」の累計額 − 2500万円）× 20%

基礎控除　年110万円	基礎控除　累計2500万円
贈与税はかからず相続財産に加えないので相続税もかからない	贈与税はかからないが、相続財産に加えるので相続税の対象になる

暦年課税制度の「持ち戻し」期間が3年から7年に延長され増税になった

新しい暦年課税制度

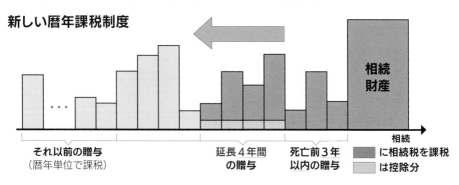

それ以前の贈与
（暦年単位で課税）

延長4年間
の贈与

死亡前3年
以内の贈与

相続
財産

相続

■ に相続税を課税
□ は控除分

- 加算期間を7年間に延長
- 延長4年間に受けた贈与については総額100万円まで相続財産に加算しない

贈与を相続分と見なす期間が3年から7年に大きく拡大

暦年課税とは、1年ごとに贈与された財産の合計金額に贈与税をかける制度で、年間110万円までの控除があり、それ以下の金額であれば贈与税もかからず申告も不要です。そして被相続人が死亡して相続が発生した場合、その年から3年持ち戻って（さかのぼって）、贈与分の財産に相続税を加算する仕組みのことです。

改正後は、持ち戻りの年数が3年から7年に延長されました。これにより、それまで対象外だった4〜7年前の暦年贈与に関しても、贈与財産と見なされるようになります。なお、例外措置として、4〜7年以内の贈与財産のうち総額で100万円までは控除されます。従来では加算対象外だった分も課税対象になるわけですから、これは事実上の増税といえます。

なお、持ち戻しの延長は段階的に行われ、2026年の相続開始までは従来通りに加算期間は3年間、2027年から2030年までは1年ごとに持ち戻し年数が増え、2031年以降は7年間となります。

相続の開始日によって加算対象期間が異なる

贈与者の相続開始日	加算対象期間
2024年1月1日〜2026年12月31日	相続開始前3年間
2027年1月1日〜2030年12月31日	2024年1月1日〜相続開始日（3年間超〜7年間未満）
2031年1月1日〜	相続開始前7年間

相続時精算課税制度と暦年課税制度はどちらを選択すべきか

相続時精算課税制度のメリット

①年110万円までの贈与は贈与税がかからず、持ち戻し加算がない
②贈与額が2500万円を超えても暦年課税よりも贈与税が安くなる
③値上がりが確実な財産の贈与だと相続税の節税になる

暦年課税制度のメリット

①相続時精算課税制度のように贈与者や受贈者に制限などはない
②基礎控除の110万円を超えなければ申告しなくてもよい
③贈与したい人が多い場合に向いている

相続する財産の資産価値や相続人の人数などで変わる

相続時精算課税制度と暦年課税制度はどちらか一方を選択しなければならないのですが、相続時精算課税は一度選択すると、暦年課税に戻すことはできません。その時の損得勘定だけで決めてしまうと、後々後悔する可能性もあります。

まずは各制度のメリットに注目してみましょう。相続時精算課税制度の場合、法改正によって、年110万円の基礎控除が認められたことが大きなポイントとなっています。これは贈与税がかからない上に、持ち戻しの加算も行われません。しかも110万円以下であれば申告も不要です。

また、相続時精算課税制度による贈与を相続財産に加算する場合、贈与した時点での評価額に基づいて計算されます。そのため、今後値上がりが予想される有価証券や不動産などは、相続時精算課税制度を適用した方が節税になります。

一方、暦年課税制度は、直系の親族に限られる相続時精算課税制度とは違い、贈与者や受贈者に制限はありません。そのため、贈与したい人が多い場合などに向いています。また、基礎控除の110万円を超えなければ申告の必要はありません。

さらに、いますぐに持ち戻し期間が7年に延長されるわけではなく、2026年までの相続であれば、従来通り3年間の持ち戻しとなり、7年間が確定するのは2031年以降の相続からとなります。相続開始までに時間的余裕（主に健康面において）があるなら、暦年課税制度もありです。

実際のところ、相続される財産の資産価値や種類、さらには受贈者の人数、被相続人の予測される余命などによって、まさにケースバイケース。両制度ともにデメリットもあり、どちらを選択するのが正解かどうかの判断は難しいものがあります。

やはり、専門家に相談してアドバイスを受けるのがベストといえそうです。

2024年度 継続中の優遇措置

延長された非課税制度 2026年12月31日まで

住宅取得等資金の一括贈与の期間が再度延長された

省エネ等の住宅用家屋の要件が引き上げられた

一括贈与の特例枠だった「住宅取得資金の一括贈与」は、2023年で終了の予定でしたが、3年間の延長となり、適用期限が2026年の12月31日までとなりました。金額が大きいので、この延長措置は、一括贈与を考えていた人に朗報といえるでしょう。

ただし、非課税限度額が1000万円になる「省エネ等住宅」は、下記のように、一次エネルギー消費量等級などの要件が従来に比べてかなり厳しくなっています。

それでも一般の住宅用家屋に適用される非課税額500万円に比べると、金額が倍となるので、住宅取得を考えているなら、省エネ等住宅を検討したいところです。

なお、令和6年以前に、贈与により取得した住宅取得資金で立てられた新築物件に関しての要件は従来通りとなります。

➡ 詳しくは20ページ参照

非課税限度額

適用期限	省エネ等の住宅用家屋※	一般の住宅用家屋
2026年12月31日まで	1000万円	500万円

省エネ等住宅の要件　※省エネ等住宅とは、①断熱等性能等級5もしくは一次エネルギー消費量等級6以上、②耐震等級2以上もしくは免震建築物であること、③高齢者等配慮対策等級（専用部分）3以上のいずれかに該当する住宅用家屋。

継続中の非課税制度

教育資金と結婚・子育て資金の一括贈与は継続中

使い残しにかかる贈与税の税率が「特例」から「一般」に変更

特別措置だった教育資金（最大1500万円）および結婚・子育て資金（最大1000万円）の一括贈与に対する非課税制度の期間は、教育資金が2026年3月31日まで、結婚・子育て資金が2025年3月31日までそれぞれ延長され、現在継続中です。

いずれの場合も受贈者が一定の年齢に達した時点で資金が残っていた場合、その金額に対して贈与税がかかりますが、今までは特例税率だったものが2023年4月1日から一般税率に変更されているので、贈与税額は上がっている点に注意しましょう。

➡ 詳しくは174ページ参照

教育資金（最大1500万円まで非課税※1）
↓
2026年3月31日まで継続中

結婚・子育て資金（最大1000万円まで非課税※2）
↓
2025年3月31日まで継続中

※1 学費等以外の支出は500万円まで
※2 結婚資金は300万円まで
※3 贈与税の速算表は170ページ参照

2023年4月1日から
贈与税は一般税率を適用
例・使い残し800万円の場合の贈与税

贈与者　BANK　受贈者

800万円×40%−125万円
＝**195万円**※3

CONTENTS

序　章　生前にしておこう
　　　　賢い節税対策 ————————————————— 13

第5章 相続税・贈与税の申告・納付の仕方 ── 119

申告書類の用紙および記載例

相続税の申告書 **125** 相続税の総額の計算書 **128** 暦年課税分の贈与税額控除額の計算書 **129** 配偶者の税額軽減額の計算書 **130** 未成年者控除額 障害者控除額の計算書 **131** 税額控除額及び納税猶予税額の内訳書 **132** 生命保険金などの明細書 **133** 相続税がかかる財産の明細書 **134** 相続時精算課税適用財産の明細書 相続時精算課税分の贈与税額控除額の計算書 **138** 小規模宅地等についての課税価格の計算明細書 **139** 債務及び葬式費用の明細書 **140** 純資産価額に加算される暦年課税分の贈与財産価額及び特定贈与財産価額 出資持分の定めのない法人などに遺贈した財産 特定の公益法人などに寄附した相続財産・特定公益信託のために支出した相続財産の明細書 **141** 相続財産の種類別価額表 **142**

贈与税の申告書 **146** 相続時精算課税選択届出書 **149**

※本書は原則2024年5月末日時点の情報に基づいています。
※本書で使用している申告用紙などは、原則として2024年5月末日現在のものです。
　変更される場合がありますのでご注意ください。

第8章 生前からの節税対策早わかりガイド ——— 217

第9章 専門家への依頼とその窓口 ——— 237

序章

生前にしておこう
賢い節税対策

かつてはよほどの資産家でなければ関係のないものと思われていた相続税。それが税制の大改正なども絡んで最近では、誰にとっても無関心ではいられぬ税金になってきた。相続税破産という現象さえ起きているこの税金の恐ろしさをまずよく知ろう。

配偶者居住権で夫の死後も 自宅に住めるようになった

被相続人の死亡によって残された配偶者の、その後の生活への配慮から生まれた法律

2020年4月1日からの 相続・贈与から適用されている

「遺産分割のために、長年住み慣れた自宅を売却して引っ越さなければならない」。

被相続人の死亡によって残された配偶者のこうした問題への配慮から誕生したのが「配偶者居住権」です。

貸し借りしている場合を除くと、自宅つまり土地・建物は、誰が所有しているのか、という所有権の保有者だけに権利がありました。共有名義など、所有権を2人以上で保有している場合もありますが、あくまでも所有権を分けて持っているだけにすぎないのです。

これまでは被相続人である一方の配偶者が死亡すると、残されたもう一方の配偶者は遺産分割によって自宅を手放したり、た

とえ自宅を相続しても、現金が手元に残らないなどということもありました。住む場所があっても生活費や医療費、突然の出費などに困ってしまいます。

この問題を解決するために自宅の権利を所有権と配偶者居住権の2つに分けることができるよう、2018年に民法が改正され2020年から適用されたのです。

これにより残された配偶者には「配偶者居住権」が認められ、自宅の所有権を持たなくても、そのまま自宅に住み続けられるようになりました。

つまり配偶者は遺産分割の際、「土地建物」ではなく「配偶者居住権」を相続することができるので、残りの遺産から現金などを受け取れるようになったのです。

ただし相続開始時にその家に住んでいることが条件になります。

配偶者居住権

土地、建物の権利

改正前

所有権のみ

改正後

住む権利（配偶者居住権）

所有権

従来、自宅などの土地、建物は所有権の保有者だけに権利があったが、亡くなった被相続人の配偶者が、住み続けられるように、自宅の権利を所有権と配偶者居住権の2つに分けることができるようになった。

役立ち情報◆**配偶者短期居住権とは**　居住権は短期と長期に分けられる。長期とは期間が配偶者が亡くなるまでの終身だが、その場合本文で解説しているように居住権の価値が発生する。

二次相続発生時に配偶者居住権で節税対策になる？

被相続人が亡くなったとき配偶者居住権を設定し、その後、配偶者が亡くなると配偶者居住権が消滅します。建物の所有者である子供に居住権が戻ってきますが、相続税はかかりません。

配偶者居住権を設定した場合と設定しない場合の支払うべき相続税や贈与税を比較すると、配偶者居住権を設定した方が税金が少なくなることがあります。ただし、これは相続財産の多寡や家族構成などによって逆になる場合もあります。

また、次のような理由で配偶者居住権が消滅した場合は、配偶者から所有者への贈与があったとみなされ、贈与税の課税対象になります。

・配偶者と所有者の合意で消滅した
・配偶者が配偶者居住権を放棄した
・所有者による消滅の請求があった

このように、配偶者居住権を設定した方が節税になるとは一概にはいえないのです。

配偶者居住権は譲渡・売却ができない

配偶者居住権にも価値はあります。ただし相続が発生したときに自宅に住んでいた配偶者だけに認められる権利のため、家族を含む第三者に売却することができません。ですから、配偶者が病気になって、老人ホームなどに移ろうと考えても、自宅を売却して入居費用を捻出することはできません。

配偶者居住権を放棄して自宅の所有者と一緒に自宅を売る場合は別として、配偶者居住権だけを売ることはできず、誰かに貸そうと思っても、その場合は所有者（子供など）の承諾が必要になります。

配偶者居住権の扱いについて生前によく考えておく

配偶者居住権の設定は被相続人が遺言書などで配偶者に取得させることを記したり、相続人同士の遺産分割協議で決めたりすることができます。その後に配偶者居住権の登記を済ませると、手続きは終了です。

遺言で配偶者に配偶者居住権を取得させようと思ったら、気をつけることがあります。遺言書には「相続させる」ではなく「遺贈する」と書かなくてはなりません。遺言によって配偶者居住権と他の財産を配偶者に取得させる場合に、配偶者がこの配偶者居住権だけを欲しくないと考えた時に、「遺贈」とあれば遺贈の一部（配偶者居住権のみ）を放棄することができます。しかし「相続させる」と書いてしまうと、一部放棄はできずに相続放棄するしかなく、その場合すべての財産が取得できなくなりますので、注意が必要です。

また、配偶者居住権を設定した建物の敷地については、敷地利用権と敷地所有権とに区分され、建物と同様に利用権と所有権を別々に相続することもできます。条件を満たせば、小規模宅地等の減額の適用を受けることも可能となります。

配偶者居住権は残された配偶者が安心して暮らしていけるようにと考えられた制度ですが、制度が複雑なので弁護士や税理士などに相談して決めた方がよいといえます。

短期の場合は相続開始から6か月または自宅を誰が所有するか決まった日のいずれかまでの期間で、無償でその建物を使用することができるようになっている。

土地・建物などの所有者が死亡した際は名義の変更が必要

期限付き、罰則付きの義務化と厳しい法制化。相続の際はしっかり登記しよう！

「空き家問題」「所有者不明土地」問題の解決のため

　不動産登記簿を見ても所有者がわからない、または連絡が付かない土地は「所有者不明土地」と呼ばれ、近年大きな問題になっています。国土交通省の調査によれば、全国のうち4分の1近くを所有者不明の土地が占めており、その半数以上が相続登記が完了していない土地でした。

　もともと相続登記の申請はこれまで義務ではなく、放置しても相続人が不利益を受けることはありませんでした。そのため、土地の利用価値が低い、遠方にあるなどの場合、費用や手間をかけてまで登記しないケースも多かったと思われます。

　所有者不明土地は、たとえば公共事業や災害復旧作業に取りかかる際に、所有者を探すことに時間と労力を取られてしまいます。また、管理の行き届いていない空き地は、ゴミ問題や治安の悪化など近隣の土地にもさまざまな悪影響を及ぼします。それを解消するために「相続登記の義務化」が始まりました。

2024年4月1日から相続登記が義務化された

所有者死亡

新たな所有者

登記が義務化

所有者不明土地

所有者を明確にする

相続後に登記が成されないまま、さらに相続が発生するなどして、誰が所有者なのか調べるのが困難になっている。

登記を義務化することで所有者が明確になり、災害時の復旧工事、公共事業等を円滑に進めることができる。

役立ち情報◆課税遺産総額とは　相続税は、相続人が相続によって取得した財産価額から非課税財産の価額、債務・葬儀費用、基礎控除額を差し引いたものにかけられる。これを課税遺産

相続登記の義務化で注意するポイントは3つ
①登記は3年以内に行うこと。怠ると10万円以下の過料
②過去の相続にも適用される
③住所変更した場合も不動産登記が義務化される (2026年4月1日から)

ポイントの1つめは相続登記に期限と罰則規定が設けられたこと。相続によって不動産を取得した相続人は、その所有権を取得したことを知った日から3年以内に相続登記の申請をしなければなりません。正当な理由もなく登記を行わなかった場合は、10万円以下の過料が科せられます。

2つめは過去の相続にも適用される点。すでに相続が済んでいるからと言って、登記をせずにいると罰則の対象になります。

そして3つめが土地の所有者が住所変更した際の住所変更登記で、こちらは2026年4月1日から義務化されます。住所変更があった日から2年以内に登記しないと、5万円以下の過料となります。

相続土地国庫帰属制度が開始

また、不要な土地を国に引き取ってもらう相続土地国庫帰属制度も始まっています。概要は下の表を参照してください。

相続登記の手続きと流れ

①不動産の所在地の法務局を確認

相続登記は不動産の所在地にある法務局で行います。窓口で直接申請するほか、郵送やオンラインでも申請できますが、オンラインは専門的な知識が必要になります。

②必要書類の準備と申請書の作成

亡くなった人の戸籍謄本や住民票、固定資産評価証明書などの必要書類を集めます。登記手続きの内容によって、必要な書類や登記申請書の内容も変わるので、管轄の法務局にあらかじめ確認しておきます。

③登録免許税などの費用がかかる

相続する不動産の固定資産税評価額に基づき、登録免許税を0.4%で計算して納付します。たとえば評価額3000万円の不動産であれば登録免許税は12万円となります。また、そのほかに戸籍などの必要書類取得費用がかかります。

不要な土地を手放したい場合の新たな制度がはじまった

制度名	相続土地国庫帰属制度（2023年4月27日施行）
申請対象者	相続や遺贈によって土地を取得した相続人。売買等による取得や法人は対象外。共有地の場合は共有者全員
申請できない土地	建物がある土地、土壌汚染のある土地、抵当権などの担保が設定されている土地、危険な崖がある土地などは除く
費用等	申請時に審査手数料1万4000円（土地一筆当たり）、承認後は土地、田・畑で原則20万円の負担金が必要となる

総額といい、その中には故人の生命保険金や死亡退職金もふくまれる。ただしこの2つは500万円に法定相続人の数を掛けた金額が非課税となる。

相続時精算課税を選択するには条件がある

年齢的な条件が合うなら相続時精算課税を選んで、生前贈与の課税額軽減をはかろう

2500万円を超えた部分に20%の贈与税がかかる

　贈与税の課税方法には、「相続時精算課税」と「暦年課税」の2種類があり、納税者は自分の条件にあった方法を選ぶことができます。

　暦年課税とは、その年に贈与を受けた財産の価額の合計額から110万円の基礎控除額を控除した残額に、税率（累進課税）を乗じて計算した贈与税額を納付する制度です。暦年課税制度には、18歳以上の者が直系尊属（父母や祖父母など）から暦年課税制度で贈与を受けた場合、通常の贈与税の税率よりも安い特別税率が使えるという優遇制度があります。（19ページ表参照）

　一方の相続時精算課税とは、相続税と贈与税を一体化した制度で、贈与を受けた時に贈与税を払い、相続が発生した時に、贈与を受けた財産の贈与時の価額と相続財産の価額の合計額で相続税の計算をして、すでに納付した贈与税を控除した上で相続税を支払います。

　もし、贈与税としてすでに納付した金額よりも、相続により納付すべき相続税の額の方が少ない場合には、納め過ぎの贈与税を還付してもらうことができます。

　この制度を選択した場合の生前贈与を受けたときにかかる贈与税は、贈与を受けた財産の価額から基礎控除額110万円を控除し、更に2500万円の特別控除を控除した額に一律20%をかけた額となります。

　例えば、3000万円の贈与を受けた場合には、3000万円から110万円を控除し、さらに2500万円を控除した390万円に20%を乗じた78万円となります。

　基礎控除額110万円は、1年につき110万円ですので、贈与を受けるたびにこの適用を受けることができます。また、相続時精算課税の贈与を受けた財産のうち年間110万円までの財産は相続の際に相続財産に加算されません。

　2500万円の特別控除は、贈与者1人につき2500万円です。2500万円に達するまでは回数や贈与する財産についての制限を受けることなく贈与することができます。

相続時精算課税を選択するための条件とは

　難点を言えば、相続時精算課税制度には、贈与した年の1月1日に贈与者（父母又は祖父母）が60歳以上、受贈者が、贈与を受けた年の1月1日において18歳以上である者のうち、贈与者の直系卑属である推定相続人又は孫という制限がついていることです。

　この制度を選択した受贈者（子又は孫）は贈与を受けた年の翌年2月1日から3月15日までの間に、税務署にこの制度を選択した旨の届け出（相続時精算課税選択届出

　役立ち情報◆申告・納付に対する処分への不服　相続税も贈与税も申告・納付に対して下された処分に不服があるときは、納税者はそれを知った日の翌日から3か月以内に、処分を行った

書）を申告書に添付して提出しなければなりません。この届け出や申告書が決められた期限内に提出されなかった場合には適用することができないので、注意が必要です。

2000万円の財産の贈与を受け、相続時精算課税を選択すると、2500万円の基礎控除額に比べ贈与により取得した財産のほうが少ないので、贈与税を納付する必要はありませんが、この制度は申告書を提出しなければ適用できないので、申告書は必ず提出しなければなりません。

届出書以外にも必要書類はまだまだある

さらには、届出書以外にも、この制度の適用を受けるためには、贈与者（父母又は祖父母）の住民票もしくは戸籍の附票の写し、受贈者（子又は孫）の戸籍の謄本もしくは抄本さらに戸籍の附票の写しを添付書類として提出する必要がありますので、申告の際には、税務署等に確認して必要な書類を揃えるようにしましょう。

相続時精算課税制度は、受贈者（子又は孫）である兄弟姉妹などが各々贈与者（父母又は祖父母）である父、母、祖父、祖母ごとに選ぶことができますが、一度この制度を選択してしまうと撤回することはできず、遺産相続のときまでこの制度は継続して受贈者に適用されることになります。

なお受贈者（子又は孫）がこの制度を適用しなかった人からの贈与については、贈与を受けた財産から基礎控除（110万円）を差し引いた金額に税率をかける従来どおりの暦年課税で贈与税を計算します。

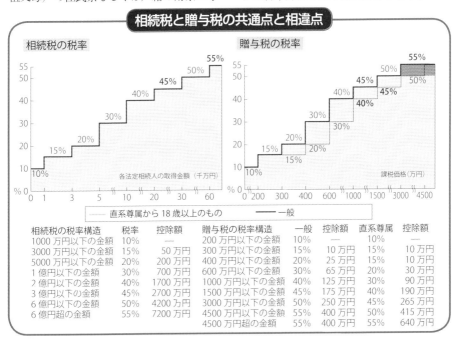

相続税と贈与税の共通点と相違点

相続税の税率構造	税率	控除額	贈与税の税率構造	一般	控除額	直系尊属	控除額
1000万円以下の金額	10%	—	200万円以下の金額	10%	—	10%	—
3000万円以下の金額	15%	50万円	300万円以下の金額	15%	10万円	15%	10万円
5000万円以下の金額	20%	200万円	400万円以下の金額	20%	25万円	15%	10万円
1億円以下の金額	30%	700万円	600万円以下の金額	30%	65万円	20%	30万円
2億円以下の金額	40%	1700万円	1000万円以下の金額	40%	125万円	30%	90万円
3億円以下の金額	45%	2700万円	1500万円以下の金額	45%	175万円	40%	190万円
6億円以下の金額	50%	4200万円	3000万円以下の金額	50%	250万円	45%	265万円
6億円超の金額	55%	7200万円	4500万円以下の金額	55%	400万円	50%	415万円
			4500万円超の金額	55%	400万円	55%	640万円

住宅取得のための資金の贈与にもいくつかの条件がある

贈与によって取得した財産の時価は相続時に上がっていることも下がっていることもある

住宅を取得等するための贈与税の非課税制度

住宅を取得等するための資金の贈与を受けた場合に、1000万円まで贈与税が非課税になるという制度があります。

2024年1月1日から2026年12月31日までの間に、父母や祖父母等から住宅を取得等するための資金の贈与を受け、省エネ住宅を取得等した場合には1000万円、それ以外の住宅の場合には500万円、贈与税が非課税になります。

この場合の「省エネ住宅」とは、省エネ住宅等基準（①断熱等性能等級5以上もしくは一次エネルギー消費量等級6以上であること、②耐震等級〈構造躯体の倒壊等防止〉2以上もしくは免震建築物であることまたは③高齢者等配慮対策等級〈専用部分〉3以上であること）に適合する住宅用の家屋であることにつき、住宅性能証明書など一定の書類を贈与税の申告書に添付することにより証明されたものをいいます。

この制度の適用を受けるためには、次の要件を満たす必要があります。

まず、贈与を受ける人は、贈与を受けた年の1月1日において、18歳以上であること。そして、贈与を受ける前の年の合計所得金額が2000万円以下（新築等する住宅の床面積が40㎡以上50㎡未満の場合は1000万円以下）でなければなりません。

2009年から2023年までの贈与税の申告で「住宅取得等資金の非課税」の適用を受けたことがない、という条件もあります。

また、贈与により取得した資金で取得する家屋の床面積は40㎡以上240㎡以下でなければなりません。

増改築等の場合にも同様の床面積の条件があります。非課税となる金額は、取得した建物によって違ってきます。また、条件を満たす建物であることの証明書も必要となりますので、注意が必要です。

住宅等取得資金の贈与税の非課税を受けるための住宅等の条件

住宅取得等資金の贈与税の非課税の適用を受けることができる住宅の新築、取得または増改築等とは、次の要件を満たすものをいいます。

新築又は取得の場合

①床面積の1/2以上が居住用であること
②床面積が40㎡以上240㎡以下であること
③取得した住宅が次のいずれかに該当すること
　イ．新築住宅
　ロ．1982年1月1日以後に建築された中古住宅
　ハ．地震に対する安全性に係る基準に適合するものであることにつき、一定の書類により証明された中古住宅
　ニ．ロおよびハのいずれにも該当しない中

役立ち情報◆相続時精算課税適用者が死亡した場合は　相続時精算課税適用者（例えば子）が贈与者（例えば父）よりも先に死亡した場合には、その人が持っていた納税にかかわる権利や

古住宅で、その住宅の取得の日までに、取得の日以後住宅の耐震改修を行うことについて、都道府県知事に申請をし、かつ耐震改修により耐震基準に適合することとなったことについて、一定の証明がされたもの

増改築等の場合

①増改築等後の床面積の1/2以上が居住用であること

②増改築等後の床面積が40m²以上240m²以下であること

③増改築等に係る工事が、「確認済証の写し」「検査済証の写し」又は「増改築等工事証明書」などの書類により証明されたものであること

④工事に要した費用の額が100万円以上であること

また、増改築等の工事に要した費用の額の1/2以上が、居住の用に供される部分の工事であること

相続時精算課税の特例と贈与税の非課税の併用適用

　住宅等を取得するための資金の贈与を受けた場合に受けることができる制度についてみてきました。この制度は18ページで説明している相続時精算課税と併用して適用することができます。

　もちろん、それぞれの条件を満たしていることは大前提となりますが、2つの制度を併用することによって、贈与税の負担を抑えて、住宅の取得等の資金の贈与を受けることができます。

　いずれの制度を受けるにしても、贈与を受けた年の翌年2月1日から3月15日までの間に、必要書類を添付した上で贈与税の申告書を提出することが必要となります。必要書類はたくさんありますので、早めに準備をして、間違いなく申告の手続きをすることが必要です。

2024年の非課税限度額

適用期限	省エネ等の住宅用家屋	一般の住宅用家屋
2026年12月31日まで	1000万円	500万円

省エネ等の住宅用家屋の要件

①省エネルギー性が高い住宅	断熱等性能等級5または一次エネルギー消費量等級6以上
②耐震性が高い住宅	耐震等級2以上または免震建築物
③バリアフリー性が高い住宅	高齢者等配慮対策等級3、4、または5

①②③のいずれかに該当する住宅であること。

義務は、その人の相続人（例えば子の子）に承継されるが、その承継者が贈与者（例えば承継者の祖父）よりも先に死亡した場合にはその権利義務は再承継されず消滅することになる。

相続税の課税最低限度額は相続人の数によって変わる

相続税がかかるかどうかは〈3000万円＋（600万円×法定相続人の数）〉で算出できる

遺産4200万〜4800万円から課税されることが多い

では相続税のかけられる財産の最低限度額（課税最低限度額）というのは、いったいいくらぐらいなのでしょうか。

また、どれぐらいの遺産に対しどれぐらいの相続税がかかってくるのでしょうか。

同じ遺産額であっても、相続人の人数や相続順位などによって、各人の負担額やその総計は違ってきますが、下の表では配偶者と子供1人の場合、2人の場合、3人の場合を、課税価格が5000万円から10億円までの順に設例しました。一応の目安として参考にしてください。

この設例での税額は、各相続人が法定相続分通りに相続したものとして計算してあり、配偶者は法定相続分（つまり遺産の半分）または1億6000万円までなら非課税なので、税額はすべてゼロになっています。

相続人すべてに基礎控除がある

詳しいことはあとの章で改めて説明しますが、税額の算出は、まず課税価格（言葉の意味は104ページ参照）から、規定通りに基礎控除として3000万円＋（600万円×法定相続人の数）を差し引き、その残額を計算の対象にして行います。

ですから、法定相続人が2人の場合には

課税される課税価格別の相続税額の割合

		5000万円	7500万円	1億円	1億5000万円	2億円
配偶者と子1人	配偶者	（円）——	——	——	——	——
	子（1人分）	40万	197万5000	385万	920万	1670万
	合計	40万	197万5000	385万	920万	1670万
	税の割合	0.8%	2.63%	3.85%	6.13%	8.35%
配偶者と子2人	配偶者	——	——	——	——	——
	子（1人分）	5万	71万8700	157万5000	373万7500	675万
	合計	10万	143万7400	315万	747万5000	1350万
	税の割合	0.2%	1.92%	3.15%	4.98%	6.75%
配偶者と子3人	配偶者	——	——	——	——	——
	子（1人分）	——	35万4100	87万4900	221万6600	405万8200
	合計	——	106万2300	262万4700	664万9800	1217万4600
	税の割合	——	1.42%	2.62%	4.43%	6.09%

役立ち情報◆相続税と贈与税の累進税率　相続税も贈与税も「累進課税」で、税率はともに最低10%から最高55%までだが、贈与税は相続税に比べて課税率が高く、相続税なら1000万円

3000万円＋（600万円×2）＝4200万円が基礎控除額となり、遺産が4200万円以下なら相続税を払う必要がなくなります。

もし、法定相続人が3人なら4800万円まで無税ですから、法定相続人が2〜3人の場合、相続税をあまり気にしないでよい遺産の最低限度額は4200万〜4800万円と考えることができるでしょう。

配偶者には他にも税額軽減措置がある

しかし、この法定相続人の中に故人の配偶者がいると計算は大きく変わってきます。

前述の通り、配偶者にはその取得した財産のうち、法定相続分と1億6000万円とを比較していずれか大きいほうの額に対して課税される相続税については軽減を受けることができる、という措置が設けられているからです。

基礎控除以外にも、故人の生命保険金や死亡退職金を受け取ればそれが遺産の額に加えられる代わりに、500万円×法定相続人数が控除されますし、未成年者控除など他にもまだいろいろと減算や加算があります。ですから、税額の細かい部分はケース・バイ・ケースで変わってきます。相続人の中に故人から生前贈与を受けて相続時精算課税を選択している人がいる場合も、相続税の計算に影響があるのはいうまでもありません。

また相続税は、課税対象の金額が一定のラインを超えるたびに、より高い税率が適用される累進課税ですから、下表の通り、妻と子供2人の場合の税額が遺産1億円なら315万円なのに、倍の2億円の遺産だと税額は1350万円、3億円では2860万円にもはね上がってしまいます。

相続税の計算については、専門知識を要することが多いですから、専門家に相談することをお勧めします。

2億5000万円	3億円	4億円	5億円	10億円
──	──	──	──	──
2460万	3460万	5460万	7605万	1億9750万
2460万	3460万	5460万	7605万	1億9750万
9.84%	11.53%	13.65%	15.21%	19.75%
992万5000	1430万	2305万	3277万5000	8905万
1985万	2860万	4610万	6555万	1億7810万
7.94%	9.53%	11.53%	13.11%	17.81%
599万9800	846万6600	1384万9700	1987万4800	5544万9700
1799万9400	2539万9800	4154万9100	5962万4400	1億6634万9100
7.20%	8.47%	10.39%	11.92%	16.63%

以下は10%、3000万円以下は15%なのに、贈与税は200万円以下で10%、300万円以下で15%となっている。19ページ参照。

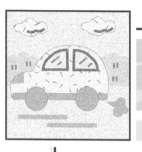

相続税は死亡から10か月以内に申告・納付する

相続が開始したらまず遺言書の有無の確認を。申告・納付までの10か月は長いようで短い

申告・納付までの流れ

相続は、被相続人が死亡したとき（または失踪宣告を受けたとき）に開始されます。相続人は葬儀、初七日、四十九日などの合間を縫って、遺産相続のための手続きを始めて、相続人が相続開始があったことを知った日の翌日から10か月以内に相続税の申告と納付をすませねばなりません。

詳しいことはこのあとの各章の各項目を読んでいただくとして、ここでは相続開始から相続税の申告と納付までの全体の流れを把握していただきたいと思います。

遺言書の有無の確認

故人の遺産を相続できる人やその順位は法律で決められていますが、故人が生前に遺言書を作成していた場合、それが民法の定める遺言書方式からはずれていない限り、法定相続に優先する効力を発揮します。遺言の中に指定されている相続人やその人の相続分のほうが、法律による基準よりも強い力を持っているのです。

民法の定める遺言書方式には自筆証書遺言、秘密証書遺言、公正証書遺言の3つがありますが、自筆証書と秘密証書の場合は、発見しても勝手に開封せず、そのまま家庭裁判所へ提出して検認を受けねばなりません（2020年7月10日から自筆証書の場合は法務局に預けることができるように

なりました。その場合は不要になります）。遺言書に遺言執行者の指定があれば、その人が遺言内容を執行することになります。

遺言書の作成のなかったことが確認されれば、相続人同士の話し合いや、法律の定める基準に従って、相続は行われます。

遺産の把握と評価

相続発生時点での財産を、不動産や預金、有価証券といった積極（プラス）財産だけでなく、住宅ローンなど債務として残された消極（マイナス）財産も相続税評価額で評価して、相続を放棄するか限定承認で相続するかなどを決める材料にします。

限定承認というのはマイナス財産をプラス財産の範囲内でのみ引き受けるもので、これに対し消極・積極を問わずすべての財産を相続することを単純承認といいます。

相続放棄や限定承認の手続き

相続の発生から3か月以内にすませねばなりません。これを過ぎると単純承認をしたものとして扱われます。

被相続人の所得税の申告と納付

故人が死亡した日までのその年の所得税の申告で、準確定申告といい、死亡から4か月以内に申告・納付をすませます。

遺留分侵害額請求

役立ち情報◆更正の請求は協議成立後4か月以内　相続人同士の話し合いがまとまらず、遺産分割協議が成立していなくても、相続税の申告と納付は10か月以内にすませねばならない。

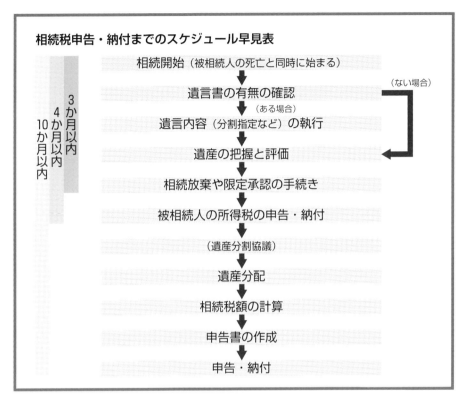

相続税申告・納付までのスケジュール早見表

3か月以内
4か月以内
10か月以内

相続開始（被相続人の死亡と同時に始まる）

↓

遺言書の有無の確認　　　　　　　　（ない場合）

↓（ある場合）

遺言内容（分割指定など）の執行

↓

遺産の把握と評価

↓

相続放棄や限定承認の手続き

↓

被相続人の所得税の申告・納付

↓

（遺産分割協議）

↓

遺産分配

↓

相続税額の計算

↓

申告書の作成

↓

申告・納付

　故人の遺言による指定は、法律の定めた相続基準に優先しますが、例外として、一定範囲の相続人には最低限度の相続分を法律で保障し、それが侵害されている場合には取り戻しの請求ができることになっています。この相続分のことを遺留分といい、侵害額の請求は、相続開始及び贈与又は遺贈があったことを知ったときから1年以内に、遺言によってそれを受けた人に対して行わなければなりません。

遺産分割協議

　相続を放棄する人や限定承認で相続する場合などいろいろあるでしょうが、それら が決まれば分割協議に入ります。相続人全員が一堂に会するのが原則で、全員の合意があれば、遺言や法律の指定とは異なる分割の仕方も可能です。協議がまとまったら遺産分割協議書を作成します。

相続税の申告と納付

　分割協議の結果に従って、それぞれの相続分の税額を計算し、申告書を提出して、税金を納付します。申告書の提出期限と税金の納付期限は同じで、相続開始の日の翌日から10か月以内。金銭による全額納付が原則ですが、延納や物納になる場合は申告書提出と同時の申請が必要です。

そんなときは法定相続分で分割したとして税額を計算し、申告・納付をすませ、協議成立後に更正の請求をするが、請求できるのは協議成立から4か月以内と限られている。

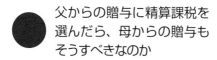

● 父からの贈与に精算課税を選んだら、母からの贈与もそうすべきなのか

Q 昨年父からの贈与について精算課税の適用を受けましたが、今年母からもらった財産については、どうなるのでしょうか?

A 精算課税については、贈与者ごとの選択になりますので、お父さんからの贈与とは関係なく、お母さんからの贈与については相続時精算課税もしくは暦年課税を選ぶことができます。

● 精算課税を選択したいが届出書の提出を忘れていた。どうすればいい?

Q 昨年贈与を受けた財産について精算課税を選択しようと思っていましたが、届出書の提出をしませんでした。今からでも間に合いますか?

A 残念ですが、精算課税については「相続時精算課税選択届出書」および「贈与税の申告書」を期限内に提出することが要件ですので、期限が過ぎている場合は適用することはできません。ただし、今年以降に贈与を受けた分については、期限内に申告すれば適用できます。

● 養父からの贈与に精算課税を選んだが、養子縁組を解消。相続権を失ったが…

Q 私は養父からの贈与について、精算課税を選択していましたが、このたび養子縁組を解消いたしました。この養父からの今後の贈与についてはどうなるのでしょうか?

A 相続時精算課税は撤回できません。ですから、推定相続人に該当しないこととなった場合でも、その後の養父からの贈与については継続して精算課税を適用し、養父の相続開始のときには、相続税の申告をすることになります。

● 精算課税で贈与を受け、相続時には何ももらわなかった。相続税の申告は不要?

Q 精算課税により財産の贈与を受けましたが、相続のときは何も財産をもらいませんでした。こういった場合は相続税の申告の必要はありませんね?

A 贈与により取得した財産について精算課税を選択した相続人は、その贈与した人が死亡した際に全く財産を取得していなくても、贈与により取得した財産を、相続により取得したものとみなすので、相続税の申告をする必要があります。

Q&A

● 贈与を受けたが非課税枠が
まだ残っている場合、申告
の必要は?

Q 昨年、父からの贈与について相続
時精算課税を選択して贈与税の申
告をしました。非課税枠はまだ1000万
円残っています。今年も父から贈与を受
けましたが、500万円しか贈与してもら
っていないので、申告しなくても大丈夫
ですね?

A 相続時精算課税を選択すると、納
付すべき贈与税額があるかないか
にかかわらず、基礎控除額を残している
と贈与税の申告をする必要があります。

● 受贈者が贈与者よりも先に
死亡した場合、納税の義務
や還付の権利はどうなる?

Q 精算課税を選択している受贈者
が、贈与者より先に死亡した場合
にはどうなるのでしょうか?

A 精算課税制度による贈与は、その
贈与者の相続のときに、贈与税を
精算して相続税を納付したりあるいは払
いすぎの贈与税の還付を受けることがで
きます。贈与者よりも受贈者が先に死亡
した場合には、この納付の義務もしくは
還付を受ける権利は、その受贈者の相続
人が承継することになります。

● 相続時精算課税を選択した
贈与者から基礎控除額以下
の贈与を受けた場合は?

Q 昨年、父から不動産の贈与を受
け、相続時精算課税を選択して申
告しました。今年になって、父から100
万円の現金をもらいました。よくよく考
えると手間なので、暦年課税に変更しよ
うと思いますが、期限内に申告すれば問
題ないですよね?

A 一人の贈与者(この場合はお父さ
ん)について一度、相続時精算課
税を選択するとその後ずっと暦年課税で
申告することはできません。ですから今
年贈与を受けた現金についても、暦年課
税ではなく、相続時精算課税で申告をし
なければなりません。

ただ、贈与を受けた額が100万円と基
礎控除以下ですので、今年の贈与につい
ては、申告の必要はありません。

column

過少申告には35%の重加算税

　相続税や贈与税だけではなく、所得税や法人税などもそうですが、本人の申告額によって納められる税金の場合、税務署は、その申告内容に不審な点を見つけると税務調査に踏み切ります。

　これには任意調査と強制調査の2つがあり、任意調査の場合は、その結果申告に誤りが発見されると、税務署がそれを修正して課税額を変更する「更正」を行います。

　「更正」は過少に申告した場合だけでなく、過大に申告した場合にも行われますが、財産を隠したり事実を偽装したりして過少に申告したときには、納付税額に35%を掛けた重加算税がかけられますから注意しなければなりません。

　また、正当な理由がなく税務調査を拒否すると、1年以下の懲役または50万円以下の罰金に処せられることも覚えておいてください。

　もう1つの強制調査というのは、国税犯則取締法にもとづいて、裁判所の令状により国税査察官が行うもので、計画的かつ悪質な脱税が疑われるときに実行され、臨検・捜索・差し押さえなどの執行も認められています。強制調査は映画「マルサの女」などでもおなじみですが、これによって悪質脱税が発覚すれば、検察官による刑事告発が行われることに

なるのです。

　ところで、税務署はどうやってこれらの不正に感づくことができるのでしょうか。それは彼らが常に管内に張りめぐらせている情報網のおかげです。

　たとえば市区町村の役所に届け出される死亡届。これによって税務署は「相続の開始」を知ることができ、あらかじめ相続税の申告洩れに注意できます。

　生命保険金や損保の死亡保険金などの支払調書、死亡退職金の支払調書といったものも、税務署は生命保険会社、銀行、一般の事業会社などから収集しています。

　毎年の確定申告書も、税務署の情報網は見逃しません。不動産の売却による譲渡所得、不動産の賃貸による不動産所得などは、確定申告書に表れてくるはずだからです。年間所得が2000万円を超えたら確定申告書に添付せねばならない「財産及び債務の明細書」も大切な情報源となります。

　これらの資料や、足で歩いて集めた情報をもとに、税務署では管内の大口資産家の財産リストを作っており、相続税の申告があると、さらに銀行や証券会社へ問い合わせたり、登記所から謄本を入手したりして、申告内容と事実との相違を洗い出していくのです。

第1章

相続税は
誰にどのように
かけられるのか

人の死亡によってその
人の財産を得た人を相
続人という。遺産争い
などを避けるため、相
続人になれる人やその
相続分は法律によって
も定められているが、
本人の意思で相続を放
棄することもできる。

相続税は一定基準以上の
相続遺産にかけられる

相続財産には、プラスの財産だけでなく、借金などのマイナスの財産もふくまれる

被相続人と相続人

　普通、働いて得たお金に対しては、所得税が課せられます。それと同じように、贈与されたり相続したりした財産にも税金がかかります。そもそも「相続」とは「ある人の財産をその人の死後に、特定の範囲の人たちに引き継がせる」ことをいいます。ですから、その引き継いだ財産に課せられるのが、「相続税」というわけです。このときの財産とは、土地や建物、現金などのプラスの財産（積極財産）だけでなく、借金などのマイナスの財産（消極財産）もふくまれています。

　死亡して財産を残す人のことを「被相続人」、その財産を引き継ぐ人のことを「相続人」といいますが、誰が相続人になるのかは、きちんと法律（民法）で決められています。

遺贈、死因贈与にも
相続税がかかる

　相続が開始されて、その相続財産が一定以上あると相続税がかかってくるのですが、相続によって財産を得たときだけに、相続税がかかるわけではありません。相続のほかには、「遺贈」と「死因贈与」という２つのケースのときに、相続税がかかることになっています。

　遺贈とは、一定の方式に従った遺言書によってその人の財産を他人に譲ることをいいます。遺言をした人（遺言者）が一方的に「どこそこの土地をだれそれにあげる」というだけで、遺言された"だれそれ"さん（受遺者）は、遺言者の死亡と同時に"どこそこの土地"をもらうことになるのです。

　遺贈の方式には、「どこそこの土地」というように財産を特定する「特定遺贈」があります。これは明確な物件が指定されるので、故人の債務までを一緒に負担することはありませんし、受け入れを拒否することもできます。

　また、「財産の1/4をあげる」というように、遺産全体の割合を示して遺贈する「包括遺贈」もあります。この場合は、指定された割合で遺産を引き継ぐ権利を持つことになるので、立場的に相続人と同等になります。ですから、故人に債務があれば、それを負担しなければいけません。

　なお、遺贈する相手に関しては制限がなく、相続人はもちろんのこと、他人や会社など誰に対してもできます。

　もう１つの死因贈与とは、「死んだら財

役立ち情報◆失踪宣告によっても相続は開始　人の死亡によって相続がスタートするが、「失踪宣告」という、法律的に死亡したとみなす制度によっても相続は開始する。失踪宣告とは、

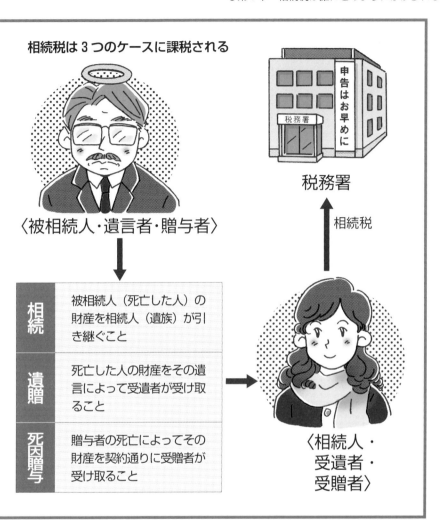

相続税は３つのケースに課税される

〈被相続人・遺言者・贈与者〉

税務署

相続税

相続	被相続人（死亡した人）の財産を相続人（遺族）が引き継ぐこと
遺贈	死亡した人の財産をその遺言によって受遺者が受け取ること
死因贈与	贈与者の死亡によってその財産を契約通りに受贈者が受け取ること

〈相続人・受遺者・受贈者〉

産をあげるね」と、贈与者（財産をあげる人）と受贈者（財産をもらう人）との契約によって成立するものです。普通、贈与には贈与税がかかりますが、死を原因とする贈与契約である死因贈与は、遺産と同様に考えられるため、相続税がかけられます。

遺贈の場合は、遺言者の一方的な意思によるものなので、気が変われば遺言書を書き替えてそれをやめることもできますが、死因贈与の場合には受贈者との契約になるので、勝手に契約を破棄することはできません。

このように遺贈も死因贈与も、人が死亡することによって財産を得ることになるので、基本的には相続と同じです。従って、これらにも相続税が課せられるのです。

行方不明者が生死不明になってから７年後に、死亡したものとして戸籍を削除する制度のこと（死亡の証拠がなく認定死亡でも扱えない場合）。失踪期間満了時から相続は開始される。

遺産相続人は普通、配偶者と子供。おのおの50％ずつ相続

法定相続人は故人の配偶者と血族に限られ、故人に子供がいれば他の血族は相続権を失う

◆相続人は法律で決められている◆

　ある個人（被相続人）の死亡によってその財産を引き継ぐ人のことを相続人と呼びますが、誰でも相続人になれるわけではありません。遺言書に被相続人による指定がある場合を除いて、民法の規準に従うことになっています。これを「法定相続人」といいます。

　もちろん、遺族の間で合意が成立すれば、法律の規準とは異なる相続人に遺産が与えられてもかまわないのですが、現実はなかなかそうはいかず、むしろ遺産をめぐる争いに発展しがちなので、法律によってあらかじめ相続人の範囲を限定しているのです。

法定相続人は配偶者と血族に限られる

　法定相続人は被相続人の配偶者（妻または夫）と血族に限られています。ただし、この場合の配偶者とは、婚姻届を出した法律上の正式な配偶者をいうので、いわゆる内縁関係の夫婦の場合は相続人になることはできません。

　血族についても制限があり、民法ではその範囲を被相続人の子供や孫（直系卑属）と父母、祖父母（直系尊属）、そして兄弟姉妹に限定しています。

　子供の中には、正式に法律上の縁組をした養子もふくまれています。被相続人が死亡した時点で、配偶者である妻の胎内に子供がいれば、その子にも、生きて生まれてくることを条件に相続権が認められています。

　また、法律上の正式な夫婦でなくとも、被相続人との間に生まれた子供（非嫡出子）は、父親が認知して戸籍上の届け出をしてあれば相続人になることができます。（認知は父子関係に必要なもので、母親が被相続人の場合は、そのまま相続人になれます）。

　被相続人の兄弟姉妹は、たとえ異母・異父であっても相続権を認められています。

相続人と相続分はケースによって変わってくる

　このように、法律で相続の権利を認められている人はいろいろですが、被相続人の死によってその全員が遺産を分け与えられるというわけではありません。あとで詳しく述べますが、配偶者と子供がいればその両者が全財産の1/2ずつ、配偶者がいなければ子供が全額、子供がおらず被相続人の父母がいれば配偶者は2/3、父母は1/3、父母がおらず兄弟姉妹がいるときは配偶者が3/4、兄弟姉妹は1/4…というふうに、配偶者と子供を除き、他の血族たちは遺産の分与を受けられたり受けられなかったりします。

　役立ち情報◆内縁関係では相続人になれない　法律上の夫婦ではないカップル、つまり内縁関係だとか愛人関係といわれる間柄には、相続は認められていない。だから、ある男性の内縁の

　非嫡出子にも、認知されていれば相続権はあります。相続分は嫡出子（実子）の1/2だけといった制限が加えられていましたが、現在はその制限はなくなりました。

　最初に述べた通り、遺言は法律による相続の規準に優先しますが、たとえ遺言に書かれていなくても配偶者と子供と直系尊属だけは、遺留分の制度によって最低限度の相続分が保障されています。これについても、あとで詳しく説明しましょう。

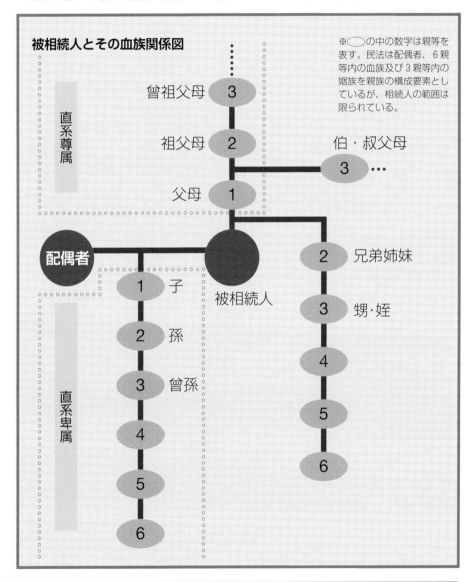

被相続人とその血族関係図

※◯の中の数字は親等を表す。民法は配偶者、6親等内の血族及び3親等内の姻族を親族の構成要素としているが、相続人の範囲は限られている。

直系尊属
曾祖父母 ③
祖父母 ②
父母 ①
伯・叔父母 ③ …

配偶者　被相続人
子 ①
孫 ②
曾孫 ③
④
⑤
⑥
直系卑属

兄弟姉妹 ②
甥・姪 ③
④
⑤
⑥

相続税をかけられる人

妻（愛人）はその人の相続人にはなれない。しかし、その間に生まれた子供は、認知されていれば、相続人になれる。認知をするかしないかによって、大きな違いが出てくる。

配偶者は最優先で相続。次いで子供。代襲相続もできる

配偶者は常に相続の権利を持ち、それと同格の第1順位が子供、第2順位が父母となる

◆ 配偶者は常に相続人になる ◆

法律によって相続権が認められているからといって、法定相続人なら誰でも遺産の分与を受けられるわけではないのは、これも法律によって相続の優先順位が決められているからです。

その中でも別格は、被相続人と夫婦関係にある配偶者で、優先順位に関係なく、常に相続人となります。

もちろん、この場合の配偶者とは婚姻届を出している法律上の正式な夫婦に限られ、内縁関係は認められませんが、逆にいえば、たとえ長年別居していても離婚届を出していない限り、その人は別格の遺産相続人になれるのです。

◆ 子供が第1順位、父母は第2順位 ◆

相続順位が配偶者と同一なのが、血族の中の第1順位にいる子供や孫（直系卑属）です。この「相続順位」というのは、血族の中に順位の高い人がいる場合、その人たちだけが相続人になって、他の人には相続

権がなくなることを意味しています。

従って、被相続人に配偶者と子供がいる場合は、その人たちが1位となるため、故人に親や兄弟がいても、第2順位、第3順位の彼らには遺産の相続ができないということになります。

第2順位は直系尊属の父母となります。もしも故人に子供がいない場合は、父母は順位が繰り上がって相続人になることができます。

第3順位の兄弟姉妹は、故人に子供も親も祖父母もいない場合に、初めて相続人になれるというわけです。

◆ 代襲相続とは ◆

しかし、故人にもともと子供がいて、その子が死亡などの理由により相続権を失っている場合は、第2順位、第3順位の父母や兄弟に必ず相続権が移るというわけではありません。相続権を失った子供にもし子や孫がいれば、第1順位に属する直系卑属として、その人たちが代わりに相続権を引き継ぐことになるのです。

これを「代襲相続」といい、代襲する人を「代襲相続人」、代襲される人を「被代襲者」といいます。

原理は父母の場合も同じで、親は亡くなっていても、そのさらに親である祖父母が生きていれば、その人たちが第2順位に属する直系尊属として相続権を引き継ぎます

　役立ち情報◆非嫡出子の相続分も嫡出子と同じ　子供に関しては、性別、生まれ順、実子、養子、既婚、未婚、嫡出子、非嫡出子（認知されているときのみ）などに関係なく、すべて同順

が、この場合は代襲相続とは言いません。

　兄弟姉妹の場合も、その子供（被相続人から見れば甥や姪）が代襲相続人になりますが、直系尊属や直系卑属の場合のように、祖父母がいなければ曾祖父母へ、孫がいなければ曾孫へと限りなく代襲されるこ

とはなく、甥・姪までで代襲は打ち切られるのが決まりです。

　なお、この代襲相続は、相続人が死亡している場合に限らず、あとの項（38ページ）で述べる「相続欠格」や「相続廃除」の場合にも適用されます。

遺産相続の順位

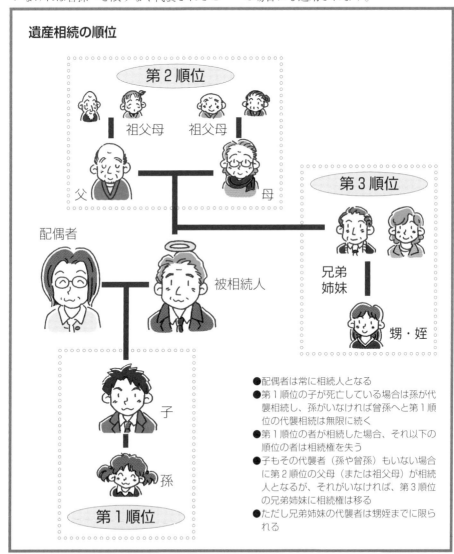

第2順位

祖父母　　　祖父母

父　　　　　　　　　母

第3順位

配偶者

被相続人

兄弟姉妹

甥・姪

子

孫

第1順位

●配偶者は常に相続人となる
●第1順位の子が死亡している場合は孫が代襲相続し、孫がいなければ曾孫へと第1順位の代襲相続は無限に続く
●第1順位の者が相続した場合、それ以下の順位の者は相続権を失う
●子もその代襲者（孫や曾孫）もいない場合に第2順位の父母（または祖父母）が相続人となるが、それがいなければ、第3順位の兄弟姉妹に相続権は移る
●ただし兄弟姉妹の代襲者は甥姪までに限られる

位。また、非嫡出子の相続分は嫡出子がいた場合、2分の1になるといった制限が加えられていたが、現在ではその制限はなくなった。

債務が多額だったら相続の 限定承認や放棄もできる

相続放棄をするときも、条件つきで相続するときも、3か月以内に届け出ねばならない

◆単純承認、限定承認、相続放棄◆

相続は原則的にその故人（被相続人）の持っている一切の財産を引き継ぐことになっています。ということは、土地や建物などプラスの財産だけでなく、仮に借金などのマイナス財産がある場合は、それもすべて引き受けなければなりません。

父親が亡くなって、いざ相続がスタートしたと思ったら、借金だらけ。プラス財産よりもマイナス財産のほうが多かった…なんてことになったら、相続人が借金をかかえることになってしまいます。そのため相続人には、相続財産を受け入れるかどうかの選択権が与えられ、選択肢は「単純承認」「限定承認」「相続放棄」の3つです。

単純承認とは、土地や建物などのプラス財産も借金などのマイナス財産も、すべて一手に引き受けますよ、という相続の方式です。もしもプラス財産よりマイナス財産のほうが多ければ、相続人が自分の財産でそれらを返済しなければなりません。

限定承認は、マイナス財産はプラス財産の範囲内で引き継ぐ、という条件つきで承認するパターン。不足分の支払い義務はありません。もしも財産がプラスになれば、それを相続することができます。

ただし限定承認の場合、相続人全員が限定承認を認めて、家庭裁判所へ届け出なければなりません。もし、相続人のうちの1人でも「限定承認はいや」ということになれば、その時点で限定承認を選ぶことは不可能になります。

相続放棄は、被相続人（故人）の一切の財産を引き継がない、という選択です。一切の財産とは、プラス財産もマイナス財産もすべて、ということ。また、18歳未満の者は自らこれを行うことはできません。

相続放棄をしたらその放棄者は、始めから相続人でなかったものとみなされるので、代襲相続はできません。したがって、他の相続人が受ける相続分の割合や、相続順位が変わることがあります。

放棄は相続開始から 3か月以内に

限定承認、相続放棄を選んだら、相続開始から3か月以内に、その旨を家庭裁判所へ届け出なければいけません。社会的第三者に限定承認や放棄の意思を示すためです。この3か月という期間を過ぎてしまうと、単純承認したものとして扱われてしまいます。

相続放棄は、相続人が各自で届けること

役立ち情報◆限定承認をする場合　相続人全員が同意しなければならない限定承認は、財産目録を作成して家庭裁判所に届け出なければならない。そして、その後も何かと面倒なことが多

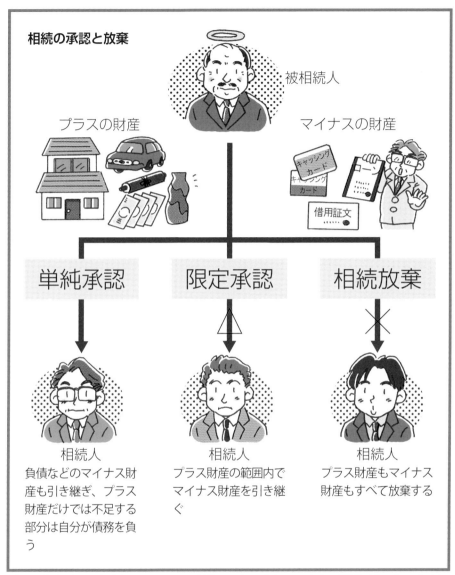

相続の承認と放棄

被相続人

プラスの財産

マイナスの財産

借用証文

単純承認

限定承認

相続放棄

相続人
負債などのマイナス財
産も引き継ぎ、プラス
財産だけでは不足する
部分は自分が債務を負
う

相続人
プラス財産の範囲内で
マイナス財産を引き継
ぐ

相続人
プラス財産もマイナス
財産もすべて放棄する

ができますが、限定承認については、前述
のとおり相続人全員が共同して行わなけれ
ば認められません。

　また、遺贈（遺言によって遺産を引き継
ぐ）の場合も、受遺者には放棄する権利が

与えられています。遺贈があったことを知
ってから3か月以内に、包括遺贈（30ペ
ージ参照）は家庭裁判所に、特定遺贈（30
ページ参照）は相続人たちに対して、放棄
する意思を示さなくてはいけません。

くなる。相続人同士の話し合いの結果、限定承認を選ぶことになったら、なるべく弁護士など
の専門家に相談したほうがスムーズに事が運ぶだろう。

相続欠格者や相続廃除者は相続することはできない

権利があっても相続を認められない場合の理由には、被相続人の生命への侵害などがある

◆ 相続欠格は遺言より強い ◆

　相続人になれる人とその範囲は法律によって決められていますが、相続人になる権利を持っているにもかかわらず、それが認められない場合もあります。

　その1つが「相続欠格」で、民法が定める重大な事情にあてはまる場合、その相続人は相続人としての権利を失うことになります。たとえ被相続人が遺言の中でその人に遺贈の指定を残していたとしても、それは認められません。

　民法が定める重大な事情とは、被相続人の生命に対する侵害や、被相続人の遺言に対する違法干渉などのことで、具体的には「被相続人や自分より先順位または同順位の相続人を殺したり殺そうとしたりしたため刑に処せられた者」「被相続人が殺されたことを知りながら、それを告訴・告発しなかった者」「詐欺や強迫によって、被相続人に遺言書を書かせたり、変更させたりした者」「遺言書を偽造したり破棄したり

相続欠格者とは

被相続人や自分と同順位・先順位の相続人を殺したり殺そうとしたため刑を受けた者

被相続人が殺されたことを知りながら告訴・告発しなかった者

詐欺や強迫によって被相続人に遺言をさせ、遺言の撤回・取り消し・変更をさせた者、または遺言をすることや遺言の撤回・取り消し・変更を妨げた者

被相続人の遺言書を偽造・変造・破棄・隠匿した者

　役立ち情報◆相続欠格や相続廃除は本人のみ　相続欠格にしても相続廃除にしても、権利が剥奪される場合はその本人のみに限られる。従って、その人の直系卑属（または尊属）は、代襲

隠匿した者」などがあげられます。

✦相続廃除は被相続人が決める✦

　相続の欠格ほどではないにしても、被相続人が正当な理由から、この人物にはどうしても自分の財産を相続させたくないと思う場合もあります。その相続人の非道な行動によって、被相続人やその家族の平和がいちじるしく乱された場合などがそれにあたります。

　相続人が被相続人を虐待したり、侮辱を与えたりして、それが限界に達したときなど、被相続人の意思で、相続人になる予定の者（推定相続人）からその相続の権利を奪うことができます。これを「相続人の廃除」といいます。

　相続廃除は、被相続人が家庭裁判所に申し出る方法と遺言にその旨を残す方法の2つがあります。

　家庭裁判所に申し出て、廃除の理由が認められたとき（廃除審判）に、相続人となる資格がなくなります。

　ということは、理由によっては廃除が認められない場合もあるということです。

　被相続人が、いったん廃除請求をしても、あとでそれを取り消そうと思ったときには、いつでも取り消しの請求をすることができます。その際、取り消しの理由を述べる必要はありません。

相続を廃除できるケース

相続人が被相続人を虐待した場合

相続人が被相続人に重大な侮辱を与えた場合

その他のいちじるしい非行が相続人にあった場合

相続をすることが可能になる。被相続人の子供が相続欠格の条件にあてはまり、相続の資格を失ったとしても、その者の子供（被相続人から見て孫）は代襲相続人になれる。

相続・贈与

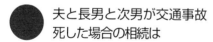

夫と長男と次男が交通事故死した場合の相続は

Q ドライブ中に夫と長男と次男が交通事故死しました。長男には妻子があり、次男はまだ独身。私を除いて他に家族はおりません。相続はどのようになるのでしょう。

A 3人の死亡の順序が明らかなら、相続は法律の規定に従って行われます。もしも、あなたのご主人Ⓐ、長男Ⓑ、次男Ⓒの順に死亡したのなら、Ⓐの遺産はまずあなたとⒷⒸに引き継がれ、次にⒷの遺産（Ⓐから相続した分もふくめます）はその奥さんと子供に引き継がれます。そしてⒸの遺産は、Ⓐからの相続分もふくめ、母親であるあなたが相続することになります。死亡の順序がこれと違っていれば、相続関係も当然変わってくるわけです。

なお、死亡の順序がはっきりしない場合は同時死亡という推定が行われるので、死んだ3人の間には相続が発生せず、Ⓑの奥さんにはⒷの遺産が、Ⓑの子供には、父親が死亡しているためⒷの遺産と祖父Ⓐの遺産の代襲相続が発生します。そしてあなたには、Ⓐの財産とⒸの財産が相続されることになるのです。

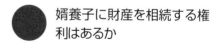

婿養子に財産を相続する権利はあるか

Q 一人娘の家へ婿入りして家業を手伝い、妻の両親の面倒も見ています。将来は家業を継ぐつもりなのに、ある人の話では、私には義父の財産を相続する権利はないとのこと。本当ですか。

A 世間では、あなたのような人のことをよく婿養子と呼んでいますが、奥さんの親との間で正式に養子縁組の届け出をしないと、法律上の養親子（ようしんし）の関係が成立せず、相続関係も発生しません。これは嫁の場合でも同じです。

逆にいって、届け出をすませておけば、奥さんと離婚するようなことが起こっても、養親子の関係を解消しない限り、あなたの相続権は失われないのです。嫁の場合も同様です。

ただし、法律上の養親子でなくても、相続人がいない場合には、特別の縁故関係者として遺産の分配を請求することができますし、特別の寄与制度が創設され（53ページ参照）、相続人に対し金銭を請求することができるようになりました。

相続を放棄するための手続きはどのようにすべきか

Q 父の遺産は家とその敷地だけなので、そこに住んでいる母のため、

Q&A

私たち子供は相続を放棄することに決めました。手続きはどのようにすればよいのですか。

A 相続放棄と相続分の放棄とは、大きく意味が違うということをまず知ってください。相続放棄というのは、被相続人の有する一切の権利・義務が自分のものとなるのを拒否することで、相続そのものがなかったことにすることなのです。もしこの手続きを取ると、あなたたち子供は最初から相続人ではないとされ、故人に子供がなかった場合の相続が開始されますから、遺産相続人は、お母さんの他に、お父さんの両親か祖父母、それがいないときはお父さんの兄弟姉妹ということになり、その人たちとの間で遺産分割の協議がなされて、お母さん1人が家をもらうことはできなくなってしまう可能性があるのです。

たぶんあなたの考えておられるのは相続分の放棄のことでしょう。本来ならもらえるものを他の相続人に譲るということだと思われます。これならば特別の手続きなど取る必要はなく、母子で合意の結果を記載した遺産分割協議書を作って、全員が署名押印し、印鑑証明書を添付すればよいのです。この協議書によって、不動産の名義をお母さんに変更することができます。

また、「配偶者居住権」という相続の方法もあります。詳しい説明は14ページにありますが、この相続の方法を使えば、お母さんは今まで住んでいた家に住み続けることができ、なおかつ子供たちが家とその敷地を相続することも可能です。

被相続人の生前に法定相続人が書いた相続放棄の念書は有効か

Q 2度目の妻と結婚するに際し、子供たちが反対するので、相続権を放棄する旨の念書を妻に書かせた上で籍を入れました。しかし現在では、彼女にも財産を相続させたい思いでいっぱいです。念書がある限り、私の願いは実現不可能でしょうか。

A わが国の法律では、相続が開始される前に相続を放棄することは認められていません。つまり、どのような書面であれ、被相続人が死亡する前にその人の財産に関する相続権を主張しないと約束しても、それは無効なのです。従って、あなたが亡くなれば、奥さんには、遺産の1/2を相続する権利があるわけです。

column

●◆

生前贈与の抑制税制から促進税制へ

「相続時精算課税制度」という税制の登場によって、国民は相続税や贈与税の納付について、それまでの「暦年課税制度」と合わせて、2つの選択肢が与えられています。

納税者はそのうちのどちらかから自分の条件にあった制度を選ぶことができるのです。

相続税と贈与税を一体化して相続財産の課税額を計算する前者の方式は、贈与税の軽減に焦点が合わせられており、贈与者である父母又は祖父母は60歳以上、受贈者である子又は孫は18歳以上という制限がつけられてはいますが、非課税枠が大きく、贈与の際の贈与税の税率が20%と低く、基礎控除分が相続時に加算されないことから、高齢世代から若い世代への速やかな財産の移転を促進させようとしている意図が感じられます。

また、2015年より受贈者に孫も加えられ、親から子、子から孫へという財産の移転ではなく、一世代飛ばした親から孫へという財産の移転を促されています。

ただし、この場合には相続発生時に相続税の2割加算を受けるので、よく検討した上での適用が必要となるでしょう。

さらに、教育資金の一括贈与の非課税措置や、結婚・子育て資金の一括贈与にかかる贈与税の非課税措置は、祖父母が孫に教育資金等を一括で贈与しても贈与税を課さないという制度です。

高齢の富裕層である祖父母が孫の教育資金を負担し、世代間の資産移転の促進と教育費の負担軽減を図ろうとするものです。

いずれも、高齢者層に偏在している金融資産を若い世代に移転させようという国の狙いの表れでしょう。

ただ、一方で、相続税の基礎控除額の縮小や最高税率の引き上げ、税率構造の見直しも行われ、課税対象者の増加や税額も増額することになるでしょう。

以上のことからも、今後ますます賢い節税に取り組みたいものですが、その節税には財産を相続する人たちはもちろんのこと財産を所有する人との一致団結した協調が必要な場合も出てきます。

いざ相続というときに遺産分割をめぐって醜い争いを起こさないよう、早めの対策がおすすめです。

第2章

遺産分割や
遺言の
正しい仕方

故人の遺言があれば、遺産はその指定に従って分割されるが、それがない場合のために、法律が遺産分割の仕方を定めている。しかし、あくまでも優先されるのは遺言。その作成の普通方式には3つのやり方がある。

WHAT?

遺言がなくても法定相続分の割合で相続できる

配偶者と子供が相続人の場合は1/2ずつ、配偶者と父母なら2/3と1/3の相続分になる

決められている法定相続分

「あの土地の1/2は長男に」というように、故人が自分の財産を誰にどれだけ与えようと、基本的には自由なこと。遺言によって、その意思を示すことが可能です。しかし、遺言がないまま被相続人が亡くなってしまったら、遺産を分けるときに争いごとが起きてしまうかもしれません。

誰がどのぐらいの割合で相続したらよいのか——遺産をめぐって争いごとが起きないように、法律はきちんと遺産の分け方を決めてくれています。この民法が定めた割合を「法定相続分」といいます。遺言がない場合や相続人の間に特別の合意がない場合には、それぞれの相続人が法定相続分により遺産を分けることになるのです。

この法定相続分では、誰が相続人かによって、その割合が変わってきます。単純に山分け、というわけにはいかないので、相続人の立場によって、その取り方も変わるのです。では、具体的なパターンでその取り方を見てみることにしましょう。詳しくは、それぞれあとのページで登場するケーススタディを参考にしてください。

配偶者と子供が相続人
→ケーススタディ①（46ページ参照）

配偶者と子供が相続人の場合は、それぞれ1/2ずつの割合になります。

子供が複数いるときは、子供の割合1/2をそれぞれ均等に分けます。ですから、子供が2人いると、その子たちは1/4の割合で相続することになるのです。

相続人同士が醜い遺産争いを始めないように、法律は遺産の分け方を決めている

配偶者と子の場合は1/2ずつ。子が2人いれば1/2をさらに2つに分ける

役立ち情報◆相続人が1人だけの場合は　相続人が1人しかいない、という場合はその相続人がすべての財産を引き継ぐことになる。妻に先立たれた男性が亡くなり、一人息子が残されて

非嫡出子が嫡出子とともに相続する場合でも、非嫡出子の相続分は嫡出子の相続分と同一です。

配偶者と父母が相続人
→ケーススタディ②（48ページ参照）

配偶者と故人の父母の場合は配偶者が2/3。父母は1/3を2人で分ける

配偶者と父母が相続人の場合は、配偶者が2/3、父母が合わせて1/3の割合になります。父母が両人健在ならば1/3を2人で分けるので、それぞれの取り分は1/6ということに。

配偶者と故人の兄弟姉妹の場合は配偶者が3/4。残る1/4を兄弟姉妹で分ける

配偶者と兄弟姉妹が相続人
→ケーススタディ③（50ページ参照）

配偶者と兄弟姉妹が相続人の場合は、配偶者が3/4、兄弟姉妹が1/4になります。兄弟姉妹が複数のときは、兄弟姉妹の取り分1/4を均等に分けることになります。

例えば、兄弟姉妹が3人だとすると、それぞれの相続分は1/12になるのです。

ただし、兄弟姉妹の中に、異父・異母兄弟姉妹（父か母の一方だけが同じ兄弟姉妹）がいたら、異父・異母兄弟姉妹の取り分は、全血兄弟姉妹（父も母も同じ兄弟姉妹）の1/2の割合になります。

代襲相続人の相続分

代襲相続人（相続人が相続する時点でその権利を失っている場合、代わりに相続する直系の子供など。34ページ参照）の相続分は、被代襲者（相続するはずだった人）の割合と同じです。もしも代襲者が複数いるときは、取り分をその人数で均等に分けることになります。

故人の子供がすでに死亡している場合は孫がその分を引き継ぐことになる

他に法定相続人がいない…このようなときは一人息子だけが相続人となるので、100%の相続分を受け取ることになる。これは配偶者や父母、兄弟姉妹の場合も同じ。

遺産分割の仕方

ケーススタディ①
配偶者と子供は1/2ずつ相続

子供が複数いる場合は、その人数で相続分を分けるが、養子もその中にふくまれる

配偶者と法定相続人の第1順位である子供が相続人になった場合を見てみましょう。

配偶者の相続分は遺産の1/2、子供も1/2になります。子供が複数いる場合は、1/2を均等にその人数で分けます。この子供には、実子だけでなく法律上の子供、すなわち養子もふくまれます。

また、非嫡出子（婚姻届を出していない男女間に生まれた子供）にも相続権はありますが、父親の相続人になる場合は、認知（戸籍上の届け出または遺言で認知）されていることが必要です。

では、被相続人が1億円の遺産を残したときの相続分具体例を、3パターン紹介します。

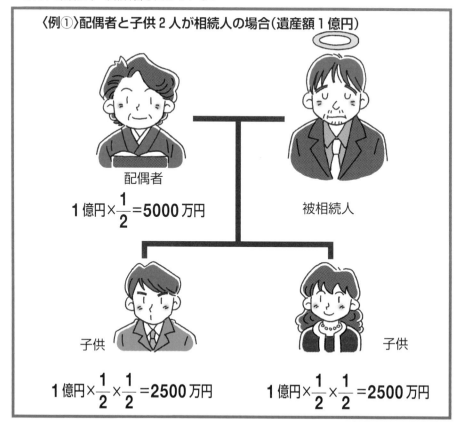

〈例①〉配偶者と子供2人が相続人の場合（遺産額1億円）

配偶者
$$1億円 × \frac{1}{2} = 5000万円$$

被相続人

子供
$$1億円 × \frac{1}{2} × \frac{1}{2} = 2500万円$$

子供
$$1億円 × \frac{1}{2} × \frac{1}{2} = 2500万円$$

役立ち情報◆胎児にも相続権がある　被相続人が死亡したときに生きていなければ、相続権は認められないが、お腹の中にいる赤ちゃん（胎児）だけは例外。胎児は生きているものとみな

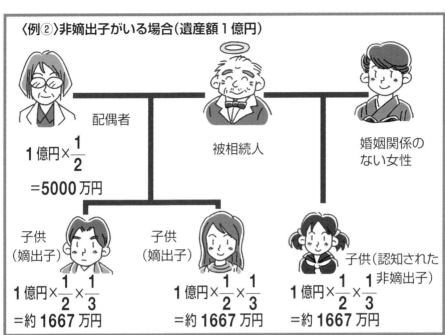

〈例②〉非嫡出子がいる場合（遺産額１億円）

配偶者

被相続人

婚姻関係の
ない女性

$1億円 \times \dfrac{1}{2}$

$=5000万円$

子供
（嫡出子）

子供
（嫡出子）

子供（認知された
非嫡出子）

$1億円 \times \dfrac{1}{2} \times \dfrac{1}{3}$

$=約1667万円$

$1億円 \times \dfrac{1}{2} \times \dfrac{1}{3}$

$=約1667万円$

$1億円 \times \dfrac{1}{2} \times \dfrac{1}{3}$

$=約1667万円$

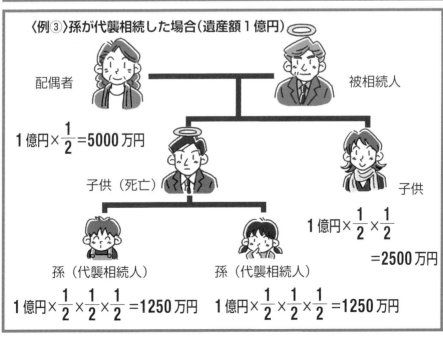

〈例③〉孫が代襲相続した場合（遺産額１億円）

配偶者

被相続人

$1億円 \times \dfrac{1}{2} = 5000万円$

子供（死亡）

子供

$1億円 \times \dfrac{1}{2} \times \dfrac{1}{2}$

$=2500万円$

孫（代襲相続人）

孫（代襲相続人）

$1億円 \times \dfrac{1}{2} \times \dfrac{1}{2} \times \dfrac{1}{2} = 1250万円$

$1億円 \times \dfrac{1}{2} \times \dfrac{1}{2} \times \dfrac{1}{2} = 1250万円$

●
遺
産
分
割
の
仕
方

されるので、相続権を持っている。ただし、生きて生まれてくることが条件なので、死産をし
てしまったら、その胎児は初めからいなかったものとされる。

ケーススタディ②
配偶者と父母は2/3と1/3

被相続人が養子の場合は、養父母の他実父母も、平等に第2順位の相続分を与えられる

被相続人に子供やその代襲者が1人もいないときは、配偶者と法定相続順位が第2順位の直系尊属（父母）が相続人です。

この場合の相続分は、**配偶者が遺産額の2/3、直系尊属（父母）が1/3**になります。

直系尊属の父母とは、もちろん故人（被相続人）の親ということですが、実父母、養父母の区別はありません。ですから、被相続人が養子だったなら、実の親と育ての親の双方が相続人になるというわけです。

直系尊属の父母がいない場合は、祖父母が相続人になるのですが、父方・母方の区別はなく、平等に相続分が与えられることになります。

では、被相続人が1億円の遺産を残した場合の相続分具体例を見てみましょう。

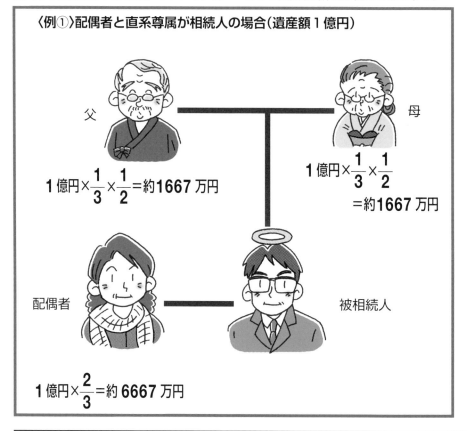

〈例①〉配偶者と直系尊属が相続人の場合（遺産額1億円）

父

$$1億円 \times \frac{1}{3} \times \frac{1}{2} = 約1667万円$$

母

$$1億円 \times \frac{1}{3} \times \frac{1}{2} = 約1667万円$$

配偶者

被相続人

$$1億円 \times \frac{2}{3} = 約6667万円$$

役立ち情報◆祖父母4人の相続もある　父母の相続分は遺産の1/3だが、父母のどちらかが亡くなっていた場合（相続権を失っていた場合）は残りの1人が1/3すべてを相続する。父母の

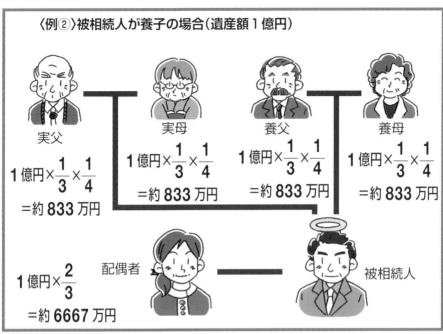

〈例②〉被相続人が養子の場合（遺産額1億円）

実父

$1億円 \times \dfrac{1}{3} \times \dfrac{1}{4}$
＝約833万円

実母

$1億円 \times \dfrac{1}{3} \times \dfrac{1}{4}$
＝約833万円

養父

$1億円 \times \dfrac{1}{3} \times \dfrac{1}{4}$
＝約833万円

養母

$1億円 \times \dfrac{1}{3} \times \dfrac{1}{4}$
＝約833万円

配偶者　　被相続人

$1億円 \times \dfrac{2}{3}$
＝約6667万円

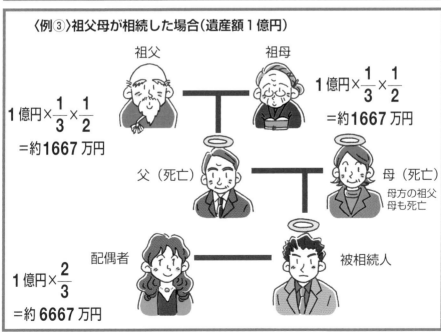

〈例③〉祖父母が相続した場合（遺産額1億円）

祖父　　　　　　祖母

$1億円 \times \dfrac{1}{3} \times \dfrac{1}{2}$
＝約1667万円

$1億円 \times \dfrac{1}{3} \times \dfrac{1}{2}$
＝約1667万円

父（死亡）　　　　　　母（死亡）
母方の祖父母も死亡

配偶者　　　被相続人

$1億円 \times \dfrac{2}{3}$
＝約6667万円

●遺産分割の仕方

どちらかが相続するときは、祖父母の相続は発生しない。また、祖父母が相続する場合、父方・母方は関係ないので、全員が健在ならば4人で相続分を均等分することになる。

ケーススタディ③
配偶者と兄弟姉妹は3/4と1/4

第3順位の兄弟姉妹が相続人になった場合、異父・異母の半血は、全血の取り分の1/2

被相続人に子供（やその代襲者）も父母（や祖父母など）もいないときは、配偶者と相続第3順位の兄弟姉妹が相続人になります。

この場合の相続分は、**配偶者が全体の3/4、兄弟姉妹は1/4**になります。兄弟姉妹が複数いる場合は、1/4をその人数で分けます。

このとき片方の父母のみが同じである半血兄弟姉妹（異父・異母兄弟姉妹）は父母を同じくする全血兄弟姉妹の相続分の1/2しか相続できません。

兄弟姉妹の代襲相続人は、その子供（故人から見て甥や姪）です。そのままの割合で相続しますが、複数の子供がいたらその人数で均等分することになります。

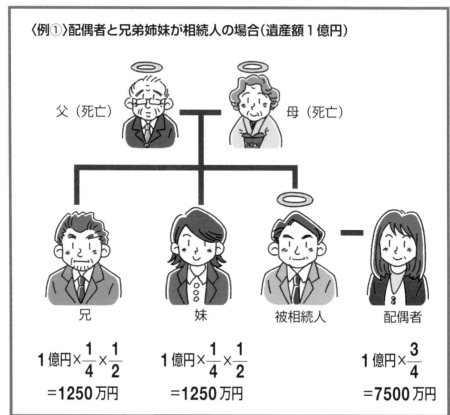

〈例①〉配偶者と兄弟姉妹が相続人の場合（遺産額1億円）

父（死亡）　母（死亡）

兄　妹　被相続人　配偶者

$$1億円 \times \frac{1}{4} \times \frac{1}{2} = 1250万円$$

$$1億円 \times \frac{1}{4} \times \frac{1}{2} = 1250万円$$

$$1億円 \times \frac{3}{4} = 7500万円$$

役立ち情報◆兄弟姉妹の代襲相続は甥・姪まで　被相続人の子供（直系卑属）の代襲相続の場合は、その子供（孫、曾孫）と限りなく続くが、兄弟姉妹の代襲相続人はその子供（被相続人

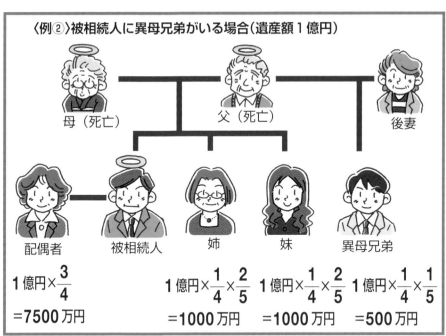

〈例②〉被相続人に異母兄弟がいる場合（遺産額1億円）

母（死亡）　　父（死亡）　　後妻

配偶者　　被相続人　　姉　　妹　　異母兄弟

$1億円×\dfrac{3}{4}$
$=7500万円$

$1億円×\dfrac{1}{4}×\dfrac{2}{5}$
$=1000万円$

$1億円×\dfrac{1}{4}×\dfrac{2}{5}$
$=1000万円$

$1億円×\dfrac{1}{4}×\dfrac{1}{5}$
$=500万円$

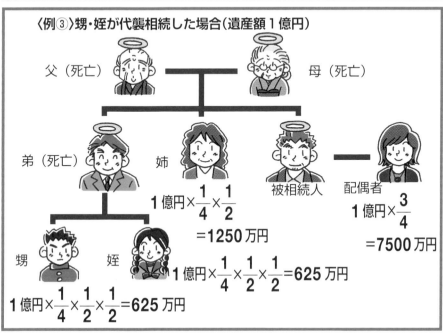

〈例③〉甥・姪が代襲相続した場合（遺産額1億円）

父（死亡）　　母（死亡）

弟（死亡）　　姉　　被相続人　　配偶者

$1億円×\dfrac{1}{4}×\dfrac{1}{2}$
$=1250万円$

$1億円×\dfrac{3}{4}$
$=7500万円$

甥　　姪

$1億円×\dfrac{1}{4}×\dfrac{1}{2}×\dfrac{1}{2}=625万円$

$1億円×\dfrac{1}{4}×\dfrac{1}{2}×\dfrac{1}{2}=625万円$

から見て甥や姪）で打ち切りになる。従って上記の例③で、甥も姪もいなかったとしたら、姉
1人が兄弟姉妹の相続分2500万円を相続することになる。

寄与分制度は故人の財産形成に貢献した人に相続加算される

特別の寄与の判定は相続人同士の話し合いにまかされるが、一応の条件は設けられている

寄与分制度とは

妻と子供2人（長男・次男）を残して、ある個人が亡くなったとします。妻と長男は、父親（故人）の商売を手伝っていましたが、次男は家業を手伝わないでサラリーマンになりました。こんな場合、父親の残した財産を法定相続分通りに分けたら、少し不公平です。妻と長男は商売を手伝うことにより、父親の財産形成に協力していますが、次男は協力していません。「親父の商売を手伝ってきた自分と何もしていない弟の相続分が同じなんて、やってられない」と長男は思うかもしれません。

被相続人の財産形成あるいは維持に協力（寄与）した人が相続人の中にいる場合、そのことを無視して法定相続分通りに遺産を分けるのは、常識的に不公平です。そこで民法では、このような不公平が生じないように配慮された「寄与分制度」を定めています。

寄与分制度とは、被相続人の事業への協力や被相続人の介護援助を長年務めたなどの被相続人への特別の貢献があった場合に、遺産額に対してその貢献分を主張して認められる多めの遺産取得割合のことです。

ただし、遺産分割が相続開始後10年以内に行われなかった場合には、基本的に法定相続分で分割することとなり、寄与分が主張できなくなります。

寄与分の程度は話し合いで

では、いったいどれぐらいの貢献度があれば、この寄与分制度が適用されるのでしょうか。実のところ、この貢献度をはかる物さしははっきりしていません。

「寄与をしたかどうか」「どのぐらいの寄与（価格）なのか」ということについては、各相続人同士の話し合いによって決めることになります。

はっきりした基準はありませんが、次の条件は必要です。

①その寄与により、被相続人の財産が増えた、あるいは減少をまぬがれた場合。

（妻が被相続人を精神的に支えたことによって、事業が成功した…これは特別の寄与としては認められません）。

②「特別の寄与」なので、通常の寄与は認められない。

（民法では、家族間の協力と扶助義務を定めているので、その範囲の寄与は認められません。妻が夫の病気を看病する…これは特別ではなく通常の寄与になるのです）。

遺産分割に関する話し合いは、ときとして醜い争いごとの舞台にもなりかねません。自分は特別の寄与をしてきたと思っていても、周囲の相続人が認めない場合もあるでしょう。話し合いで決着がつかなかったときは、家庭裁判所に調停を申し立てることになります。

役立ち情報◆内縁の妻などの特別寄与料は認められない 特別寄与料を請求できるのは被相続人の親族に限られているが、この親族には三親等内の姻族も含まれている。このため、被相続

夫の父母を介護や看病したら「特別寄与」が認められる

2019年7月1日に施行された新しい制度により、長男の妻など「相続人でない親族」も、介護や看病などによる貢献に対し、「特別の寄与」として、相続人に対し金銭の請求ができるようになりました。

金銭の請求には具体的な介護記録（日付入り介護日記など）や、介護にかかった費用の明細（領収書など）が必要になります。

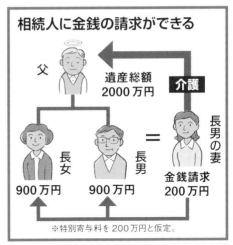

相続人に金銭の請求ができる

父　遺産総額 2000万円　介護　長男の妻　金銭請求 200万円

長女 900万円　長男 900万円

※特別寄与料を200万円と仮定。

遺産分割の仕方

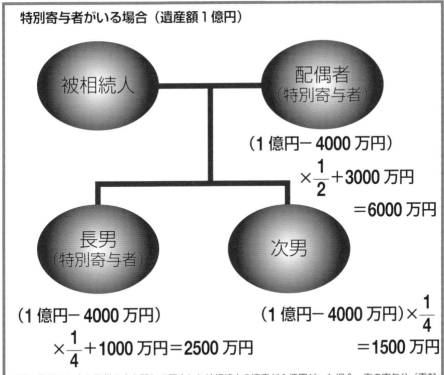

特別寄与者がいる場合（遺産額1億円）

被相続人　──　配偶者（特別寄与者）

（1億円－4000万円）

$$\times\frac{1}{2}+3000万円$$

$$=6000万円$$

長男（特別寄与者）　　次男

（1億円－4000万円）

$$\times\frac{1}{4}+1000万円=2500万円$$

（1億円－4000万円）$$\times\frac{1}{4}$$

$$=1500万円$$

冒頭で登場した妻と子供2人を残して死亡した被相続人の遺産が1億円だった場合、妻の寄与分（貢献した金額）が3000万円、長男の寄与分は1000万円だとすると、両人の寄与分4000万円を1億円から差し引いた6000万円を法定相続分で分け、寄与分がある者はそれをプラスする。

人の妻なども特別寄与料を請求することができるようになったのだが、いわゆる内縁関係にあたる者などは特別寄与料を請求することができない。

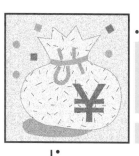

故人から受けた特別な利益は普通、遺産額にふくめられる

特別の受益の判定も相続人同士で話し合い、決着がつかぬ場合は家庭裁判所に調停を…

特別受益の制度とは

前のページで説明した寄与分制度の反対のパターンも考えられます。例えば、妻と子供2人（長男・次男）を残してある個人が死亡したとします。長男は父親からマイホームを建てる資金援助を受けていました。父親の死後、法定相続分通りに遺産を分けたら、次男としては「兄貴はマイホーム援助を受けていたのに、ずるい」と思うかも知れません。

生活資金の援助や結婚に際しての持参金、事業を始める資金提供などなど、相続人が被相続人（故人）から特別の財産的利益を受けている場合も多々あるでしょう。そのことを無視して指定あるいは法定相続分通りに遺産を分けたら、不公平が生じる恐れがあります。

このような不公平をできるだけ少なくするように定められたのが「特別受益の制度」で、被相続人（故人）から、特別の財産的利益を受けた人のことを「特別受益者」といいます。

特別受益の制度は、特別受益者が受けた利益を遺産額に戻し、みなし相続財産として相続財産に含めて分割を行います。これにより特別受益者の相続分を減らすことができるので、故人の生前に贈与を受けた分を加味しての相続が可能となります。ただし、遺産分割が相続開始後10年以内に行われなかった場合には、基本的に法定相続分で分割することとなり、特別受益の持ち戻しができなくなります。

財産的利益とは、どの程度のものなのか、どんな場合に相当するのか、寄与分制度と同様はっきりした基準はありません。あくまでも、相続人同士の話し合いで決めることなのです。

どうしても話し合いに決着がつかなかった場合は、家庭裁判所に調停を申し立てることになります。

長男が特別受益者の場合の具体例

では、長男が特別受益者だった場合を具体的に考えてみましょう。

妻と子供2人（長男・次男）を残して死亡した被相続人の遺産額が1億円だったとします。長男は父親から2000万円の援助を受けて、マイホームを手に入れました。この2000万円は特別な財産的利益だということを相続人全員（妻と長男と次男）が認め、長男は特別受益者になります。

遺産額の1億円に長男の特別受益分2000万円を加算した1億2000万円を相続額として、法定相続分で分けたとすると各相続人の取り分は次のようになります。

配偶者（妻）の相続分は、
1億2000万円×1/2＝6000万円
長男の相続分は、

役立ち情報◆特別受益と寄与分の主張は10年以内　従来、遺産分割協議には期限はなかったが、遺産分割がされないまま何十年もたってしまうと、所有者不明の土地が生まれるおそれが

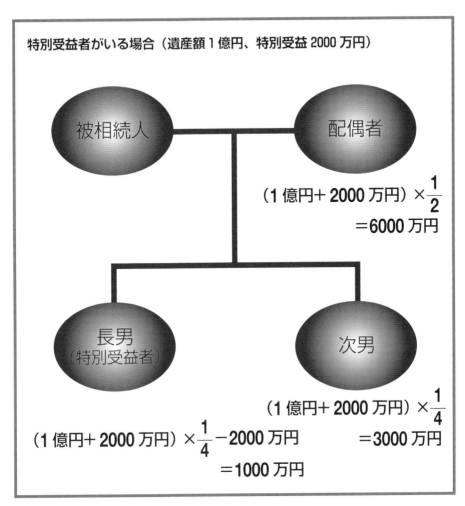

特別受益者がいる場合（遺産額1億円、特別受益2000万円）

被相続人

配偶者

$$（1億円＋2000万円）×\frac{1}{2}$$
$$=6000万円$$

長男
（特別受益者）

次男

$$（1億円＋2000万円）×\frac{1}{4}－2000万円$$
$$=1000万円$$

$$（1億円＋2000万円）×\frac{1}{4}$$
$$=3000万円$$

遺産分割の仕方

1億2000万円×1/4＝3000万円

　ここから特別受益分2000万円を差し引いて、1000万円。

　次男の相続分は、

1億2000万円×1/4＝3000万円

特別受益者の免除

　もしも故人が「長男に与えたマイホームの頭金2000万円を特別受益と考えない

で、指定相続分通りに相続せよ」と遺言で残したとします。その2000万円は長男だから特別に援助したんだ、という故人の強い意思があることも考えられます。

　このような遺言がある場合に限り、受益額を戻すことは免除されます。つまり、長男が受けた2000万円のことは勘定に入れずに、指定または法定相続分によって遺産を分配する、というわけです。

ある。それを解消するため2021年4月に民法改正が行われ、2023年4月1日以降の相続については、特別受益と寄与分を主張するには、相続開始後10年以内と期限がつくことになった。

遺言は「指定相続」。「法定相続」に優先する

遺言はすべてに優先するが、配偶者や子供などは遺留分の制度によって最低限を保障される

遺言で決まる指定相続分

「配偶者と子供が相続人ならば、配偶者と子供の相続分はそれぞれ1/2ずつになる」。これは民法が定めた法定相続分です。けれども「誰にどの程度の遺産を与えたい」と被相続人が考えるのは自然なことですし、よくあることです。

こんなとき被相続人は、遺言によってその意思を示すことができます。「妻には財産の2/3を残したい」「長男にはどこその土地を与えたい」などなど。

このように、遺言で各相続人の相続分を指定することを「指定相続分」といいます。また、第三者（例えば弁護士など）に相続分を指定させることも、遺言では可能です。

相続財産のすべてについて、相続分を指定することはもちろんですが、一部の相続人の取り分についてだけを指定することもできます。例えば「妻には財産の2/3を残す」と遺言に残し、子供たちの相続分については言及しない、ということもできるのです。

"指定"は"法定"より強し

被相続人が遺言で残した指定相続分が、民法で決められている法定相続分と異なっていても、問題はありません。指定相続分は法定相続分に優先されることになってい

ます。

法定相続分は、あくまでも遺言がない場合の補助的な基準なので、まず第一に故人の意思が尊重されるというわけです。

遺言の指定相続分が法定相続分の額より低かったとき「私は何がなんでも、法定相続分だけはもらう」といい張る人が出てきそうですが、遺言に従わなければいけません。遺言は相続人の意思よりも優先するのです。

例えば、妻と子供1人を残して夫が死亡したとします。遺産額は1億円。夫は遺言に「遺産の3/4を妻に、残りを子供に」と残したとします。

この場合、遺言に残された指定相続分が最優先されるので、妻の相続分は、1億円×3/4→7500万円。子供の相続分は、残りの2500万円になるのです。

"遺留分"は"指定"よりも強し

遺言は法定相続分や相続人の意思などよりも優先する、とお話ししましたが、1つだけ例外があります。それは相続人に与えられている「遺留分」という、最低限度の相続分のことです。

遺留分についての詳しいことは後述しますが（70ページ）、最低限の相続分である相続人の遺留分を侵した遺言は、その効力に制限が生まれます。

例えば、妻と子供1人が相続人になる被

　　役立ち情報◆遺留分の制度は遺言の暴走の歯止め役　民法は、法律によって相続人の範囲や相続分などを定めておきながら、一方で遺言がそれに優先すると規定している。そのために不利

相続人（故人）が「1億円の全財産は妻に残す」と遺言したとします。これでは、相続権を持っているのに子供の取り分は0円になってしまいます。そこで遺留分という制度が力を発揮することになるのです。

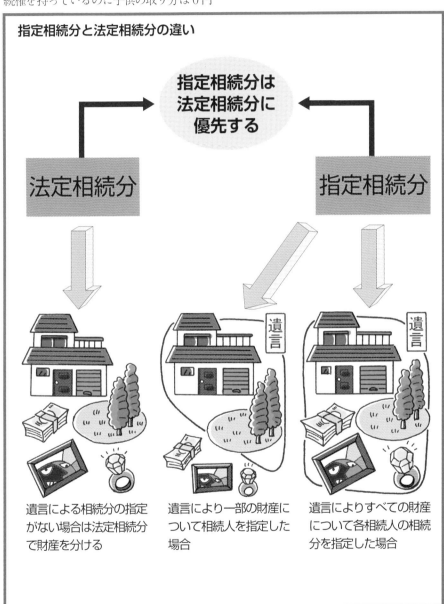

指定相続分と法定相続分の違い

指定相続分は
法定相続分に
優先する

法定相続分

指定相続分

遺言による相続分の指定がない場合は法定相続分で財産を分ける

遺言により一部の財産について相続人を指定した場合

遺言によりすべての財産について各相続人の相続分を指定した場合

●遺産分割の仕方

益をこうむる相続人も出てくるだろう。それを埋め合わせするのが遺留分の制度。遺言は確かに法定相続に優先するが、この遺留分の制度が遺言の暴走に対する歯止めの役を果たしているのだ。

遺言は決められた遺言事項を書面で。録音や口頭は無効

効力を発揮する事項には制限があり、遺言ならなんでも強制実行されるというわけではない

遺言制度と遺言事項

故人の財産をめぐって相続争いが起きる……相続人が複数いると、誰がどれだけの財産を引き継ぐのかが大きな問題になります。

法定相続分という民法で定めた相続分の割合をもとにして、その争いを最小限に抑えるシステムがあるのですが、それぞれの家庭事情にまで立ち入る効力はありません。

また、故人が自分の財産を好きなように処分することも当然の権利です。

相続人同士の争いを避け、なおかつ故人の最終的な意思を実現させる方法が「遺言」です。

この故人の意思である遺言を適用させるシステムが「遺言制度」。遺言を残す側の意思と遺言を受ける側の意思を法的に裏づける制度と考えてよいでしょう。

法的に認められる主な遺言事項

1	財産の処分（遺贈）	6	遺産分割の禁止（死後5年を超えない期間）
2	婚姻届を出していない女性との間にできた子を自分の子と認める（認知）	7	遺言執行者の指定
3	自分に対しひどいことをした相続人、またはいちじるしい非行のあった相続人の相続権を奪う（相続人の廃除）	8	後見人、後見監督人の指定
4	相続分の指定	9	相続人相互の担保責任の指定
5	遺産分割の仕方の指定	10	遺留分侵害額請求の指定

役立ち情報◆遺言は満15歳から　ものを売買したりお金を借りたりする取引行為は、満18歳以上でなければ単独ですることができない。未成年者は保護者（法定代理人）の同意が必要だ。

この遺言制度によって、故人は自分の財産を好きなように処分することができます。遺言書に書かれていることは、民法が定める法定相続の規定よりも優先されるからです。

従って、法定相続人でない第三者（例えば、内縁の妻や愛人など）にも、遺言によって、自分の財産を分け与えることが可能になります。このように、遺言によって財産を与えられる**受遺者**には、誰でもなれますし、国や地方公共団体、一般の事業法人などでもかまいません。

遺言できる事柄は、もちろん被相続人の自由なのですが、法的に認められる事柄には制限があり、これを「遺言事項」といいます。

例えば「私が死んでも、家族仲よく、くれぐれも相続争いなどをしないように」と遺言に残したとします。この遺言が無効になることはありませんが、法的には意味がないものとみなされるのです。つまり、裁判所の力を借りて、その内容を強制実行することはできない、ということです。

法的に意味がある遺言事項は民法によって定められています。財産の処分方法、子供の認知（婚姻届を出していない女性との間に生まれた子供の父親だと認めること）、相続人の廃除（39ページ参照）、相続分の指定や指定委託などが、遺言事項にあげられます。その他については、左の表を見てください。

遺言として無効になるもの

「死人に口なし」ではないですが、その遺言が本当にその故人のものなのかどうか

無効となる遺言

遺言

録音による遺言

遺言

口頭による遺言

がはっきりとしていなければ、これまた争いごとのもとになってしまいます。

そこで民法は、一定の方式に従った書面でなければ遺言として認めないし、その効力もないものとする、と定めています。

「私が死んだら、土地はあの人にあげて……」などと録音したり、口頭で相続人に伝えたりしても、それは遺言としては無効になるのです。

遺言の内容について相続人の間で争いが起きないように、そして、みんなが故人の意思をきちんと尊重できるように、遺言の形式には厳格なルールが設けられているのです。

●遺産分割の仕方

遺言書作成の普通方式は自筆・秘密・公正の3証書

公正証書遺言と秘密証書遺言は2人以上の証人が必要だが自筆証書遺言にはその必要はない

偽造・変造を防ぐために

遺言は決められた一定の方式に従った書面のものでなければ法的に認められません。ルールを決めずにどんなものでも遺言として認めてしまったら、偽造や変造などにより、争いや混乱を招いてしまうでしょう。

法律上、認められている遺言の方式はいくつかの種類があり、一般的な普通方式は「自筆証書遺言」「秘密証書遺言」「公正証書遺言」の3つ。それぞれの長所・短所があり、どの方式を選ぶかは個人の自由です。

自筆証書遺言とは

自筆証書遺言は、遺言者が自筆で全文（遺言したい内容）と日付、氏名を書いて、印鑑を押した遺言書のことです。必ず自筆でなければいけないので、財産目録以外はワープロなどの使用はできません。押印は不可欠ですが、実印である必要はありません。認印や拇印でもかまわないのです。

紙とペンと印鑑があれば、自筆証書遺言を作成することができるので、簡単な方法といえるでしょう。ただし、訂正がある場合は、その場所を指示して変更内容を記し、署名・押印をしなければいけません（さらに詳しくは62ページを）。

証人や立会人、封印の必要もなし。封印をしてもかまいませんが、その場合でも家庭裁判所で開封して「検認」をしてもらうことになります。2020年7月10日からは法務局で保管してもらえるようになりましたが、その場合は検認は必要ありません。

秘密証書遺言とは

遺言内容を記した書面に遺言者が署名・押印し、2人以上の証人の立ち会いのもとで公証人に封書を提出したものを秘密証書遺言といいます。公証人には、本人の遺言であるということを証明してもらうために署名をしてもらいます。この場合、証人になれる人には一定の制限があり、相続人に

普通方式遺言の比較

自筆証書遺言

秘密証書遺言

公正証書遺言

役立ち情報◆公証人とは　秘密証書遺言、公正証書遺言を作成するのに必要な公証人とは、「公証人法」という法律にもとづいて法務大臣が任命した公務員のこと。民事に関する公証証

なる可能性のある人など利害関係が絡むような人は適当でないとされています。また、18歳未満の者は証人にはなれません。

　内容文は自筆である必要がないので、ワープロを使用してもかまいません。字のきれいな人に代筆を頼んでもいいのですが、遺言内容を秘密にできるという、この遺言書の長所を減らす結果になってしまうでしょう（さらに詳しくは68ページを）。

　遺言内容の訂正方法は自筆証書遺言と同様。また、遺言書の開封、内容の検認を家庭裁判所でやってもらう必要があります。

公正証書遺言とは

　2人以上の証人（一定の制限は上記の秘密証書遺言と同様）の立ち会いのもと、遺言者が口述で遺言を伝え、公証人がそれを

記して作成したものを公正証書遺言といいます。公正証書遺言は、公証人により遺言者と証人に読み聞かされ、遺言者と証人がそれぞれ署名と押印をして完成します。

　完成した遺言書は、原本が公証役場に保管されるので安全・確実なものですが、遺言の内容を秘密にできないという短所もあります（さらに詳しくは66ページを）。

その他の遺言方式

　遺言には他にも、死期が迫って通常の遺言をする時間がないときの「一般危急時遺言」や、船で遭難して死にそうな場合の「船舶危急時遺言」など、特別方式の遺言方法がいくつかあります。特別方式の遺言は、特殊な状況下に置かれた場合に限って認められる、簡易的な遺言方法です。

書く人	証人または立会人	秘密保持	検認の必要
本人	不要	適している	有（法務局預かりの場合は無）
誰でも可能（本人が望ましい）	証人2人以上と公証人1人	適しているが遺言の存在は公証人と証人に知られる	有
公証人（口述筆記）	証人2人以上	公証人と証人には内容を知られてしまう	無

書を作成する権限などを持っていて、その多くは裁判官や検察官などの退職者が任命されている。

自筆証書遺言は自分で書き、必ず日付・署名・押印を

自筆証書遺言は1人でこっそり作れるが、それだけに方式通りの作成に過ちを犯しやすい

作成のポイントは

　自筆証書遺言は証人の必要もなく、1人で作ることができます。

　しかしそれだけに、方式通りに作成するのに過ちを犯しやすく、不備な点があったりして無効になる恐れもあります。書く前に弁護士などに相談したほうが確実だともいえるでしょう。

　注意すべきポイントをあげてみると——
①自筆証書遺言は全文自筆でなければなりません。財産目録については自筆でなくパソコンなどでもよく、また土地建物については登記簿謄本、預貯金については通帳のコピーを添付することで、目録となります。ただし、各頁に署名押印をする必要があり

ます。
②日付は、○年○月○日まできちんと記入します。
③氏名の下に押印が必要です。実印でなくても、認印でもいいのですが、日ごろ使用しているものでないと、あとで争いのもとになったりします。拇印も認められていますが、これも本人の拇印であることを証拠立てる必要が出てくるでしょう。
④書いた文字を訂正したときは、右の記載例のように、訂正した文字のある行の上の欄外に「この行×字訂正」と書いて署名し、消した文字の上に押印します。訂正の文字が多いときは、欄外にいちいち書かなくても、遺言書の最後に「付記」として「この遺言書○行目に××とあるのを◎◎

自筆証書遺言を書くときの注意

日付は何年、何月、何日まできちんと記入すること	遺言は便箋、半紙などに万年筆、ボールペン、筆などで	遺言の預け先は家族や親しい人に知らせておくとよい

　役立ち情報◆自筆証書遺言は特に日付をはっきり　自筆証書遺言では特に日付の記載が重要視されている。1人で作るため、その作成時期があとで問題になりやすいからだ。「満70歳の誕

と訂正した」とまとめて書いて署名してもかまいませんが、いずれの場合でも、消した文字がわかるようにしておかなくてはいけません。

その他の注意事項

遺言を書く紙の種類や大きさなどに決まりはありませんが、便箋、半紙などに万年筆、ボールペン、筆などで書くとよいでしょう。

書き上げたものは封筒に入れますが、封印してもしなくてもかまいません。信頼している人や銀行の貸金庫に預けておくと安心ですが、2020年7月10日から法務局での保管が可能になりました（64ページ参照）。その場合には検認は不要になりますが、遺言書の様式が決まっていますので注意が必要です。また、預け先を家族や親しい人に知らせておいたほうがよいでしょう。

なお、封印されている場合で法務局に預けなかった場合、相続人は、家庭裁判所での検認前に開封してはいけません。

●遺産分割の仕方

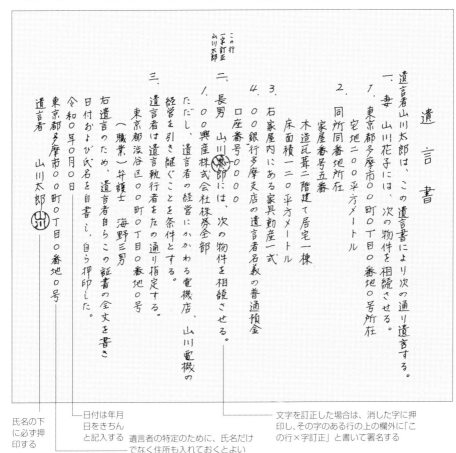

氏名の下に必ず押印する

日付は年月日をきちんと記入する

遺言者の特定のために、氏名だけでなく住所も入れておくとよい

文字を訂正した場合は、消した字に押印し、その字のある行の上の欄外に「この行×字訂正」と書いて署名する

自筆遺言の財産目録がパソコンで作れ、法務局による保管も可

自筆証書遺言を法務局で預かり保管をしてくれる制度が2020年7月10日からスタート

自筆証書遺言書を法務局で預かって保管してくれる

遺言の利用を促進し、相続をめぐるトラブルを防止する観点から、自筆証書遺言について保管方法と形式という2つの点が見直されました。

自筆証書遺言書は自分で書いた後は、これまで自宅などにこっそり保管するしかありませんでした。せっかく作成したのに、紛失してしまったり、相続人に改ざんされたり、相続人に発見されなかったりするなどのトラブルがありました。

そこで、2020年7月から「自筆証書遺言書の保管制度」がスタートしました。この制度は自筆証書遺言書の保管を申請することで、法務局が遺言書を保管してくれるというもの。原本は法務局で保管され、内容は画像データ化されます。

被相続人の死後残された家族は、相続開始後に遺言書の検索ができ、写しの閲覧や請求もできるようになります。相続人のうちの1人が写しの交付を受けたり、閲覧をした場合は他の相続人に対し、遺言書を保管している旨が通知されます。

この制度を利用する上でいくつかの注意点があります。

①保管申請には必ず本人がいくこと。

②自筆証書遺言書の様式が定められており、用紙サイズ、上下左右の余白、訂正方法など細かく決められています。

③法務局が預かってくれるからといって内容まではチェックしてくれるわけではありません。

自筆証書遺言書の作成法

作成者	本人
作成方法	全文を自筆で書く。ただし財産目録はワープロやパソコンでの作成が可能に。不動産登記事項証明書、通帳のコピーの添付も可（62ページ参照）

「自宅保管」と「法務局保管」の比較

自宅保管の場合	法務局保管の場合
家庭裁判所の検認が必要で時間がかかる	家庭裁判所の検認不要。すぐに手続きできる
自宅などにひそかに保管	法務局に預けられる
費用は不要	法務局に預ける場合費用がかかる
形式や内容で不備があると無効	法務局の遺言書保管官がチェックしてくれる
第三者に内容を変えられるおそれがある	第三者に内容を変えられるおそれがない
遺言書の様式に決まりはない	遺言用紙はA4サイズなど様式に決まりがある

役立ち情報◆どの法務局に保管申請をすればよい？　遺言書の保管の申請は、遺言者の住んでいる住所もしくは本籍地または遺言者が所有する不動産の所在地を管轄する遺言書保管所（法

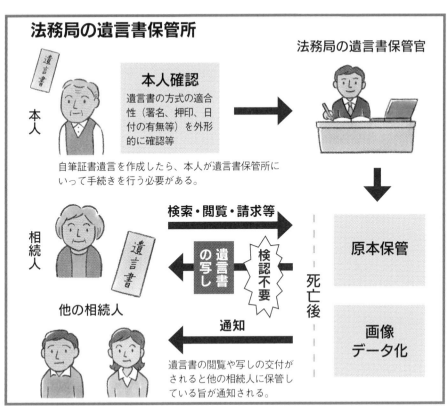

法務局の遺言書保管所

本人

本人確認
遺言書の方式の適合性（署名、押印、日付の有無等）を外形的に確認等

自筆証書遺言を作成したら、本人が遺言書保管所にいって手続きを行う必要がある。

法務局の遺言書保管官

原本保管

画像データ化

相続人

検索・閲覧・請求等

遺言書の写し

検認不要

通知

死亡後

他の相続人

遺言書の閲覧や写しの交付がされると他の相続人に保管している旨が通知される。

●遺産分割の仕方

②の自筆証書遺言書の様式や保管に関する費用など、制度のくわしいことは法務局のホームページを参照してください。

自筆証書遺言の財産目録はワープロやパソコンでOK

自筆証書遺言はもともと遺言書本体はもちろん財産目録もすべて手書きする必要がありました。

それが遺言書の全文を自筆で書かなくともよくなったのです。お年寄りにとっては、慣れない遺言書を書くこと自体が大きな負担です。そして不動産や預金、株式、借入金などの財産目録も自筆で書く必要が

あったためさらに大きな負担となっていました。

2020年よりこの財産リストをパソコンなどで作成してもよいことになりました。今までは財産目録に変更があった場合、一から手書きで書き直さなければならなかったものが、ワープロやパソコンの使用が認められたことで、書き直す手間が大きく軽減されることになりました。

また、目録でなくても、不動産登記事項証明書や預金通帳のコピーの添付も可能になりました。ただし、偽造を防止するという意味でも、財産目録には署名押印が必要になります。

務大臣の指定する法務局）の遺言書保管官（法務局の事務官）に対して行うことができる。なお、遺言書保管所の指定及び具体的な管轄は法務省のホームページで見ることができる。

公正証書遺言は公証人に依頼。証人から他へ洩れる心配も

公正証書遺言は私文書にまさる証拠力があるので、家庭裁判所による検認の必要はない

作成のポイントは

　遺言は、自筆証書遺言のように、自分で書いて１人で作成することもできますが、１人で作るのは自信がないし不安だというときには、公証人に依頼して作成してもらうとよいでしょう。

　公証人というのは、法務局に所属する、法務大臣から任命された公務員で、元裁判官や元検事などがなりますが、この公証人が、遺言者の口述内容を筆記して作成するのが公正証書遺言です。

　この遺言の方式には、証人２人以上が手続きが終わるまでずっと立ち会わねばなりませんが、未成年者は証人になれませんし、遺言者の死亡によって相続人になる人や、遺言で財産をもらう人とその配偶者、その人たちの直系血族、公証人の配偶者なども、証人になる資格がありません。

　公証人によって筆記された遺言は、その場で遺言者と証人に読み聞かされ、正しく筆記されていることが確認できたら、遺言者と証人が署名押印します。

　遺言者が文字を書けない人であったり、病気だったりした場合は、公証人がその理由を付記して遺言者の署名に代えることができます。

　そして最後に公証人は、以上のような方式に従って自分が作成したことを付記し、署名押印します。

その他の注意事項

公正証書遺言の作成には、遺言者と証人

この証書は民法第九六九条第一号乃至第四号の方式により作成し、同条第五号に基づき本職が左に署名押印する。

証人　Ａ
証人　Ｂ　㊞
証人　Ｃ　㊞

令和○年○月○日

本公証人役場において
東京都○○区○○町○丁目○番地
東京法務局所属

公証人　Ｆ　㊞

証人は２人以上が必要で、未成年者など証人になる資格のない人もいる

役立ち情報◆公正証書遺言に検認は不要だが…　公正証書遺言は家庭裁判所の検認がいらないから、遺族がその存在を知った時点で開封することができる。そのため相続人たちの間で紛争

が公証役場へいくのが普通ですが、病気などで遺言者が出向けないときには、公証人が遺言者のもとへ出張して同じ手続きをしてくれます。

公正証書遺言は、公的資格を持つ公証人が法律に従って作成する公文書ですから、私文書にまさる証拠力があり、そのため家庭裁判所の検認は不要です。

原本が原則として20年間公証役場に保管され、遺言者には正本と謄本が交付されるので、公正証書遺言には遺言書の破棄・隠匿や偽造・変造などの起こる危険はありませんが、証人となった人の口から遺言内容が他の人へ洩れる心配がないとはいえません。

令和○年第○○○号

遺　言　公　正　証　書

本職は、遺言者Aの嘱託により、証人B、証人Cの立ち会いのうえ、左の遺言の趣旨の口授を筆記し、この証書を作成する。

一、遺言者は遺言者が所有する財産を次のとおり遺贈する。

（略）

二、この遺言の執行者として東京都○○区○○町○○番地弁護士Eを指定する。

本旨外要件

東京都○○区○○町○丁目○番地

遺言者　A

昭和○年○月○日生

東京都○○区○○町○丁目○番地

証人　B

昭和○年○月○日生

東京都○○区○○町○丁目○番地

証人　C

昭和○年○月○日生

右は本職氏名を知らず面識がないので、本人に間違いないことを証明させた。

本人に間違いないことを、法定の印鑑証明書をもって

右遺言者および証人に読み聞かせたところ、各自筆記の正確なことを承認し、左にそれぞれ署名押印する。

遺言者　A　㊞

──── 押印する印鑑は実印で、印鑑証明書の添付が必要となる

なども起こりやすいので、そのへんのことを踏まえて遺言の方法は慎重に考えることが大切になる。

秘密証書遺言は署名だけは自筆で。押印して公証役場へ

秘密証書遺言は他の人に作成してもらってもかまわないしワープロで打ってもかまわない

作成のポイント

自筆証書遺言を自分1人で書くのはたいへんなことだし、かといって公正証書遺言では同席した証人の口から遺言の内容が外部に洩れてしまう心配もあるし、というような場合には**秘密証書遺言**という方法があります。

他の遺言と同じく、一定の方式を守っている必要がありますが、弁護士に頼んで作ってもらってもよいですし、弁護士の原案をもとに誰かに書いてもらってもよく、ワープロやパソコンで打ったものでもかまいません。

公正証書遺言の場合は、本人が遺言の内容を公証人に口述しなければならないですし、自筆証書遺言は本人が自筆して作成しなければならないですが、秘密証書遺言なら公証人に口述する必要もないし、自分で書く必要もないのです。

必要なのは遺言の最後に遺言者本人が署名押印するだけ。日付は入れても入れなくてもかまいません。ただし、文字を訂正するときは自筆証書遺言と同じやり方で。訂正箇所に入れる押印と署名はもちろん遺言者の名前です。

遺言書ができたら封筒に入れ、封をして、中の書面に押したのと同じ印鑑で封印します。

この封筒を公証役場へ持っていき、証人

2人以上が同席の上、公証人に、これが自分の遺言書であることと、実際に作成した人の住所氏名を伝えます。弁護士に頼んで作ってもらった場合は弁護士、弁護士の原案をもとに遺言者が誰かに頼んで書いてもらったのなら、その人が作成者になるわけ

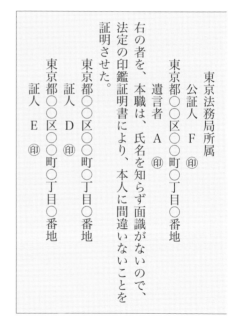

右の者を、本職は、氏名を知らず面識がないので、法定の印鑑証明書により、本人に間違いないことを証明させた。

東京法務局所属
公証人　F　㊞

東京都○○区○○町○丁目○番地
遺言者　A　㊞

東京都○○区○○町○丁目○番地
証人　D　㊞

東京都○○区○○町○丁目○番地
証人　E　㊞

役立ち情報◆遺言書の作成などには弁護士の協力を　遺言書を作成するには、事前に弁護士に相談してみるのがよい。弁護士には守秘義務があるので内容が洩れる心配もない。相談にいく

です。

受け取った公証人は、封書が提出された日付と遺言者の申述（つまりこれが遺言書であることと作成者の住所氏名）をその封筒に記載し、遺言者、証人とともに署名押印しますが、封筒にではなく別の封紙に記載して、それを封筒に貼りつけ割印する場合もあります。

その他の注意事項

証人になる資格のない人は公正証書遺言

の場合と同じです。

秘密証書遺言は、遺言をしたことが公証役場の台帳に記録されるだけで、遺言書は遺言者へ返却されますが、相続人は家庭裁判所での検認前に開封してはいけません。

公証人による内容のチェックがないだけに、自分1人で作成した場合には、方式通りにできているかどうかの不安が残りますが、自筆証書遺言の方式を満たしていれば、自筆証書遺言としての効力が認められます。

●遺産分割の仕方

秘密証書遺言の封紙

令和○年第○号

秘密証書遺言

遺言者Aは本職および証人DおよびEの面前にて封書を提出し、これは自己の遺言書であって、自己がこれを筆記したことを申述した。

令和○年○月○日　当公証人役場において

東京都○○区○○町○丁目○番地

封書を受け取った公証人は、その封筒に必要事項を記載し、遺言者、証人とともに署名押印するが、別の封紙に記載してそれを封筒に貼り、割印してもよい

封筒に入れる遺言書

遺言書

遺言者Aは、この遺言書により次の通り遺言する。

一、妻Bには、次の物件を相続させる。

1　東京都○○区○○町○丁目○番地所在
宅地二○○平方メートル

2　同所同番地所在
家屋番号○番
木造瓦葺二階建て居宅一棟
床面積一二○平方メートル

3　右家屋内にある家具動産一式

二、長男Cには、次の物件を相続させる。

1　○○銀行○○支店の遺言者名義の普通預金
口座番号○○○○

令和○年○月○日

東京都○○区○○町○丁目○番地

遺言者　A　㊞

日付は入れても入れなくてもよい

遺言者本人の署名と押印は絶対に必要

遺言書は封筒に入れ、封をして、中の書面のものと同じ印鑑で封印する

文字は手書きでも、ワープロやパソコンで打ったものでもよい

遺留分制度は最低相続分を保障するが「侵害額請求」が必要

最低限の相続分を取り戻すには、遺留分を侵された本人が正式請求を起こすことが必要

相続分を保障する遺留分制度

遺言は、財産を残す人の自由な意思で財産を処分することができる方法です。もちろん、故人の最後の意思を尊重して、遺言通りに財産を振り分けるのが残された人たちの務めでしょう。

しかし、自由に処分できるということは、相続人以外の人にも財産を与えることができるということです。もしも「財産のすべてを、愛人に」なんていう遺言を残されてしまっては、残された家族（相続人）にとって、あまりにも酷といえるのではないでしょうか。

そこで民法では、遺族の生活を保障するために、一定基準を相続財産から遺族に残すようにと定めています。これを「**遺留分制度**」といいます。つまり、遺留分制度は遺言に対して、ある程度の制限をしているというわけです。その結果、相続人は相続によって得ることのできる財産の最低限度を保障されることになります。

遺留分を受けられる相続人は、配偶者、直系卑属（子や孫）、直系尊属（父母や祖父母）に限定されています。従って、兄弟姉妹に遺留分はありません。もしも、配偶者と兄弟姉妹が相続人で「財産はすべて妻に」と遺言されたら、兄弟姉妹はなんの主張もできず、取り分ゼロになるわけです。

遺留分を取り戻すには

この遺留分の制度で勘違いしやすいのが、遺留分を有する相続人ならば最低限は保障されているのだから「もう安心」と思ってしまいそうなところです。遺留分の制度は、あくまでも遺留分を侵された場合は、その遺留分侵害額を請求することができる、という制度です。つまり、侵された本人が正式な手段を通して「遺留分を侵されたから、その金額を支払ってください」と申し出なければいけません。その主張をしなければ、遺留分を放棄したものとみなされてしまいます。

遺留分侵害額を請求するには、相続開始あるいは遺留分の侵害を知った日から1年以内に、受遺者（遺言により財産を受け取った人）に請求します。この請求のことを「**遺留分侵害額請求**」といいます。

遺留分を侵害された人は、今までは贈与や遺贈を受けた財産そのものの返還を求めるという「現物返還」が原則で、金銭での支払いは例外とされていました。しかし、2019年の法改正後は金銭債権として扱われ、金銭請求に一本化されるようになりました。

遺留分には割合がある

では実際のところ、どのぐらいの遺留分が相続人に保障されているのでしょうか。

役立ち情報◆遺留分侵害額請求をするには　遺留分から侵害された金額を請求することを遺留分侵害額請求というが、請求内容を正確な文書にして、内容証明郵便（配達証明つき）で相手

原則として、法定相続分の1/2が遺留分とされています。ただし、直系尊属（父母）のみが相続人の場合は、1/3になってしまいます。

この数字は法定相続人全体に残される分を示しているので、相続人が複数いる場合は、この遺留分をさらにそれぞれの割合で分けることになります。

例えば、妻と子供2人を残しながら「財産1億円はすべて愛人に」と遺言した被相続人がいたとします。この場合、妻と子供

の遺留分は全体の1/2なので5000万円。この5000万円を法定相続分で分けることになるので、妻の取り分（遺留分）は、

5000万円×1/2＝2500万円（全体の1/4）

子供それぞれの取り分（遺留分）は、

5000万円×1/4＝1250万円（全体の1/8）

となります。

妻は2500万円、子供たちはそれぞれ1250万円、愛人に対して遺留分侵害額請求ができるというわけです。

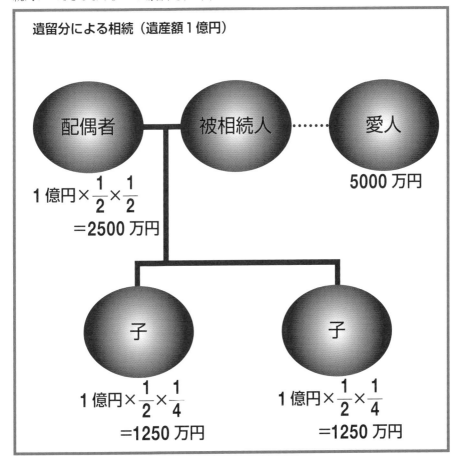

遺留分による相続（遺産額1億円）

配偶者 ── 被相続人 ┄┄┄┄ 愛人

$1億円 \times \dfrac{1}{2} \times \dfrac{1}{2}$
$=2500万円$

5000万円

子　　　　　　　子

$1億円 \times \dfrac{1}{2} \times \dfrac{1}{4}$
$=1250万円$

$1億円 \times \dfrac{1}{2} \times \dfrac{1}{4}$
$=1250万円$

側に通知するのが一般的。相手に特別寄与分（53ページ参照）が、また自分に特別受益分（54ページ参照）があるかどうかを踏まえ、遺留分が侵害されているか判断しなければいけない。

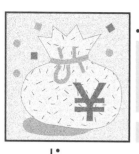

遺産分割は現物・換価・代償の3通り。協議は相続人全員で

遺産分割協議には相続人全員の参加が必要。1人でも欠けた協議は無効となる

遺産分割協議とは

被相続人の死亡によってスタートするのが相続です。相続人が複数いる場合、相続開始直後はそれぞれの割合で遺産を共有していることになりますが、最終的には相続人各個人の財産になります。つまり、この土地は誰のもの、この現金は誰のもの、と具体的に分けなければいけません。このように、遺産を各相続人に分けることを「遺産分割」といいます。

遺産分割は強制されるものではありませんが、遺産を共有のままにしておくと、何かと面倒なことが多く、トラブルのもとにもなりがちなので、遺産分割は一般的に行われています。

遺産の分割は、遺言があればその指定（指定相続分）に従い、なければ法定相続分に従った割合で分割するのが原則です。しかし、相続人全員の同意があれば、指定・法定相続分通りに遺産を分割しなくても差し支えありません。この相続人の遺産分割に関する話し合いのことを「遺産分割協議」といい、18歳未満の相続人は法定代理人を立てる必要があります。

指定・法定相続分が決められているのに、相続人同士の話し合いでその割合を変えられるというのは、ちょっと矛盾しているようにも感じられます。しかし、指定・法定相続分はあくまでも各相続人の取り分の限度で、その分に関して相続人はいつでも自分の権利を主張できるのです。従って、その財産の一部または全部を放棄するのも自由、ということになります。

遺産分割協議は、相続人全員が一堂に会して行われることが原則とされています。また、相続人の1人が遺産分割の原案を作成して、他の相続人全員の承諾を得るというスタイルでもかまいませんが、「相続人全員の参加」が絶対条件で、1人でも欠けていたら、その協議は無効とされます。

相続争いの原因となる要素が最も多いとされている遺産の分割は、遺産の内容・性質、相続人の心身状態・生活形態など、あらゆることを考慮しながら話し合う（遺産分割協議）ことが大切です。

相続人に未成年者がいる場合

遺産分割に際して注意が必要なのは、相続人に未成年者がいる場合です。

法律上、未成年者は契約などを結ぶ場合、法定代理人が必要になります。普通、その法定代理人は親などの保護者があたるのですが、相続の分割で親と子の利益が相反する行為については、親は法定代理人になれません。なぜならば、親も相続人である限り、利害関係が絡んでしまう恐れがあるからです。

このような場合、家庭裁判所に特別代理人を選定してもらい、その代理人と親との

役立ち情報◆遺産分割協議書には全員の署名押印を　遺産分割協議が成立したら、遺産分割協議書を作成しよう。遺産分割協議書とは「誰が、何を、どれだけ相続するか」を記したもの。

遺産分割の3つのやり方

現物分割

現物のままで遺産を相続分に応じ分け合う

代償分割

遺産の全部または大部分を現物のまま1人（または複数）の相続人が取得し、相続分を超えた分は自分の金銭などで他の相続人に支払う

換価分割

遺産の全部または一部をいったん金銭に換え、それを相続分に応じて分け合う

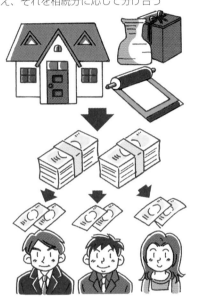

間で遺産分割協議をすることになります。

　なお、協議を重ねても決着がつかないときは、家庭裁判所に遺産分割の調停や審判の申し立てをし、家庭裁判所に分割してもらうことになります。

相続分割の3つの方法

　遺産分割協議で実際に遺産を分割する場合、その分割方法は次の3通りがあります。

〈現物分割〉

遺産そのもの（現物）を各相続人に分ける方法。どこの土地、この現金、この宝石、など具体的に分割していく、一般的なやり方。

〈換価分割〉

遺産の一部または全部を処分し、その処分代金を各相続人に分配する方法。処分金額が大きい場合は、相続税と所得税の両方を支払わなければならないケースもある。

〈代償分割〉

相続人のうち1人（または数人）が遺産の全部（または大部分）を取得し、その人の相続分を超えた分に関して、他の相続人に金銭など別の財産を与える方法。ただし、金銭で支払うならば問題はないが、土地などを与えた場合には、譲渡所得税がかかってくる。

その内容がはっきりしていれば書式は自由だが、相続人全員の署名と実印の押印が必要。相続税申告時にも必要な書類であり、のちのちのトラブルを防ぐためにも欠かせないものだろう。

生前の遺産分割協議は法律上有効か

Q 父の生前に相続人たちの間で遺産分割協議をすませてあったのに、父の死後、弟が分割の仕方に反対をし始めました。これを抑える方法はありませんか?

A 相続開始前(あなた方の場合はお父さんが死亡される前)になされた分割協議は、法律上の効果を持っていません。相続に関する具体的な権利は被相続人の死によって発生するものだからです。従って弟さんの主張を、被相続人の生きている間になされた協議結果だけで抑えることはできません。

遺言執行者とはどんなことをする人か

Q 遺言書の中に遺言執行者を指定しておくとよい、とよく聞きますが、遺言執行者とは、どのようなことをする人なのですか。

A 遺言書には、各相続人に対する相続分の指定や法定相続人以外への遺贈など、財産処分に関する遺言者の意思が内容として盛り込まれています。指定された人たちはその意思に従って遺産を取得していくわけですが、例えば、遺言者の一方的な遺言によって財産が特定の受遺者の手に渡る遺贈の場合など、その保管や引き渡し、登記といった、遺言を執行するためのさまざまな手続きを行ってくれる人がいなければなりません。

そこで必要になってくるのが遺言執行者というわけですが、遺言事項の中には、相続人の廃除の家庭裁判所への申し立てとか、非嫡出子の認知の届け出とか、遺言執行者だけにしかできないこともあって、そのようなときには、遺言に指定がなければ家庭裁判所で遺言執行者を選任することになります。

信頼の置ける遺言執行者を遺言で指定しておくことの大切さが、これでおわかりでしょう。法律などにも詳しい人がふさわしいので、弁護士に依頼することもよくあります。

遺言執行者は、相続財産目録の作成、不動産の登記、相続人や受遺者への引き渡しを始め、遺言執行に必要なすべての行為をする権利を持つと同時に義務を負いますが、それを妨害するような行為

Q&A

を、相続人は絶対にやってはいけないと
されており、相続人や利害関係人が遺言
執行者となることはおすすめできません。

 **体を動かすことができない
人でも遺言書は作れるのか**

Q 死期が近づいて、祖父はもう体を
動かすこともできない状態なので
すが、死ぬ前にぜひ遺言を残しておきた
いといっています。このような状態で遺
言書を作る方法があるのでしょうか。

A おじいさまのような状態の方のた
めに、一般危急時遺言という特別
の方式を、法律では定めています。他の
人に書いてもらい、しかも本人の署名押
印がなくても有効なのですが、それだけ
に作成の方式はたいへん厳しく、3人以
上の証人の立ち会いのもとで、遺言者が
遺言内容を口述し、証人の1人がそれを
筆記しなければなりません。

そのあと、その証人は筆記した内容を
遺言者と他の証人たちに読んで聞かせ、
遺言通りに筆記されていることを証人た
ちが承認してから、証人全員の署名押印
がなされます。

危急時遺言は、作成後20日以内に家
庭裁判所に遺言の確認をしてもらわねば
ならず、それが遺言者の真意にもとづい
て作られたものであると確認されて、初
めて遺言としての効力を持つことになり

ます。

また、遺言書作成後に病気がよくなっ
たりして、普通方式による遺言ができる
状態になって6か月を過ぎたら、この危
急時遺言は無効になってしまいます。

危急時に作成される遺言だけに、その
ときの遺言者の意識がどこまではっきり
していたかなど、あとになってもめるケ
ースも少なくありません。弁護士や医師
に証人に加わってもらうとか、証人では
なくともその場に立ち会ってもらうとか
するとよいでしょう。

 **成年被後見人や被保佐人の
遺言書は有効か**

Q 被保佐人である夫が死んで遺言書
が発見されました。心神耗弱の状
態にある人が書いたものにも効力はある
のでしょうか。

A 成年被後見人や被保佐人がする財
産上の行為には制約があり、それ
が取り消されることも起こりますが、遺
言に関しては、その意思と内容判断の能
力があると認められさえすれば、効力を
持つことになっています。成年被後見人
の場合は、医師2人以上の立ち会いが必
要で、しかも遺言作成時に正気であった
ことを医師が明らかにしておかねばなり
ませんが、被保佐人にはそのような制約
はありません。

column

●◆

相続争いを見て育った子供より…

　相続が一転して"争続"になってしまう。よくあるパターンです。「おじいちゃんの面倒を見たのは私なのよ」「早くに嫁にいったんだから、おまえは黙ってろ」「どうして私がこれだけなの」ズルイ、ズルイ、ズルイ。それぞれの親族の思いが、絡まった糸のように交錯します。もはや修復不可能か…。

　先代が苦労して手に入れた東京の土地に、親戚が集まって暮らしていた昔を懐かしがるようにＡさん（25歳）は話してくれました。

　「おじいちゃんの家に私たち家族と伯母が住んでいて、隣と裏の家には親戚が住んでいました。それは大きな家族みたいでしたよ。みんな仲もよかったし」

　Ａさんが小学校５年生のときに、おじいちゃんが亡くなりました。みんなの様子が少しずつ、でも確実に変わっていくのを、子供心に感じ取っていたといいます。

　「ギクシャクした雰囲気が流れていて、いつも夜遅くまで話し合いをしていました。これが相続ってやつかな？　って、なんかいやな気持ちでしたね」

　結局、おじいちゃんの死をきっかけに、親戚はバラバラになってしまい、今ではほとんどつき合いがないそうです。

　「『なんで大人はこんなちっぽけな土地を分けるだけで、あんなになってしまうの？　私はあんなきたない大人にはなりたくない』ってはっきりとクールに思いました」

　そもそも「親のものは私のもの」という発想があるから、相続での争いが起きてしまうのでしょう。時代は21世紀になり確実に変わっています。親の築いた財産は、パーッと親に使ってもらったほうが、いっそのことすっきりするのではないでしょうか。子供は子供で自力で財産を作り、そして使えばいいのです。

　「親のものは親のもの、子供のものは子供のもの」こう考えれば、仮に多少なりの相続財産が入ったとしてもタナボタ感覚で相続問題を解決できます。目くじら立てて「少しでも多く」なんてことは思わなくなるのではないでしょうか。まあ、実際に財産を目の前にしたら、人が変わってしまうのかもしれませんが…。

　「私は親の財産なんてあてにしてない。相続があったら寄付でもしますよ」

　Ａさんのように争いを見て育った子供たちが、新しい感覚を運んでくれることを望みたいものです。

第 **3** 章

相続税の
かかる財産・
かからない財産

被相続人の死後に受け取った生命保険金や死亡退職金にも相続税はかかってくるが、課税対象からはずされる財産もある。その双方を具体的に見てみよう。

相続税の対象はお金に換算できるものすべて

生命保険金や死亡退職金も「みなし相続財産」として相続税の課税対象に加えられる

財産の範囲は幅広い

実際に相続税を計算するとき、いったいどんな財産に相続税がかかるのか、そしてその財産の価格はいくらなのか、ということがわかっていなければ相続額も相続税額も算出できません。まずは相続税がかけられる財産にはどんなものがあるのか、細かく見ていくことにしましょう。

「相続財産」とは、被相続人の一身に属するものすべてをさします。その人の名誉だとか信用といったものは除き、被相続人に属するいっさいの財産をふくんでいるのです。

財産と聞けばとっさに頭に浮かぶ、土地、建物などの不動産を始め、現金、預貯金、貴金属・宝石類、書画・骨董品、株券などの有価証券、ゴルフ会員権、電話加入権などの無体財産権、また、時計や衣類、

茶碗などに至る日常用品なども財産なのです。つまり、お金に換算していくらになるのか見積もられるものはすべてというわけ。

もちろん、第1章でもお話ししたような借金などのマイナス財産もふくまれます。

みなし相続財産とは

法律的には相続や遺贈にあたらないけれど、実質的には相続や遺贈によって受け取ったものにひとしいと考えられる「みなし相続財産」にも相続税はかけられます。

例えば、生命保険金や生命保険契約に関する権利、保証期間付定期金に関する権利などがみなし相続財産にあたります。被相続人の死亡によって、相続人が受け継ぐものなので、相続財産とみなされるのです。これらのみなし相続財産を相続人が受け取った場合は、相続したものと同様に扱われます。相続人以外の人が受け取った場合は、遺贈されたのと同様ということになります。

相続税がかからない財産もある

もしも、一家の大黒柱である男性が死亡したとしたら、残された家族の生活収入は少なくなってしまいます。その生活を維持するために、生命保険金や死亡退職金などを使用することになるでしょう。

このように残された家族の生活保障のための生命保険金や死亡退職金などの、みなし相続分のすべてが課税対象になるのは、あまり好ましくありません。そこで、これ

役立ち情報◆金銭に換算できない財産とは 金銭に換算できない財産は相続税の対象にはならない。例えば、その人に寄せられていた信用や信頼など。また、その人のアイデアや会社経営

相続税のかかる財産

家屋
自宅
貸家

有価証券
株式・出資金
上場株式、同族会社
の株式、出資金など
公債・社債
国債、地方債、社債
など

現金・預貯金
現金、銀行預金、郵
便貯金、小切手、金
銭信託など

土地
宅地
自用地、貸地、貸家
建付地、借地権など
農地
自用地、貸地、耕作
権など
山林
その他の土地
原野など

その他
みなし相続財産
生命保険金、生命保
険契約に関する権
利、死亡退職金、定
期金に関する権利な
ど
無体財産権
電話加入権、著作
権、特許権など
その他
書画、骨董品、車、
貴金属、宝石、貸付
金など

らの"一部"が非課税対象になっているの
です。

どれぐらいの額が非課税対象になってい
るのかは、あとのページで説明しますが、
非課税枠を設けられるのは「相続によって
取得したもの」に限られています。従っ
て、相続人以外への遺贈の場合の取得など

では非課税対象になりません。

他にも非課税財産とみなされ、相続税を
かけないことにしているものがいくつかあ
ります。例えば、被相続人（故人）のため
に建てられた墓地、霊廟、仏壇、仏具な
ど。また、寄付財産や公益事業用財産など
も、非課税となっています。

者としての地位なども、それらがいったい金銭的にいくらになるのか計算できないものなの
で、相続税における財産とはみなされることなく、もちろん相続税もかからない。

生命保険金もみなし相続財産。非課税額はあるが課税される

生命保険金の一部が非課税扱いとなるその限度額は〈500万円×法定相続人の数〉

みなし相続財産の代表、生命保険金

被相続人（故人）がもともと持っていたものではないけれど、その人の死亡によって引き継がれるということから、相続や遺贈と考えられるのがみなし相続財産。その代表的なものが生命保険金です。

生命保険金は、保険会社から相続人などに支払われるものですから、もともとは被相続人（故人）の財産ではありません。しかし、被相続人が保険料を支払っていたからこそ、その人の死亡と同時に保険金がおりるわけです。従って、故人が持っていた財産と同様に考えられ、扱われることになります。

この生命保険金は被保険者、保険料負担者、保険金受取人が誰であるかによって、相続税がかかるのか所得税がかかるのか、などの課税関係が変わってきます。

被相続人が被保険者かつ保険料負担者であり、被相続人以外の人間が保険金受取人である場合に、みなし相続財産として扱われ、相続税がかけられます。例えば、父親が被保険者の保険に加入して、自分で保険料を払い込み、父親の死亡とともにおりる保険金は子供が受け取る、というようなときに、その子供が受け取った保険金はみなし相続財産になるわけです。

もしも、父親が被保険者、保険料負担者、保険金受取人になっていて、死亡したとしたら、保険金は父親におりるのですから、本来の相続財産として相続税がかけられます。

非課税の限度額

故人の死亡によっておりる生命保険金は、残された家族の大切な生活保障です。この大切な支えになる保険金に対して、相続税をかけるのは少し酷なこと、という見地から、保険金の一部に非課税枠を設けています。

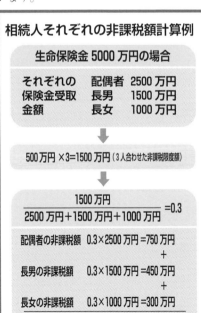

相続人それぞれの非課税額計算例

生命保険金 5000 万円の場合

それぞれの保険金受取金額	配偶者 2500 万円
	長男 1500 万円
	長女 1000 万円

500万円 ×3＝1500万円（3人合わせた非課税限度額）

$$\frac{1500万円}{2500万円＋1500万円＋1000万円}＝0.3$$

配偶者の非課税額 0.3×2500万円＝750万円
＋
長男の非課税額 0.3×1500万円＝450万円
＋
長女の非課税額 0.3×1000万円＝300万円

（非課税限度額）1500万円

役立ち情報◆養子と非課税限度額 相続人の中に養子がいる場合、非課税限度額の計算上では養子の数に制限が加えられる。実子がいれば養子は1人まで、実子がいなければ養子は2人ま

ただし、相続であろうと遺贈であろうと相続人が取得した場合は非課税の適用を受けられますが、相続人以外の人の場合は遺贈扱いとなり、非課税の適用を受けることはできません。ですから、相続人以外の人が生命保険金を受け取っても、なんの控除もないというわけです。

では、実際にどのぐらいの額が非課税の対象になるのでしょうか。

非課税となる生命保険金の限度額は〈500万円×法定相続人の数〉になります。法定相続人とは民法で定められた相続人ですから、相続放棄をした人がいたとしても、その分も頭数に加えることになります。

例えば、妻（配偶者）と子供2人を残して夫が死亡した場合だと、法定相続人は3人になりますから、500万円×3＝1500万円。1500万円までの生命保険金は非課税の対象になるのです。このとき、かりに子供のうちの1人が相続放棄していたとしても、非課税限度額は1500万円のままになります。

もしも、受け取った生命保険金額が非課税対象額を超えてしまった場合は、それぞれの相続人が受け取った金額に応じて、各人の非課税金額が決められます。どのような計算方法によって決められるかは、左ページ下の「相続人それぞれの非課税額計算例」を参照してください。

このような生命保険金の非課税についての取り扱いは、損害保険金や生命共済契約の共済金などについても同様です。

相続税のかかる財産

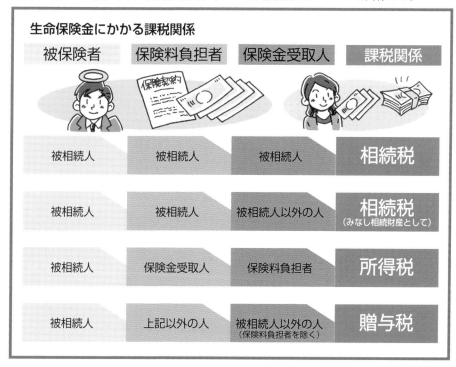

生命保険金にかかる課税関係

被保険者	保険料負担者	保険金受取人	課税関係
被相続人	被相続人	被相続人	相続税
被相続人	被相続人	被相続人以外の人	相続税（みなし相続財産として）
被相続人	保険金受取人	保険料負担者	所得税
被相続人	上記以外の人	被相続人以外の人（保険料負担者を除く）	贈与税

で。従って、養子が5人いようが10人いようが、限度額の計算では1人もしくは2人として扱われる。制限することで、非課税限度額がむやみに増えるのを防いでいるといえる。

故人が契約し払い込んだ他の人の生命保険料も相続税対象

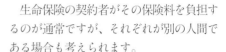

被相続人が契約者であればその契約の権利を相続した人には解約の権利も生まれてくる

▶ 生保契約に関する権利も相続される ◀

ひと口に生命保険金といっても、その契約の形態にはいろいろな種類があるものです。被保険者、保険契約者、保険料負担者がそれぞれ誰であるかによって、その契約形態が変わってきますが、それにつれて相続税の扱いも変わります。

まずは、被相続人（故人）が保険契約者かつ保険料負担者で、子供を被保険者とした場合の生命保険について、見てみましょう。

被相続人が死亡しても、保険金は下りません。被保険者は子供なのですから、子供が死亡しなければお金がおりないのは当然のこと。

しかし、生命保険の契約者は被相続人（故人）なので生命保険契約に関する権利は被相続人が持っています。このような権利も相続財産として引き継がれるので、被相続人の死亡と同時に、相続財産として相続や遺贈によって受け継がれるのです。

保険契約者は保険金の受取人が誰であるかに関係なく、その契約を解除することができます。

ですから、被相続人の死亡によって相続された生命保険契約の権利を使えば、保険契約を解除して「解約返戻金」を受け取ることも可能なのです。

▶ 契約者と負担者が別の場合 ◀

生命保険の契約者がその保険料を負担するのが通常ですが、それぞれが別の人間である場合も考えられます。

例えば、被相続人以外の人が保険契約者で被相続人が保険料負担者であったとします。被相続人が死亡したとしても、被相続人が実際に保険料を支払っていた定期部分に関する保険の解約返戻金は保険契約者が受け取る権利を持っているので、お金を出していない契約者はその分、得をしてしまいます。

そこで、被相続人が負担していた、解約に伴って受け取ることのできる分は相続財産と変わらないものとして扱われることになっています。

従って、被相続人が死亡したときに、契約者はその保険の権利を相続や遺贈によって、被相続人から受け取ったものとみなされます。となれば、当然、相続税もかかってくるわけです。

生命保険契約に関する権利の価額は、そ

役立ち情報◆掛け捨て保険に返戻金はない　このページで説明した生命保険料に関する取り扱いは、契約を解除したときに返戻金が支払われるタイプのものに限られている。従って、いわ

の契約を解約するとした場合に支払われることとなる解約返戻金の額によって評価します。

▶ 定期金に関する権利も同様 ◀

定期金の給付事由が発生していない定期金給付契約で、被相続人が掛け金を負担し、契約当事者が被相続人以外であった場合にも、生命保険契約に関する権利と同様、その権利について、相続や遺贈によって引き継がれたものと考えられ、相続が発生した時点で契約を解約したとしたら支払われる解約返戻金相当額に対して、相続税がかけられることになっています。

●相続税のかかる財産

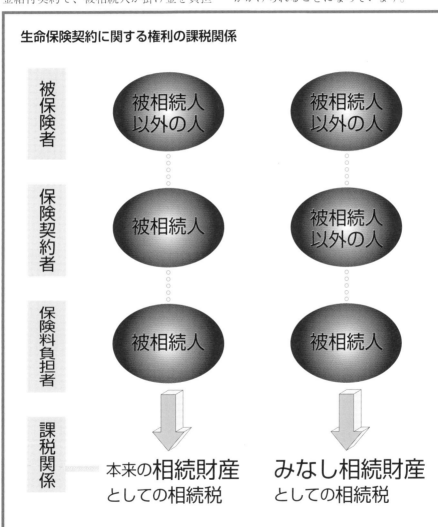

生命保険契約に関する権利の課税関係

被保険者	被相続人以外の人	被相続人以外の人
保険契約者	被相続人	被相続人以外の人
保険料負担者	被相続人	被相続人
課税関係	本来の相続財産としての相続税	みなし相続財産としての相続税

ゆる"掛け捨て保険"（契約を解除しても返戻金が支払われないもの）のタイプについては適用されないので、ご注意を。

▲▲▲▲▲▲▲▲▲▲▲▲▲▲▲▲▲▲▲▲▲▲▲▲▲▲▲▲

死亡退職金も相続財産。非課税額は500万円×法定相続人数

死亡退職金にも非課税限度額があり、生命保険金と同様〈500万円×法定相続人の数〉

▶▶▶ **死亡退職金は条件**
つきで相続される ◀◀◀

長年会社に勤めて退職するときにもらえる退職金。もしも、それを受け取るはずの人が退職前に死亡してしまった場合、死亡退職金が支払われるのが普通です。この退職金は、雇用主である会社から相続人またはその他の人に支払われるもの。ですから、被相続人の財産とはいえません。しかし、退職後に死亡した場合は退職金はすでに被相続人に支払われているのですから、その退職金は相続財産となり、相続税がかけられることになります。

死亡したのが退職の前とあとという違いだけで、相続税がかけられたり、かからなかったりするのは、税制上、少し不公平と考えられます。

そこで、次に紹介する3つの条件が揃った場合、死亡退職金を相続や遺贈で受け取った相続財産とみなしています。

①被相続人の死亡によって、相続人またはその他の人に支給された退職金。

②もともとは被相続人に支払われるものだったが、被相続人が死亡してしまったために、相続人またはその他の人に支給された退職金。

③被相続人の死亡後3年以内に支給が確定

被相続人の死亡から退職金への相続税課税までの流れ

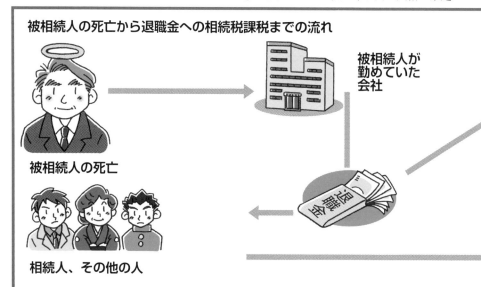

被相続人が
勤めていた
会社

被相続人の死亡

相続人、その他の人

　役立ち情報◆会社からの弔慰金などは非課税　被相続人の死亡に際して一時金や年金の方式で、退職給与規定または故人と同等の人が受け取る金額により支給される金銭や物品が死亡退

した退職金。

しかし、この退職金は、残された家族の大切な生活資金の一部です。そこで、生命保険金と同様に相続人の生活保障のことを考慮した上、一定金額が非課税の対象とされています。

非課税となる死亡退職金の限度額は〈500万円×法定相続人の数〉で計算します。この法定相続人は、民法で決められた相続人の数ですので、相続を放棄した人がいたとしても、頭数に入れます。

妻（配偶者）と子供2人が法定相続人だった場合は、500万円×3人＝1500万円。死亡退職金の非課税枠は1500万円ということになります。仮に、子供の1人が相続放棄をしたとしても、この金額は変わりません。

また、法定相続人にふくまれる養子の数には制限があり、実子がいる場合は1人、実子がいない場合では2人、ということになっています。養子が5人いるからといって非課税枠が増える、というわけにはいかないのです。

▶▶▶ 死亡退職金も生命保険金も 非課税の取り扱いは同じ ◀◀◀

このような死亡退職金に関する非課税の取り扱いは、相続によって取得した場合に限り適用されます。従って、遺贈により死亡退職金を受け取っても、非課税扱いはされず、全額が課税の対象になります。

なお、受け取った死亡退職金の金額が非課税限度額を超えた場合は、各相続人の受け取った金額に応じて、それぞれの非課税限度額が決められます。これは、生命保険金の場合と同様ですので、計算の方法は80ページを参考にしてください。

●相続税のかかる財産

被相続人の死亡後3年以内に支払われた退職金

退職金 → 相続税

500万円×法定相続人の数 → 非課税分

受取人がそれを相続によって取得した場合

死亡退職金に該当するもの、しないもの

該当するもの

形　態	金銭、物品
方　式	一時金、年金
限度額	退職給与規定によるか、または類似する人への支給額

該当しないもの

弔慰金、花輪代、葬儀料などで、被相続人の職業や社会的地位、財産などにふさわしい金額

職金。弔慰金、花輪代、葬儀料などを、故人の勤めていた会社が支給してくれても、それが被相続人の職業や財産、社会的地位などに相応した金額であれば、死亡退職金には該当しない。

相続開始前7年以内の贈与は相続税の対象になる

すでに贈与税を納めている分は相続税から差し引かれるので、二重課税の心配はない

みなし相続財産となる贈与

相続開始前7年以内の贈与については、相続財産とみなし（みなし相続財産78ページ参照）、相続税をかけるルールになっています。

被相続人が生前に自分の財産を誰かに贈与したとします。これは本来ならば相続財産にはならず、贈与税がかけられるはずです。しかし、相続開始（被相続人の死亡）の直前に贈与されたものについては、被相続人がある程度自分の死期を予測して、相続人の相続税に対する負担を軽くしてあげよう、という意図があったものと考えられてもしようがないでしょう。

このような税制上の不公平をなくすために、相続税がかけられます。

ただし、贈与された財産が非課税の対象になる墓地や公益事業財産などの場合は、みなし相続財産の扱いを受けることはありません（91ページ参照）。

また、このルールが適用されるのは、本来の相続や遺贈によって相続財産を受け取る人に限られています。被相続人の死亡と同時にスタートする相続で、何も引き継がなかった人は対象外となります。

二重課税の心配はナシ

相続開始前7年以内の贈与についてはみなし相続財産とする、という話をしてきまし

たが、贈与のときに贈与税を支払って、さらに相続税も支払うことになるのだろうか、という疑問を持った人もいることでしょう。しかし、そんな二重課税の心配はありません。

すでに支払った贈与税は、ちゃんと相続税から控除されます（115ページ参照）。贈与がみなし相続財産になったからといって、贈与税と相続税の両方を支払うことはないのです。

また、相続開始（被相続人の死亡）の年の1月1日から相続開始の間に受けた贈与は、相続税にふくまれるだけで、贈与税はかかりません。

例えば、被相続人がある年の12月31日に死亡したとすると、その年の1月1日から12月31日までに贈与を受けていれば、それは始めから相続財産として扱われます。ですから、このケースの贈与に関しては、二重課税の心配がもともとない、ということになります。

相続時精算課税での贈与を受けていた場合

相続時精算課税により贈与を受けていた場合は、前述の取り扱いとは違ってきます。前にも述べたとおり、相続時精算課税による贈与とは、相続税の前払い的なものであるので、相続が開始したときには、その贈与により取得した財産のすべてを相続

役立ち情報◆贈与された財産は贈与時の評価額で　相続開始前7年以内に贈与され、同じ人が同じ被相続人から財産を相続したときに限りその贈与分は相続税の課税価格に加えられるが、

により取得したものとみなして、相続税の課税価格を求め、相続税の計算をします。ただし、2024年からは贈与の際に基礎控除110万円があります。この分については、相続税の課税価格に含める必要はありませんので相続税が課税されません。

相続時精算課税による贈与についても、すでに納付済みの贈与税については、納付すべき相続税から控除することができますので、こちらもやはり二重課税の心配はありません。

配偶者に生前贈与された自宅は相続財産から除外できる

2019年に施行された制度によって、結婚期間が20年以上の夫婦間で、配偶者に対して自宅の贈与または遺贈（死亡時に贈与）がされた場合は、遺産分割における計算上、遺産の先渡し（特別受益）がされたものとして取り扱う必要がなくなりました。

施行前には、被相続人が生前に配偶者に対して自宅の贈与をした場合でも、その自宅は遺産の先渡しがされたものとして取り扱われ、配偶者が遺産分割で受け取ることができる財産の総額が、その分減らされていました。結果的に被相続人が配偶者のことを考えて行ったにもかかわらず、生前贈与をしないときと変わりませんでした。

この改正により、配偶者にかかる税負担は大きく軽減され、遺産分割のために自宅を売らなければならないといった事態を避けることができるようになりました。

ただしこの場合、被相続人から配偶者への相続、いわゆる一次相続の税負担は減りますが、配偶者が亡くなった時その子供たちが相続するいわゆる二次相続に関しては、税額が大きくなる可能性もあります。

贈与財産に相続税がかかる期間

相続開始前7年以内の贈与は、みなし相続財産として相続税がかけられるが、すでに支払った贈与税額はそこから控除される

相続税

被相続人の死亡

この期間の贈与は、始めから相続税扱いとされる

7年前　3年前　1年前　相続開始年の1月1日　相続開始

加算される金額は贈与時の評価額になる。仮に、2000万円の土地の贈与を受けていたとして、土地が相続時に2500万円に値上がりしていても、相続財産に加算されるのは2000万円ということ。

借金の帳消しや低額譲渡は遺贈とみなされる

被相続人から低額で財産を譲り受けた場合も、その差額分は遺贈とみなされ課税される

▶ 低額譲渡は遺贈になる ◀

遺言によって財産を受け継ぐことを遺贈といいます。これは、その財産をタダで手に入れる（贈与）ことですが、多少なりともお金を払って譲り受けた場合は、どのような扱いになるのでしょうか。

例えば、2000万円の財産を1000万円で譲ってもらったとします。半額とはいえお金を払っているのだからタダではありません。ですから、これは贈与ではなく「その財産を買ったのだ」ともいえます。しかし、2000万円と1000万円の間には、1000万円という差額が生じており、この1000万円の価値は、被相続人からタダでもらったことと同様とも考えられます。

低額だけどお金を払っているのだから、これは贈与にならない、ということになると1000万円分が宙に浮いてしまい、税制上の不公平が出てきてしまいます。

そこで、このような不公平な事態を防止するために、遺言によっていちじるしく低い価格で財産を譲り受けた場合（低額譲渡といいます）、その差額分は遺贈によって財産をもらったものとみなされ、相続税がかけられることになっています。

▶ 債務免除なども 遺贈とみなされる ◀

低額譲渡の他にも、遺贈によって取得した財産だとみなされるケースがいくつかあります。

例えば、借金などの債務を免除してもらった場合。子供が親に借金をして親の財産を譲り受け、遺言によりその借金を帳消しにしてもらったら、どうなるでしょう。形の上では、一度、借金をしているのですから、タダで財産をもらったわけではありません。

遺言では、借金を帳消しにする（つまり債務の免除）とあるのですから、これは遺贈ではないはずです。

しかし、実際に子供は、帳消しになった借金分の財産をタダで手に入れたことになります。この場合、やはり上述の低額譲渡と同様、帳消しになった借金分が宙に浮いたことになり、税制上の不公平が生じてしまいます。

このような不公平を防ぐために、遺言によりいちじるしい借金の帳消し（債務免除）を受けた人は、その分だけ財産を遺贈されたものとみなされます。遺贈とみなされた分には、当然、相続税がかけられるのです。

また、債務免除だけではなく、被相続人が人の借金を引き受けたり（債務の引き受け）、借金を代わって返済したり（第三者による債務の弁済）した場合、その行為を受けた人は、その分だけの財産を遺贈されたものとみなされます。

　役立ち情報◆親子での金銭授受は贈与にあたることも　親子の金銭のやりとりは、会社同士のそれと比べると厳しさに欠けるもの。無利子でお金を貸したり、資金を提供したり…。そのた

相続税が免除される場合もある

　しかし、次のような場合に限り、相続税が免除されることもあります。

　例えば、借金をした人が破産などによって資力を失い、借金を返済することが不可能になってしまって、債務免除を受けたり、借金を引き受けてもらったりした場合がそうです。

　どうしようもない状況には、それなりにきちんと対処できるような仕組みになっているのです。

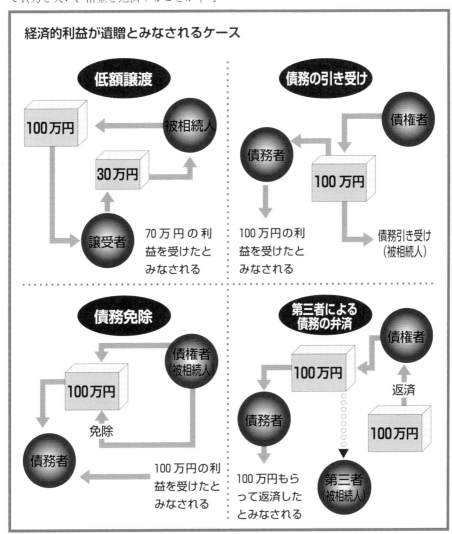

経済的利益が遺贈とみなされるケース

低額譲渡
100万円
被相続人
30万円
譲受者
70万円の利益を受けたとみなされる

債務の引き受け
債権者
債務者
100万円
債務引き受け（被相続人）
100万円の利益を受けたとみなされる

債務免除
債権者（被相続人）
100万円
免除
債務者
100万円の利益を受けたとみなされる

第三者による債務の弁済
債権者
100万円
返済
100万円
債務者
第三者（被相続人）
100万円もらって返済したとみなされる

非課税となる財産——墓地や仏壇などもふくまれる

非課税となる財産には、他に公益事業に使う財産、国などへ寄付した財産などがある

▶ 非課税となる財産 ◀

　相続や遺贈によって引き継いだ財産は、すべて相続財産と考えられ、相続税の課税対象になります。茶碗や衣類など、金銭に換算できるものはすべてということです。しかし、これはあくまでも原則で、財産の性質や社会政策的な見地などから、課税対象にならない財産もあるのです。

　非課税の対象となる財産には、以下に示すような8種類があります。

①墓地・霊廟、仏壇・仏具などの祭祀財産
②公益事業を行う人が取得した財産で、公益事業に使うことが確実な財産
③相続財産を国などに寄付した場合の財産
④心身障害者扶養共済制度にもとづく給付金
⑤相続人が受け取った生命保険金などの一定金額
⑥相続人が受け取った死亡退職金などの一定金額
⑦相続財産である金銭を特定公益信託に支出した場合の金銭
⑧皇室経済法の規定によって、皇位とともに受けたもの

　上記の中でも④は心身障害者扶養のためのもの。また、②③⑦はかなりの資産家でないとほとんど利用されないでしょう。当然⑧は、皇室以外には無縁のものです。ということは、まず実際に身近な問題になっ

てくるのは、①⑤⑥の3つということになります。

▶ 祭祀財産が非課税な理由（わけ） ◀

　生命保険金に関する一定金額の非課税対象と死亡退職金に関する一定金額の非課税対象については80ページと84ページで述べていますので、祭祀財産についてお話ししましょう（②③④については、次の項で説明します）。

　墓地・霊廟、仏壇・仏具、神棚・神具などの祭祀財産は、慣習に従って先祖の祭祀を守る人が引き継ぐのが通常ですが、**祖先崇拝を尊重するという観点から、相続人が相続によって受け継ぐ財産とは別個に考え**られています。従って、これらの祭祀財産は非課税扱いされているのです。それに、墓地や仏壇などは、ある意味で金銭的な価値を超越した個人的な感情や価値観がふくまれているものなので、金銭的に換算できない、という点も非課税対象にされている理由の1つでしょう。

　ただし、祭祀財産を継承する祭祀主宰者だからといって、その人の相続分が増えたり減ったりすることはありません。

　しかし、形の上ではこうした祭祀財産に見えるものでも、あまりにいき過ぎた場合は課税の対象になることもあります。

　例えば、相続開始の直前に金や宝石をちりばめた仏壇を作ったり、繁華街など土地

役立ち情報◆国民感情を考慮した非課税　祭祀財産はその財産の性格から非課税対象になっているが、お墓や仏壇にまで税金をかけるとは…という国民感情も考慮に入れられている。先祖

の高い一等地に10坪ほどの土地を購入して「お墓を建てるのだ」といっても、それは通用しないでしょう。

つまり、投資を目的にしたり、商品や骨董品として所有しているとみなされたものは、非課税対象にはならないのです。

非課税となる相続財産とその理由

1	墓地・霊廟、仏壇・仏具など	祖先崇拝の精神を尊重
2	公益事業用財産	公益事業の保護育成
3	国などに寄付した場合の財産	科学・教育の振興や社会福祉の向上
4	心身障害者扶養共済制度にもとづく給付金	心身障害者の扶養を重視
5	生命保険金などの一定金額	相続人の生活保障
6	死亡退職金などの一定金額	相続人の生活保障
7	特定公益信託に支出した場合の金銭	公益性の重視

●相続税のかかる財産

を崇拝する慣習を大切にする国民性と国民感情を無視してまでも税金はかけない、という配慮なのだろう。

宗教・学術・慈善事業への贈与や相続財産からの寄付は非課税

寄付財産が非課税扱いされるためには、相続開始から申告期限内に寄付しなければならない

公益事業用財産

　非課税の対象になる財産は、前項で説明したように8種類あります。ここでは、まだ説明していない「公益事業用財産」「寄付財産」「心身障害者扶養共済制度にもとづく給付金」について説明しましょう。

　まずは公益事業用財産。公益事業とは、宗教・学術・慈善事業などを行う行為のこと。従って、公益事業用財産とは、これらの公益事業を行っている人が、相続や遺贈によって受け取った財産を公益事業に使用するもののことをいいます。

　これらの公益事業は、いい換えれば「世のため人のため」に行う行為ですから、保護育成の必要があります。その点を考慮し

て、非課税の対象になっているのです。

　ただし、公益事業のために「確実に」使うことが条件なので、今まで公益事業をしたことのない人が「この遺産は公益事業に使うから」といっても、認められません。公益事業用財産として非課税扱いを受けるには、相続人がもともと公益事業を行っているか、または公益事業法人であるかが必要になります。

寄付財産

　寄付財産とは、相続人やその他の人が、相続や遺贈によって受けた財産を申告期限までに、国や地方公共団体、特定の公益法人（日本学生支援機構、日本赤十字社など）に寄付した場合の財産のことをいいます。

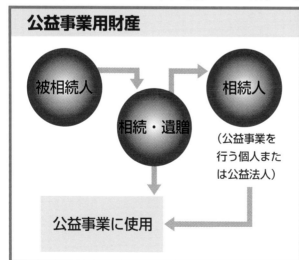

公益事業用財産

被相続人 → 相続・遺贈 → 相続人（公益事業を行う個人または公益法人）→ 公益事業に使用

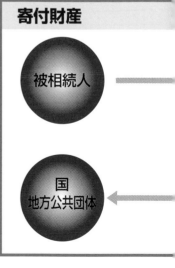

寄付財産

被相続人 → 国・地方公共団体

役立ち情報◆非課税の適用を受けるために　寄付財産の非課税適用を受けるための手続きは①相続税の申告書に、寄付財産の非課税適用を受ける旨を記載すること。②寄付した財産の明細

このような寄付は、科学や教育の振興や社会福祉の向上に役立つものと考えられるので、その点が考慮され、非課税扱いされているのです。また、これらの寄付の大半は、被相続人（故人）の遺志によるものがほとんどなので、そのことも非課税の理由にあげられるでしょう。

寄付財産の非課税扱いを受けるには、いくつかの条件が必要です。

①相続開始から申告期限までに寄付すること

②相続（または遺贈）で受けた財産そのものを寄付すること

③すでに存在する特定の公益法人への寄付であること

④寄付を受けた側は、寄付を受けた日から2年以内に、その財産を公益事業に使うこと

⑤その寄付によって、寄付した人や親族の税金が不当に安くならないこと

以上の条件を満たし、相続税の申告時に、非課税の適用を受ける手続きをすることになります。

心身障害者扶養共済制度にもとづく給付金

心身障害者扶養共済制度にもとづく給付金とは、精神や身体に障害がある人、またはその人を扶養する人が受け取る給付金（年金）です。この給付金は、地方公共団体が実施する心身障害者扶養共済制度にもとづくもので、心身障害者の扶養者が掛け金を支払っています。

この給付金（年金）は、心身障害者を扶養することが目的なので、特殊なケースとして非課税の対象になっています。また、地方公共団体が実施しているという点から、その給付内容が規制されているということも非課税の理由にあげられるでしょう。

心身障害者を扶養するためのお金にまで税金をかけていたら、福祉を行っている国とはいえなくなってしまいます。

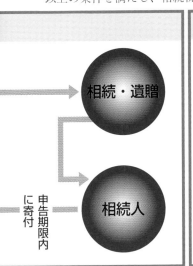

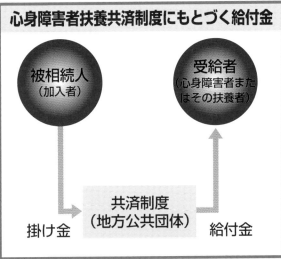

心身障害者扶養共済制度にもとづく給付金

書を添付すること。③寄付した相手（国や地方公共団体、特定の公益法人など）からの証明書を添付すること。このような手続きを行わないと、非課税の適用は受けられない。

故人の借金や葬儀費などは債務控除で課税対象からはずす

被相続人の葬儀の費用も非課税となるが、あくまでも常識の範囲内での費用に限られる

債務控除とは

相続人が被相続人から引き継ぐ財産には、土地や建物などのプラス財産だけでなく、借金などのマイナス財産もふくまれている、ということは前述したとおりです。

もし被相続人が借金を残していたら、それはマイナス財産ですから相続人が代わってその借金を返済しなければなりません。このような場合に、借金の返済分にまで相続税がかかってきたらたいへんなことになってしまいます。

そこで、相続財産から借金などの債務を差し引いた金額に、相続税をかける制度が設けられています。これが「債務控除」です。

相続や遺贈によって受けた財産（利益）がある場合は、そこに税金を負担する能力があるという観点から相続税がかけられるのですが、被相続人の債務などを負担したら、その分、税金を負担する能力が落ちる、と考えられているのです。

この債務控除には大きく分けて、借金などの債務と被相続人の葬儀費用が適用されます。例えば、父親から1億円の財産を相続したとします。父親には2000万円の借金があり、葬式費用に500万円がかかったとします。そのような場合は、相続財産1億円から2000万円と500万円を差し引いた7500万円が相続財産で、それが課税対象となるのです。

債務控除の対象となる条件

ひと口に借金・債務といってもその種類はさまざまです。家のローンもあれば、敷金や保証金などの預かり金などもあるでしょう。

債務控除の対象になるには、次の条件を満たしていなければなりません。債務内容が借金などの場合は「被相続人が死亡したときに、被相続人の債務として確実に支払わなければならないもの」、または「被相続人にかかる所得税などの税金で未納のもの」が条件です。

ただし、生前にお墓などを購入していてそのローンが残っていたとしても、これは控除の対象にはなりません。お墓や仏壇などの祭祀財産は、もともと非課税の対象になっているからです（90ページ参照）。ですから、お墓や仏壇などは、被相続人の生前に購入して、元気なうちに支払いをすませておくほうがよいといえるでしょう。

葬儀費用の対象となるには「常識的に考えて葬式にかかる費用」が条件です。ちょっと抽象的で、何を基準にしていいのかはっきりしない部分もありますが、身分不相応なものは認められないということです。該当するかしないかの細かいことは、次の項で説明します。

役立ち情報◆債務の相続はみんなでバランスよく 引き継いだ債務がその人の相続した財産より大きい場合は、課税対象がマイナスになってしまう。このマイナス分を他の人のプラス分か

債務控除を受けられるマイナス財産の例

債務控除

- ●借入金や借入金の未払利息
- ●不動産などの購入未払金
- ●入院費などの未払金
- ●個人事業者の買掛金などの事業上の債務
- ●固定資産税や住民税の未納分
- ●所得税の未納分
- ●公共料金や家賃などの未払分

ただし、控除を受けられるのは、法定相続人、遺言によって包括遺贈を受けた人、さらに、故人の債務を負担した人に限られる

- ●被相続人の葬儀費用

（ただし、故人の職業、社会的地位、財産から見て適当と認められた場合に限られる）

控除を受けられる人は限定される

　この債務控除は誰もが受けられるものではありません。控除を受けられるのは、民法で決められた相続人である法定相続人と遺言によって包括遺贈（30ページ参照）された包括受遺者だけです。さらに、故人の債務を負担した人に限られます。

　つまり、法定相続人であっても債務を負担していなければその対象にはなれないのです。

　逆に遺言による特定遺贈（30ページ参照）から債務を負担したとしても、それは控除されません。また、相続放棄をした人が、生命保険金などからその債務を負担した場合も控除の対象にはならないので注意してください。

確実に支払う必要のある債務が控除の対象となる

初七日、四十九日などは被相続人の葬式のあとの儀式なので、非課税の対象とはならない

被相続人の債務の範囲

相続税の債務控除の対象内容は、①被相続人が残した借金などの債務　②被相続人の葬儀費用ですが、なんでもかんでもこの①②にあてはまればいいというわけではありません。それぞれに、控除対象として認められる一定の範囲が設けられています。

まずは①被相続人が残した借金などの債務の範囲について説明しましょう。

控除対象となる債務は、相続開始時にその存在が確実であるものに限られます。例えば、マンションを購入したときのローンが残っていたり、個人事業者が買掛金など事業上の債務が未払いだったり、という場合です。

「その存在が確実なもの」とはつまり「確実に支払いをしなければならないもの」ということです。ですから、相続時にあるかどうか（支払わなければいけないのかどうか）わからない債務については、控除の対象になりません。

あるかどうかわからない債務とは、被相続人（故人）が保証人や連帯保証人になっている場合に生じてきます。ただし、相続開始時に保証債務を履行しなければならない状況になり、保証をしてあげた相手からその分を返還してもらえる見込みがない事態に限り、債務控除を認められることもあります。要は「支払うことが確実か確実で

ないか」がポイントになるということです。

控除される葬式費用の範囲

債務控除の内容②被相続人の葬儀費用について見てみましょう。

葬式にかかる費用は被相続人の債務ではありません。しかし、常識的に葬式をするのはあたり前ですし、その費用は相続財産の中から負担すべきものと考えられるでしょう。

葬式といっても、地域や宗教、習慣によって異なるものですので、通常、**葬式にかかるものの費用はすべて控除対象**になります。

ただし、被相続人の職業、社会的地位、財産から見て適当と認められた場合に限りますので、あまりにも身分不相応な葬儀費用は控除されないこともあります。

控除対象にならないもの

①被相続人の債務、②葬儀費用の範囲を説明しましたが、これだけはその範囲に入らない、つまり控除の対象にはならない、というものもあります。

①の対象にならないものは、墓地や仏壇など祭祀財産や公益事業を行う上での債務です。いくら被相続人の債務で支払いが確定していたとしても控除されません。これらはもともと非課税の対象になっているか

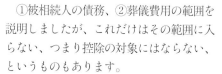

96　　**役立ち情報◆海外に住む相続人と債務控除**　債務控除を受けられる人は決められているが、その人が海外赴任などで住所を海外へ移している場合、債務控除の範囲が狭められてしまう。住

らです（90ページ参照）。

②の対象にならないものは、香典返しの費用、墓地などの購入費用、初七日など法会・法事の費用などです。香典や墓地には

もともと税金がかからないので、控除の対象からはずされています。法会・法事は葬式後の儀式と考えられるので、該当しないのです。

●相続税のかかる財産

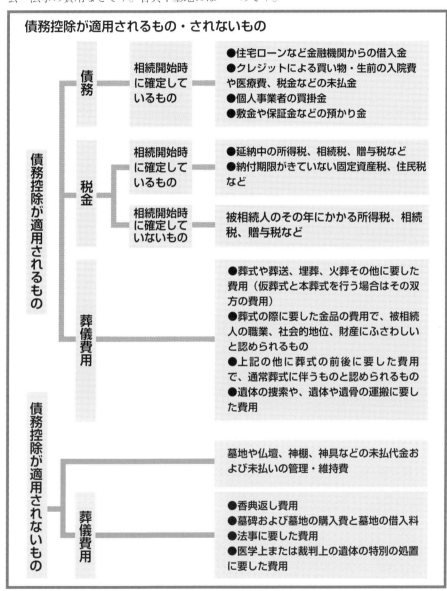

債務控除が適用されるもの・されないもの

債務控除が適用されるもの

債務 — 相続開始時に確定しているもの
- ●住宅ローンなど金融機関からの借入金
- ●クレジットによる買い物・生前の入院費や医療費、税金などの未払金
- ●個人事業者の買掛金
- ●敷金や保証金などの預かり金

税金 — 相続開始時に確定しているもの
- ●延納中の所得税、相続税、贈与税など
- ●納付期限がきていない固定資産税、住民税など

税金 — 相続開始時に確定していないもの
- 被相続人のその年にかかる所得税、相続税、贈与税など

葬儀費用
- ●葬式や葬送、埋葬、火葬その他に要した費用（仮葬式と本葬式を行う場合はその双方の費用）
- ●葬式の際に要した金品の費用で、被相続人の職業、社会的地位、財産にふさわしいと認められるもの
- ●上記の他に葬式の前後に要した費用で、通常葬式に伴うものと認められるもの
- ●遺体の捜索や、遺体や遺骨の運搬に要した費用

債務控除が適用されないもの

- 墓地や仏壇、神棚、神具などの未払代金および未払いの管理・維持費

葬儀費用
- ●香典返し費用
- ●墓碑および墓地の購入費と墓地の借入料
- ●法事に要した費用
- ●医学上または裁判上の遺体の特別の処置に要した費用

相続・贈与

 故人が他人の債務の保証人になっていた場合、相続人の責任は

友人の借金の連帯保証人になっていた父が亡くなったあと、その友人が債務を返済できなくなったため、父の遺産相続人である私たち子供のところへ債権者が返済を請求してきました。これは不合理ではないでしょうか。

A お父さんが連帯保証人になっていた友人の債務について、お父さんは生前に債権者からの返済請求を受けていなかったわけですから、相続開始の時点では消極財産と確定していなかったことになりますが、法律上は、連帯保証人としてのお父さんの地位を子供たちが相続したことになるので、相続人全員が相続分に応じてそれを支払う責任は発生しています。

ただし、相続開始のときに、主たる債務者（つまりお父さんの友人）が弁済不能の状態にあるためその人に請求しても返還を受ける見込みがない場合は、その弁済不能の部分の金額に限って債務控除を受けることができます。ご質問のケースがこれに該当すれば、債務控除の適用を受けることができるというわけです。

お父さんが連帯保証人になっていたことを、子供たちが故人の生前または死亡直後に知るのは難しいことでしょうが、もし知っている場合は、相続の限定承認や放棄といった、債務から逃れる道が残されています。

 借地権や借家権は相続できるのか

夫が死んだあと、家主から今住んでいる家を出てほしいといわれました。家主からの要求に従うしかないのでしょうか。

A 家主との賃貸契約によって生じる借家権は、相続の対象となる財産にふくまれます（ただし、課税価格にはふくまれません）。相続人は被相続人の持っていた権利を引き継ぐことができるのですから、あなたも家主の要求に従う必要はありません。土地を借りている場合も同様で、借地権が発生していますから、借り主はそれを主張できるのです。

また、借家権は借地権と違って、住んでいる人の権利を守ることが重視されるため、相続人以外の人、つまり故人と内縁関係にあった人にも、相続人がいない場合に限って、権利の引き継ぎが認められています。

 相続税の申告準備中に、相続した家が焼けた場合は

父の死による相続税の申告を準備している最中に、遺産の１つである家が全焼してしまいました。これは相

Q & A

続財産から除外してもかまいませんか。

A 相続税というのは相続が開始した時点の財産にかけられるものですから、その時点では存在していた家屋を、焼けてなくなったからといってはずすわけにはいきません。逆にいえば、相続した家屋を、相続開始直後に増築しても、増築部分にまで相続税が課せられることはないのです。

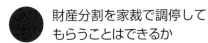

財産分割を家裁で調停してもらうことはできるか

Q 相続人たちの間で財産分割の話し合いがつかないときは家庭裁判所に調停を申し立てる、と聞いていますが、どんなことをしてくれるのでしょうか。

A 申し立てがあると、裁判所は調停の日を決めて当事者全員を呼び出し、調停委員2名と裁判官からなる調停委員会を仲立ちにして、まず当事者各人の主張や解決策を個別に聞き、それを他の当事者に伝えて別案を聞くようにしながら、それぞれの意見の食い違いを調整していきます。最後に委員会からの調停案が出されることもありますが、強制する権限はないので、その調停案に当事者全員の意見が一致すれば調停調書にまとめられ、一致しない場合はさらに審判へと持ち込まれます。

審判は強制的に遺産の分け方を決定する手続きで、家事審判官と呼ばれる裁判官がみずから証拠調べをし、それによって把握した事実にもとづいて、具体的な財産の分配方法を決めていきますが、この審判にも不服の場合、相続人は高等裁判所へ異議申し立てをすることができます。

生命保険金も相続人みんなで分けねばならないのか

Q 夫が死んで生命保険金がおりました。受取人は私として契約されたものなのですが、生命保険金はみなし相続財産として相続税の対象になり、500万円×法定相続人の数だけ非課税限度額があるとのこと。私が受け取った保険金もみんなで分けたほうがよいのでしょうか。

A 保険金は、保険契約によって、指定された人にそれを受け取る権利が生じます。つまり、被相続人の財産を引き継いだわけではないのですから、あなたの固有財産として、他の人たちと分け合う必要はありません。ただし相続税の対象になりますから、申告は忘れないでください。

同じことは被相続人の死亡退職金についてもいえます。死亡退職金もそれぞれの会社の規則によって受け取れる人は決まっているはずですから、その人の固有財産となりますが、相続税法上はみなし相続財産として扱われるので、受け取った人には申告の義務があります。

column

内縁関係の相続に民法の厚い壁

　婚姻——戸籍上の婚姻届を提出して認められる正式な夫婦。では、結婚は？結婚も同様、お役所に婚姻届を出して、夫婦関係になること。…はたして、本当にそうなのでしょうか。

　これらの手続きは法律上のことだけであって、婚姻届を出さなくても「夫婦関係」にあるカップルはたくさんいます。あえて法律上の届けを出さない「夫婦」もいれば、やむなく事情があって出せない「夫婦」もいます。このようなカップルのことを、法律上の夫婦と区別するために、「内縁関係」と世間では呼んでいます。

　長年連れ添って深い絆がある、けれども法律の上では正式な夫婦として認められていない。このような内縁関係にある夫婦は、法律上の夫婦とは相続において違う取り扱いがされます。

　民法は、相続できる配偶者はあくまでも「婚姻届を出している正式な夫婦」に限ると謳っているのです。長い間別居を続けて、心も体も夫婦でなくなっていたとしても、婚姻届を出していれば、法律上は正式な夫婦として扱われ、相続をすることができます。

　ところが、内縁関係の配偶者は、どんなに結びつきが強くても、1円たりとも相続することはできないのです（もちろん、遺言によって財産を受け取ることは可能ですが）。

　これは法律上は正式な夫婦とはみなされないからです。

　では、婚姻届を出していないカップルの間に生まれた子供の相続はどうなるでしょう。

　婚姻届を出していないカップルの子は父親の認知が必要となり、認知をされていても「非嫡出子」として扱われます。

　長い間、この非嫡出子と婚姻届を出している夫婦の間の子である嫡出子は相続分において大きな違いがありました。非嫡出子の相続分は嫡出子の相続分の2分の1と定められていたのです。

　しかし、民法改正により、この区別がなくなり、今では嫡出子も非嫡出子も同等の相続分を受ける権利を持っています。家族の形が多様化する中で、非嫡出子の相続分が嫡出子の相続分と同額になったのは、未来への大きな一歩とはいえ、内縁関係の夫婦にはいまだに相続は認められていないのが現状です。

第 4 章

あなたにもできる
相続税の
計算方法

相続税の算出は決して
たやすいとはいえな
い。できればそれの専
門家の税理士に依頼す
るのが早道だが、プロ
に頼らず自分でやるこ
とも不可能ではない。
算出の仕方を順を追っ
て説明しよう。

まず相続財産を金銭に換算し相続財産の総額をつかむ

相続財産額から相続税の総額を算出したあと、各人の支払うべき税額を割り出していく

相続税額の計算の流れ

相続税とはいったいどのような税金なのか、ひと通り説明してきました。この章では、実際に相続税がいくらになるのかを計算する基本的な方法を見ていきましょう。

相続税の算出方法は、大きく見ると2つの計算から成り立っていて、それぞれにはいくつかの段階があります。まずはその大きな流れを把握することが大切です。

①相続財産を金銭に換算する

②①から債務や葬儀費用など非課税財産にあたるものを差し引き、みなし相続財産が

あればそれを加算する

③②から基礎控除額を差し引く

→課税の対象となる遺産額（課税遺産総額）

④③を法定相続分で分けて、各人の相続税額を算出する

⑤④を合計する→相続税の総額

⑥各人が実際にもらった相続の割合で⑤を分配する

⑦⑥から各人に適用する控除額を差し引く

→各人の納付する相続税額

以上の①から⑦までが、大きく見た相続税額計算の流れです。①から⑤で相続税の

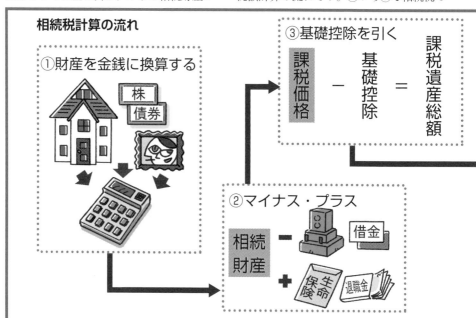

相続税計算の流れ

①財産を金銭に換算する

株 債券

③基礎控除を引く

課税価格 － 基礎控除 ＝ 課税遺産総額

②マイナス・プラス

相続財産 － 借金 ＋ 生命保険 退職金

役立ち情報◆税額算出の第一歩　相続税額を計算するには、「総額がいくらか」「債務はいくらか」「相続人は誰なのか」というようなことがはっきりわかっていなければならない。たとえ

総額を算出し、⑥⑦で各人の支払う相続税額を計算するので、2つの計算から成り立っているのです。

　④では、法定相続分通りに相続したと仮定して計算します。この法定相続人の数は、実際に相続したかどうかは無視して考えてください。あくまでも仮定で、とりあえず相続税の総額を算出しよう、というものなのです。実際の相続分の割合と異なっていてもかまいません。計算⑥の段階で、きちんと各人の実際に受け取った相続額（割合）をもとに、それぞれの納税額を算出するシステムになっています。

相続税額を計算する上での2つの考え

　所得税などの計算方法に比べると、何だかわざと複雑にしてわかりにくくしているのではないか…などと思ってしまいそうです。しかし、このように2つの計算が段階を踏んで成り立っているのには、それなりの理由があります。

　相続税の計算は、2つの考え方がベースになっています。まず1つ目は、故人の遺産全体を課税対象とする考え方です。遺産は複数で分配することがほとんどですが、相続人がどのように遺産を分割して受け取ったとしても、とにかく遺産全体が課税対象になるのだということ。前述の①から⑤の計算は、この考えにもとづいています。

　2つ目は、各相続人ごとに「多く相続した人は多くの税金を」「少なく相続した人は少ない税金を」それぞれの割合に応じて納税してください、という考え方。⑥⑦の計算は、この考えにもとづいているというわけです。

●相続税の計算方法

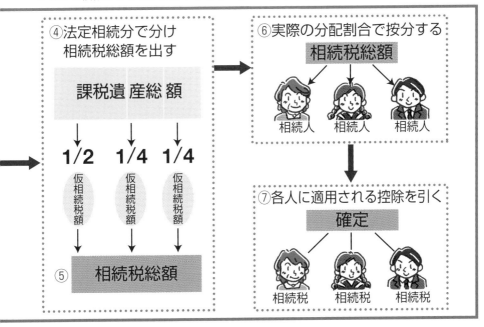

④法定相続分で分け相続税総額を出す

課税遺産総額

1/2　1/4　1/4

仮相続税額　仮相続税額　仮相続税額

⑤　相続税総額

⑥実際の分配割合で按分する

相続税総額

相続人　相続人　相続人

⑦各人に適用される控除を引く

確定

相続税　相続税　相続税

相続財産を＋・－して課税価格〈純資産〉を算出する

金銭に換算された相続財産から非課税財産や債務を控除し、みなし相続財産額を加える

課税価格は被相続人の純資産

　相続税計算の大きな流れを前項で説明しました。では、それぞれの段階ごとに細かくその計算方法を見ていきましょう。

　まず被相続人の遺産を金銭に換算したら、その総額からお墓などの非課税財産（90ページ参照）や債務控除（94ページ参照）できるものを差し引きます。また、生命保険金などのみなし相続財産（78ペー

ジ参照）や相続開始前7年以内に受けた贈与分（86ページ参照）などがあれば、それをプラスします。

　こうして整理された遺産のことを「課税価格」といいます。課税価格は、いってみれば被相続人の「純資産」でもあるわけです。

　こうして被相続人が残した財産のうち課税対象となる財産の総額が出ました。

　例えば、被相続人の遺産が2億円だったとします。被相続人は借金を1000万円残

課税価格計算の流れ

被相続人の遺産

債務控除
非課税財産

マイナス

借金
借金

キャッシング

ご利用は計画的に

　役立ち情報◆**税額算出にはまず全相続財産を金銭に換算**　相続税の算出をするためには、被相続人のプラスの財産の総額や債務額などを金銭に換算しなければならない。つまり数字にしな

しており、葬式費用に500万円かかりました。また、相続財産の他に死亡退職金が1000万円あったとすると…

2億円 − 1000万円 − 500万円 + 1000万円 = 1億9500万円

この場合の課税価格は1億9500万円となるわけです。

この課税価格がわかれば、遺産分割する前の相続対策や全体でどれぐらいの相続税がかかってくるかなどの目安がわかります。実際の相続税申告では、各相続人がそれぞれ債務控除や7年以内の贈与などを計算し、それらをもとに課税価格を算出しましょう。

● 相続税の計算方法

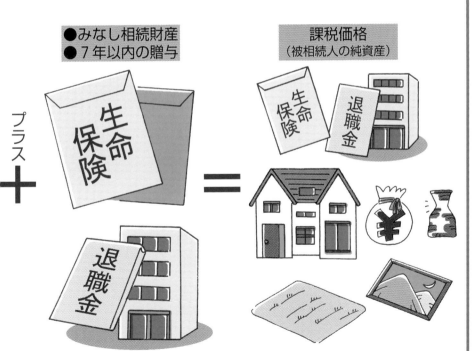

プラス

● みなし相続財産
● 7年以内の贈与

生命保険

＋

退職金

＝

課税価格
（被相続人の純資産）

生命保険

退職金

ければ、計算ができないということ。不動産、有価証券、貴金属などすべてのプラスの財産と借金などの債務をリストアップして、それぞれの評価方法で個々の評価額を算出する。

課税価格から基礎控除を引けば課税遺産総額がわかる

基礎控除額は〈3000万円+(600万円×法定相続人の数)〉。それを超えた分に課税される

基礎控除額と課税遺産総額

遺産の課税価格が算出できたら、次はそこから「基礎控除額」を差し引きます。基礎控除とは、課税対象から無条件に差し引かれ、どんな人にも適用されるものです。また、基礎控除額は逆にいえば、税金の課税最低限を示すものでもあります。つまり、課税価格から基礎控除額を差し引いて、0またはマイナスになった場合は、相続税はかからないということです。

では、相続税の基礎控除額とはいったいいくらなのでしょうか。

〈3000万円+(600万円×法定相続人の数)〉

この計算結果が基礎控除額になります。

従って、法定相続人の数が変われば、控除額も変わってきます。

法定相続人が1人の場合は

3000万円+(600万円×1)=3600万円

法定相続人が2人の場合は

3000万円+(600万円×2)=4200万円

このように基礎控除額を計算し、課税価格から差し引いたものを「課税遺産総額」といいます。

課税価格3億円の場合のケーススタディ

課税価格	マイナス	基礎控除額
3億円	**―**	**3000万円+(600万円×3人)** **=4800万円**

法定相続人

妻(配偶者)

長男

次男

〈養子の制限〉
実子がいるときは1人まで
実子がいないときは2人まで

役立ち情報◆基礎控除額と課税最低限額 基礎控除額の数字は課税最低限額の数字でもある。課税価格の合計がこの基礎控除額より少ない、あるいは同等だった場合は、相続税を払わなく

計算上の法定相続人

　基礎控除額を決定する法定相続人には、たとえ相続人の中に相続放棄をした人がいても、計算の上では頭数に加えます。

　例えば、妻（配偶者）と子供2人を残して夫（被相続人）が死亡したとします。この場合の法定相続人は、妻と子供2人の合計3人です。しかし、子供のうち1人が相続放棄をしたとします。実際に相続するのは妻と残りの子供1人ですが、基礎控除額の計算では、法定相続人は3人ということで扱われます。

　また、被相続人に養子がいるときは、その数に制限が加えられます。基礎控除額を計算する上での養子の数は、
①実子がいるときは1人
②実子がいないときは2人

までとされています。

　例えば、妻（配偶者）と子供3人（うち2人が養子）を残して夫が死亡したとします。基礎控除額の計算上での法定相続人は、妻と実子1人養子1人の合計3人ということになります。ただし、被相続人の配偶者の連れ子が被相続人の養子になった場合や特別養子縁組をした場合などは、実子として扱われます。

　このように養子の数に制限が加えられるのには理由があります。基礎控除額は法定相続人の数が多くなればそれだけ増えるのですから、養子を増やせば控除額も増える…と考えることもできるわけです。「養子を増やし、相続税を支払わなくてすむようにしよう」そんな考えを排除するために、養子の数に制限が加えられているのです。

相続税の計算方法

課税遺産総額

3億円－4800万円
＝**2**億**5200**万円

=

基礎控除額はいくらになるか

法定相続人	基礎控除額
1人	**3600**万円
2人	**4200**万円
3人	**4800**万円
4人	**5400**万円
5人	**6000**万円
6人	**6600**万円

てよいのだ。つまり、相続税額の計算もこの段階で終了ということ。また、法定相続人が多ければ多いほど、控除額がアップし、その分相続税額が少なくなる。

課税遺産総額を法定相続分に従って分配し相続税の総額を算出

実際はどうあれ、法定相続分に従い課税遺産総額を分配したと仮定してまず計算を進める

各人ごとの税額を仮計算する

課税価格から基礎控除額を差し引いたものが課税遺産総額です。いよいよこの課税遺産総額を各相続人に分配するのですが、実際の取り分のことはちょっと横に置いておき、まずは、法定相続人が法定相続分に従って課税遺産総額を分配したと仮定して計算を進めます。

相続放棄をした人がいようと、遺書があろうとなかろうと、いっさいのことは無視して、法定相続分だけ取得したものと考え

ましょう。このときの法定相続人の数は、前項で説明した「計算上の法定相続人」の原則と同様です。

では、具体的な例で見ていきましょう。

課税価格の合計が3億円だとします。法定相続人は、妻（配偶者）と子供2人の合計3人。基礎控除額は

3000万円＋（600万円×3）＝4800万円

課税価格から基礎控除額を差し引き、課税遺産総額を算出します。

3億円－4800万円＝2億5200万円

この2億5200万円を法定相続分によ

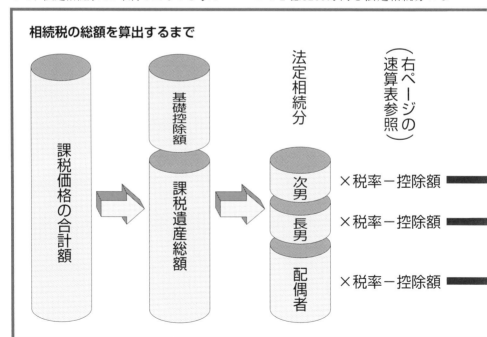

相続税の総額を算出するまで

課税価格の合計額 → 基礎控除額・課税遺産総額 → 法定相続分（右ページの速算表参照）

次男 ×税率－控除額
長男 ×税率－控除額
配偶者 ×税率－控除額

役立ち情報◆法定通りに遺産を分割しない場合でも算出 実際に財産を分けるときは、必ずしも法定相続分通りに分配できるとは限らない。が、相続税の総額を算出する際は、そのような

って、各相続人に振り分けます。

●妻（配偶者）の法定相続分は1/2だから
　2億5200万円×1/2＝1億2600万円

●子供の法定相続分はそれぞれ1/4だから
　長男　2億5200万円×1/4＝6300万円
　次男　2億5200万円×1/4＝6300万円
　以上の金額が、各人がそれぞれ受ける（仮の）課税遺産額になります。

各人の仮税額から相続税の合計を出す

　各人の（仮の）相続分が算出できたら、次はそれぞれの税金を計算します。取得金額に応じて税率と控除額が決められているので、それに従って計算を進めます（下欄の相続税の速算表を参照してください）。

●妻の相続分は1億2600万円だから、税率は40％、控除額は1700万円です。

→1億2600万円×40％−1700万円
　＝3340万円

●子供1人の相続分は6300万円だから、税率は30％、控除額は700万円です。

→6300万円×30％−700万円
　＝1190万円

　法定相続分に応じた妻の税額は3340万円、子供の税額はそれぞれ1190万円、ということになります。

　この各人の税額を合計したものが「相続税の総額」になります。上記の場合だと、

　3340万円＋1190万円＋1190万円
　＝5720万円

　5720万円がこの一家で支払うべき相続税の総額になるのです。

●相続税の計算方法

計算方法

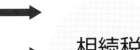

法定相続分に
応ずる取得金額　×税率−控除額
　　　　　　　　＝税額

相続税
の総額

相続税の速算表

相続税の税率構造	税率	控除額
1000万円以下の金額	10%	―
3000万円以下の金額	15%	50万円
5000万円以下の金額	20%	200万円
1億円以下の金額	30%	700万円
2億円以下の金額	40%	1700万円
3億円以下の金額	45%	2700万円
6億円以下の金額	50%	4200万円
6億円超の金額	55%	7200万円

実際の相続割合に即して各人別の相続税額を計算する

相続税の総額が出たら、実際の相続分の割合に応じて各人の支払うべき税額を割り出す

実際の相続分割合が各人の税額を決める

支払うべき相続税の合計が算出できました。いよいよ、実際の相続分に応じた各相続人の相続税額の計算をしてみましょう。

相続税の総額は、法定相続人が法定相続分に従って遺産を相続したと仮定した上で計算されました。しかし、実際には各相続人が法定相続分通りに遺産を受け継ぐとは限りません。

各相続人の相続税は、実際に受け取った相続分の割合を出し、その割合に応じて先に算出した相続税の総額を分配して割り出します。つまり、実際の相続分の割合が、妻60%、長男30%、次男10%だったとすると、その割合と同等に相続税の総額を分配するのです。

前項で登場した具体例で見てみましょう。被相続人の残した課税遺産額が3億

各相続人の税額を算出する
遺産総額3億円の場合のケーススタディ

3億円

遺産総額

↓

5720万円

相続税の総額

実際の相続分

1億8000万円
9000万円
3000万円

妻 60%　長男 30%　次男 10%

役立ち情報◆法定通りに遺産を分割した場合は　法定相続分通りに遺産を分配した場合も同様の計算が必要となる。具体例で示した家族が、もし法定相続分に従って遺産を分けていたなら

円。妻（配偶者）と子供2人（長男・次男）が相続人で、この一家が支払うべき相続税の総額は5720万円と計算できました。この家族の各人が実際に相続した額は以下の通り

●妻　1億8000万円（全体の6割）
●長男　9000万円（全体の3割）
●次男　3000万円（全体の1割）

このそれぞれの割合で相続税の総額を分けるのですから

●妻の相続税
　5720万円×60％＝3432万円
●長男の相続税
　5720万円×30％＝1716万円
●次男の相続税

5720万円×10％＝572万円

それぞれの支払うべき相続税は、妻3432万円、長男1716万円、次男572万円ということになります。

まだ相続税計算は終わらない

実際に受け取った相続分に応じて、各人の相続税がいくらになるのか計算できました。しかしこの数字がただちに納税金額になるわけではありません。

それぞれの相続人の事情を考慮した控除額や加算額があるのです。詳しくは次項で説明しますが、各相続税額にプラスあるいはマイナスした数字が、最終的な納税額となります。

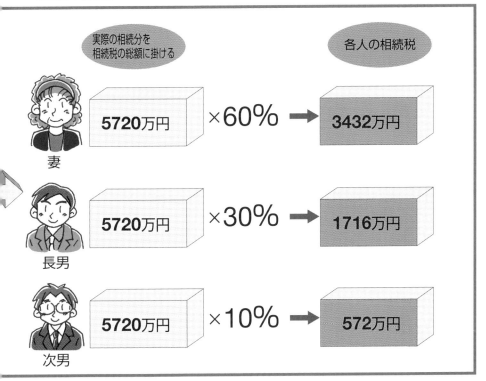

実際の相続分を相続税の総額に掛ける　各人の相続税

妻　5720万円　×60％　→　3432万円
長男　5720万円　×30％　→　1716万円
次男　5720万円　×10％　→　572万円

ば、妻は50％、子供はそれぞれ25％となり各人の相続税額は妻2860万円、子供はそれぞれ1430万円ずつということになる。

相続順位が下位の相続人には「20%加算」税がかけられる

1親等の血族（代襲者もふくむ）以外の人は相続税額加算の対象となる

配偶者・子供（両親）以外は加算される

各相続人の支払うべき相続税額が算出されました。しかし、これが直接納税金額にはならないのです。ここでは、この税額に加算されるパターンについて説明します。

相続税額に加算されるものとして「20%加算」というものがあります。これは、相続人のうち特定の人だけが、その相続税額に20%をプラスしなければならないというシステムです。

その特定の人とは、被相続人から相続や遺贈で財産を引き継いだ人で次にあげる以外の人のこと。

①配偶者
②親や子供などの1親等の血族
③代襲相続人となる孫など

第1章で説明したように、相続人には相続を受ける順位があります（34ページ参

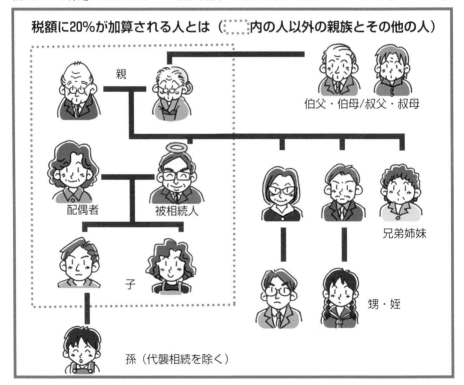

税額に20%が加算される人とは（◯◯内の人以外の親族とその他の人）

親
伯父・伯母/叔父・叔母
配偶者
被相続人
兄弟姉妹
子
甥・姪
孫（代襲相続を除く）

役立ち情報◆20%はその人の税額に加算　「20%加算」の20%は、その人が支払うべき相続税額から算出する。つまり1000万円の相続税を支払うことになって、かつ20%加算を受ける対

照）が、①から③の人は相続順位が上位の人たちです。そこで、**相続順位が下位の人たち（兄弟姉妹など）が相続した場合は、その人たちの相続税は20％割り増しになる**、ということ。この中には被相続人の養子となった被相続人の孫（代襲相続人を除く）もふくまれます。

相続順位が下位の人たちは、相続で財産を取得することの可能性が少ない、言い換えれば、偶然性が高いのでその分税金を負担する力（担税力）が強いという考え方なのです。

この決まりは、相続人でない人が被相続人から遺産を受け取ったときにも適用されます。例えば、孫に遺贈したとしましょう（この場合の孫は代襲相続ではありませ

ん）。この孫の相続税には20％加算されます。本来ならば、親から子へ、子から孫へ、と財産が引き継がれるものですから、その段階を1つ飛ばしたことになります。つまり、課税を1回まぬがれたとも考えられるでしょう。このようなことも考慮にいれ20％加算は設けられています。

法定相続人以外に姪が遺贈を受けた場合

課税遺産総額　4億3650万円			
本来の相続税の総額　1億2451万2500円			
課税遺産総額のなかで、各人に課税される価格	相続税の総額を各人の課税価格で按分	配偶者、1親等の血族以外の20％加算	各人の相続税額
妻　2億1825万円 （0.5）	6225万6250円		6225万6250円
長男　8730万円 （0.2）	2490万2500円		2490万2500円
次男　8730万円 （0.2）	2490万2500円		2490万2500円
姪　4365万円 （0.1）	1245万1250円	249万250円	1494万1500円
4億3650万円	1億2451万2500円		

象だったら、1000万円の20％→200万円が相続税にプラスされるのだ。従ってこの人の支払う相続税の合計は1000万円＋200万円＝1200万円という結果になる。

配偶者・未成年者・障害者などには税額からの減算がある

減算が適用されるものには、他に贈与税額控除、相次相続控除、外国税額控除がある

控除項目は6種類

各相続人の相続税額に加算されるケースを前項で説明しました。ここでは反対に、減算される、つまりマイナスできる控除についてお話ししましょう。

相続税額から差し引かれる控除には「配偶者控除」「未成年者控除」「贈与税額控除」「障害者控除」「相次相続控除」「外国税額控除」の6種類があります。これらは基礎控除のように、誰にでも適用されるわけではありません。それぞれの控除の対象になる人が、その規定に従った額だけ、相続税から差し引くことができるのです。

控除の対象になった人は、それぞれの相続税額から控除分をマイナスして最終的な納税額を確定します。長かった相続税の計算もいよいよ最終ラウンドというわけです。

配偶者控除と未成年者控除

まずは配偶者控除から説明しましょう。配偶者控除の基本的な考えには、次の3つが織り込まれています。
①相続税は、親から子へというように世代が変わるときに課税しようという考えがあるので、夫婦間の財産移動については課税を控える。
②配偶者は被相続人との共同生活などにより、その財産形成の協力者である。

③配偶者の生活保障を考慮する。

上記の考えから、配偶者にはかなりの控除枠が設けられています。

「法定相続分までは控除する」これが配偶者控除のその1です。配偶者の法定相続分は、子供と相続する場合1/2、両親と相続する場合2/3、兄弟姉妹と相続する場合3/4ですが、この割合で相続した場合には、全額が控除されるのです。

例えば、子供1人と10億円を相続したとします。配偶者の法定相続分は5億円です。つまり、5億円までの金額ならば、相続税はかからないのです。

「1億6000万円までは相続税がかからない」これが配偶者控除のその2です。

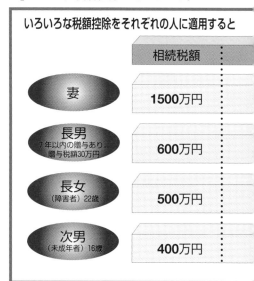

いろいろな税額控除をそれぞれの人に適用すると

	相続税額
妻	1500万円
長男 7年以内の贈与あり。贈与税額30万円	600万円
長女 (障害者) 22歳	500万円
次男 (未成年者) 16歳	400万円

役立ち情報◆配偶者控除の上手な適用法　配偶者控除は2種類。法定相続分と1億6000万円、このうちの大きいほうを適用させればよいのだが、次のように考えると節税のヒントになるだ

例えば、遺産が2億円で配偶者が1億6000万円を相続したとします。この場合、法定相続分の1/2より多い金額ですから、相続税がかかってしまう…というわけではないのです。この場合は、配偶者控除その2が適用されますので、配偶者の相続税はありません。

つまり、法定相続分に関係なく1億6000万円までは無税なのです。

次は未成年者控除です。相続人の中に未成年者がいる場合、その者が18歳に達するまでの年数1年につき、10万円が控除されます。

例えば、相続時に16歳2か月だったとします。18歳の成人になるまで、1年10か月かかりますので、端数は切り上げて

2年×10万円＝20万円

20万円分を相続税から差し引けるのです。

成人になるまでの養育費は、受け取った財産の中から支出される、との考慮がある

からです。

その他の控除

相続開始前7年以内に被相続人から贈与を受けていた場合、その贈与分はみなし相続財産として相続財産に加えることになっています（86ページ参照）。このときの贈与税と相続税の二重課税を防ぐための控除が**贈与税額控除**。贈与を受けたことに伴い支払った贈与税額がそのまま控除されます。

障害者控除は、財産を取得した人が障害者だった場合、その者が85歳になるまでの年数1年につき10万円が控除されます。特別障害者（重度障害者）は、1年につき20万円が控除額です。**相次相続控除**は、短い期間の間に相続が続いた場合、その加重負担を防ぐための控除です。

外国税額控除は、相続財産が外国にあり、その財産に外国でも相続税がかかった場合、国際的な二重課税を防ぐ控除です。

相続税の計算方法

贈与税額控除	配偶者控除	未成年者控除	障害者控除	相次相続控除	外国税額控除	納付税額
0	1500万円	0	0	0	0	0
30万円	0	0	0	0	0	570万円
0	0	0	630万円	0	0	0
0	0	20万円	0	0	0	380万円

ろう。「課税価格の合計が3億2000万円以下のときは、配偶者が1億6000万円まで相続できる」「課税価格の合計が3億2000万円を超えるときは、配偶者が財産の1/2を相続する」。

相続・贈与

 ## 遺言による孫への遺贈はなぜ税額が高くなるのか

Q 亡き父の遺産の法定相続人は母と一人息子の私だけなのですが、遺言の中に「孫へ全財産の1/4を遺贈する」の1項がありましたので、財産は母が1/2、私が1/4、私の娘が1/4で分割しました。ところが税務署の話によると、税額は娘のほうが私より20％ほど多いのです。同じ相続税なのに、なぜ税金に違いが出るのですか。

A 故人の遺言によって財産が贈られる遺贈は、それを受けた受遺者が故人の配偶者か子供か父母以外の場合、相続税を通常より20％多く課税するという規定があるのです。

　相続は普通、親から子へ、子からその

子へという順に行われ、その都度相続税が課税されるものですが、あなたの娘さんの場合のようにおじいちゃんから孫への遺贈では、相続税を1回分まぬがれたという結果になってしまうので、それを

規制する措置として2割加算の制度が設けられているのです。

 ## 父母が相次いで死亡した場合、納税額に軽減措置はないのか

Q 3年前に父が死んで私たちとともにその遺産を相続した母が、長いわずらいの末に先だって亡くなり、今度は母の遺産を相続することになりました。私たちは短期間に2度も納税しなければなりません。税額の軽減措置はないのですか。

A 「相次相続控除」という措置が設けられています。あなたたちが相続するお母さんの遺産の中に、お母さんの死亡日前10年以内にお父さんの死亡で取得した財産がある場合には、あなたたちの相続税を軽減するという規定です。複雑な税額計算法が適用されますが、詳しくは税務署などに聞いてください。

 ## 戸籍上は親子でも、養子縁組をしていない場合の相続権は

Q 私の弟は私の両親の子供ではありません。父の妹が結婚前の18歳で生んだのを、世間への体面から父が引き取り、私の弟として戸籍に入れたのです。その父がこの間亡くなりました。養子縁組はしていなくても戸籍上は親子だ

Q&A

から、自分にも相続権があるという彼の主張は正しいのですか。

A 戸籍上は実子とされていても、これはいわば虚偽の届け出だったわけですから、養子縁組がなされていない

限り弟さんには相続権はありません。しかしそれを明らかにするためには、お父さんと弟さんとの間に事実上の親子関係がないことを裁判所に確認してもらう訴訟を起こす必要があるでしょう。

また、もしもあなたがこの事実を知らないでいて、弟さんへも遺産が分割されたあとでそれを知った場合には、彼に対して取得分の返還を求める訴訟を起こすことができます。ただし請求は、事実を知ったときから5年以内になされねばなりません。

 結婚の約束をしていた人が死んだ場合、約束の相手に相続権は

Q 私が長年一緒に住んでいた男性は奥さんと離婚訴訟中で、離婚が成

立したら結婚するというはっきりした約束ができていたのに、成立間違いなしと思われる判決の直前に死んでしまいました。彼のご両親も私が嫁になることを認めてくれていたのです。いくらかでも遺産を相続する権利は私にはないのでしょうか。

A 残念ながらあなたには相続の権利はありません。その男性が亡くなった時点で、彼と奥さんとの間には婚姻関係が存在していたからです。

たとえ愛人であっても、彼が遺言書を作って、その中にあなたへ財産を残すことを明記しておいてくれれば、遺産の1/2までもらうことが可能だったのですが…。

 亡夫の家を出て再婚する場合、相続した財産は置いていくべきか

Q 夫が亡くなって1年が過ぎました。実家の親たちの勧めもあり、ある男性との再婚を考えています。この家を出るときは、夫から相続した遺産を置いていくべきなのでしょうか。

A その必要は全くありません。あなたが相続したのは家の財産ではなく、亡くなったご主人の配偶者であるという身分関係にもとづいて彼の遺産を取得したのですから、あまり古くさい感情だけにとらわれる必要はないと思います。

column

専門家の上手な活用法

　被相続人が死亡して、バタバタとあわただしくときが過ぎていく。しかし相続の問題も待っている。申告には期限もある。なるべくならば親族同士、気持ちよく遺産を分け合いたい。ああ、でも、相続税のことがよくわからない…。

　ある程度予期することができたとしても、被相続人の死はある日突然やってきます。そして相続に関するさまざまな対処や事務的な用事も発生します。相続が開始すると、遺産分割協議やら税金の申告、不動産の相続登記などなど、普段の生活にはあまりなじみのない手続きをしなければならないのです。

　これらの手続きや相続税の申告は、もちろん自分でやってもかまいません。が、「なんだかよくわからない…」なんて人はやはり専門家に相談したほうがよいでしょう。法律の専門的な知識が必要ですし、税法はたびたび改正されます。面倒臭いからといって、ほうっておくわけにもいきません。

　相続税に関する専門家は弁護士と税理士です。できれば「相続」を得意分野としている人を訪ねたいもの。医者に内科や外科があるように、弁護士や税理士にも得手不得手があるようです。知り合い

や金融機関に紹介してもらうとよいでしょう。

　では、いつ相談にいったらいいのか。これは病気と同じ、早ければ早いに越したことはありません。被相続人の死を予期したら、相続開始前に専門家に相談を持ちかけたほうがよいでしょう。相続税の申告期限ぎりぎりになって駆け込んでも、専門家が力を発揮する場は失われているのです。

　相談の相手が決まったら、事実をありのままに伝えることが大切。認知した子供がいるとか、秘密にしている預金があるとか、そんなことを隠していたら、せっかく進めていた手続きも最終的には無駄になってしまいます。相互の信頼関係も失われるでしょう。弁護士や税理士には守秘義務があるので、依頼者の秘密を洩らすようなことはありません。

　住民票や登記簿謄本などの資料集めが面倒だ、ということであれば司法書士に代行してもらうこともできます。しかし、相続はあくまでも自分自身と親族の問題。本書で最低限の知識と理解を身につけた上で、上手に専門家を活用したいものです。

第 5 章

相続税・贈与税の申告・納付の仕方

相続税の申告と納付は、相続開始の翌日から10か月以内にすませねばならない。物納や延納も認められるが、無申告や事実を偽った申告には税金が加算される。申告書とそれに付随する書類とはどんなものか、記載例とともに説明しよう。

相続税の申告は10か月以内に所定の申告書で提出する

各種の控除の結果、納める税額がない場合でも、特例の適用を受けるには申告書提出が必要

相続開始の翌日から10か月

相続税の計算方法については前の章で説明しましたが、計算を行った結果納付税額のある人は、申告しなければなりません。

ただし、次のような場合は納税義務がないので、申告する必要はありません。

①相続財産の総額が基礎控除額（3000万円＋〈600万円×法定相続人の数〉）を超えない場合。

②遺産相続額が基礎控除額を超えていても、相続税額を計算し、各種の税額控除を差し引いた結果、納める税額がない場合。

しかし、配偶者控除に関しては、②のケースのように控除した結果相続税を納めなくてもよいときでも、相続税の申告をする必要があります。

というのは、配偶者控除を受けるためには、相続税の申告書に「配偶者控除を受ける」という旨を記して申告しなければならないからです。

相続税を申告する時期は、相続の開始した日の翌日から10か月以内です。もっとわかりやすくいえば、被相続人が死亡した日の翌日から10か月以内ということになります。

この申告期限は、納税の期限と同じですから、期限内にくれぐれも忘れないよう申告・納税することが大切です。

申告・納税期限が1年近くもあるからと

いって、油断は禁物です。遺族にとってこの時期は葬儀、告別式に始まって四十九日の法要など死者を供養するための儀式がめじろ押しで、10か月なんてあっという間にたってしまいます。

申告が遅れたり、意図的に申告しなかったりすると、かなり厳しいペナルティが科せられることになりますので、気をつけましょう。

そのためにも、申告に必要な書類を揃えるなどの準備やいろいろな手続きを先延ばしにしないで、ポイントを押さえて着実にやっていくことが必要です。

申告書は1通に全員が署名する

相続税の申告には、申告書が必要です。

遺産を相続した人が複数いる場合でも、申告書をおのおの1通ずつ作成する必要はありません。

所定の申告書1通に必要事項を書き込んで相続人全員が署名すればよいことになっています。

申告書の作成は専門家に頼んだほうが確実ではありますが、税務署に所定の用紙がありますので、相続税を計算して自分で作ることもできます。

なお、申告書を提出する先は、被相続人が死亡した住所を所轄している税務署になります。相続人の住所地の税務署ではあり

　役立ち情報◆**遺産分割が確定していなくても提出する**　申告書の提出期限は、相続の開始した日の翌日から10か月以内となっているが、この期限内に遺産の分割が確定するとは限らない。

ませんので、間違わないように注意しましょう。

その他にもさまざまな手続きが

相続の開始と同時に被相続人の所得税の準確定申告が必要です。これは被相続人に代わって相続人が、相続を知った日の翌日から4か月以内に手続きをしなければなりません。

申告して払い過ぎた税金があれば、還付金として戻ってくることもあり、それは相続する財産に加えられます。

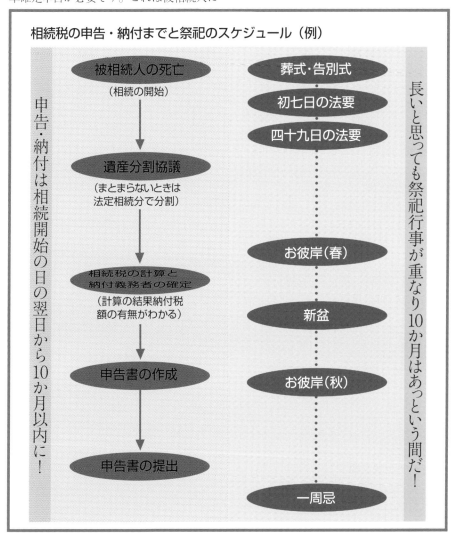

相続税の申告・納付までと祭祀のスケジュール（例）

申告・納付は相続開始の日の翌日から10か月以内に！

被相続人の死亡
（相続の開始）

↓

遺産分割協議
（まとまらないときは法定相続分で分割）

↓

相続税の計算と納付義務者の確定
（計算の結果納付税額の有無がわかる）

↓

申告書の作成

↓

申告書の提出

葬式・告別式

初七日の法要

四十九日の法要

お彼岸（春）

新盆

お彼岸（秋）

一周忌

長いと思っても祭祀行事が重なり10か月はあっという間だ！

●相続税・贈与税の申告・納付

しかし、申告の手続きは10か月以内に行わなければならない。同様に税金も申告と同じように10か月以内の納付となるので、事前に納税資金の準備も必要。

WHAT?

◆◆◆◆◆◆◆◆◆◆◆◆◆◆◆◆◆◆◆◆◆◆◆◆

申告書には計算書や明細書などを添える

申告のための書類には33種類あるが、申告書は1枚だけで、あとは明細書や計算書だ

申告書は1枚で
あとはそれに付随する書類

　相続税の申告の手続きはすべて書類で行われます。申告に必要となる書類には多くの種類の様式があり（124ページ参照）、用紙は税務署に用意されていますが、このうち申告書は1枚だけで、残りの多くは財産の明細書や計算書などですから、すべてを誰もが提出しなければならないというわけではありません。例えば故人が生命保険に加入していなかったら第9表は必要ありませんし、死亡退職金のない場合は第10表はいらないわけです。

　しかし、これらの明細書や計算書とは別に、申告の際に必ず申告書に添付しなければならない書類や、添付したほうがよいとされる書類が、他にたくさんあるのです。右ページの一覧表でその添付書類を役割ごとにまとめてみましたので参考にしてください。

添付書類には
どういうものがあるか

　添付書類は大きく次のように分けられます。
①財産に関する書類
②債務に関する書類
③遺産の分割に関する書類とその付属書類
④その他の書類

　①には登記事項証明書や相続財産の明細書などがあり、相続したり遺贈された財産の数や価格・所在地などを示す書類です。これらの書類を添付することによって、どのような財産をどれだけ取得したかが具体的にわかるわけです。

　②には借入金の金銭消費貸借契約書の写しや借入金の明細書などがあり、これらは被相続人が生前にどのような種類、額の債務があったかを示す書類といえます。

　③には遺言書や遺産分割協議書の写しなどがあり、相続人が何者であるかを示す書類ということができます。

　④は「その他」と書きましたが、親族関係図や固定資産税の納税告知書・領収書など相続にかかわる書類などがこれにふくまれます。

どんな添付書類が必要か
事前によく調べておく

　これらの添付書類はすべて申告書に添付するように義務づけられているというわけではありません。しかし、戸籍謄本と遺産分割協議書の写しがないと配偶者控除が受けられない、というようなケースもありますので、どれを添付するかは事前によく確かめておく必要があります。

　このように相続税の申告は、申告書の他にも種類の異なるさまざまな種類の書類に必要事項を記入するなど、かなり手間のか

　役立ち情報◆申告書の作成は手引書で　申告書作成の手順としてはまず33種類の書類の中から自分たちに必要な書類をピックアップしてから作成していく。税務署では申告書用紙の他手

かる作業です。

ですから、自分の本職のほうが忙しく、申告書作りになかなか時間をさけないときなどは、その道の専門家である税理士に頼んで作成してもらうのも一案です。

◆◆◆◆
財産を把握するなど
事前準備が必要不可欠
◆◆◆◆

申告書やその他の書類の作成を税理士にお願いするような場合でも、スムーズに作業を進めるためには、日ごろから財産を明確に把握できるような資料を揃えておくことが大切です。

具体的にいえば、被相続人の財産がどんな種類のものがどれくらいあるか、また借金があるとしたらどれだけあるのか、ということをつかんでおく必要があります。

財産をトータルに把握するほか、土地の境界線がはっきりしないなど、あいまいなままになっていることは、早急にはっきりさせておきたいものです。

ご存じのように、土地を始めとして財産の価値は年々変動するものです。明細が一応整っているからと安心しないで、3年に1回ぐらいの割合で財産の価値を見直し、新しい書類を揃え直すことをお勧めします。

相続税の申告に必要となる添付書類リスト

財産の種類		添付書類
不動産	土地	登記事項証明書　公図・地形図　実測図　路線価（図）評価倍率（表）固定資産税の評価証明書　土地賃貸借契約書（貸付地の場合）
	借地権	土地賃貸借契約書
	家屋	登記事項証明書　固定資産税の評価証明書　建物賃貸借契約書（貸家の場合）
有価証券	上場株式	銘柄別一覧表　証券会社の保護預かり残高表　売買報告書
	非上場株式	発行会社の過去2年間の決算書・法人税の申告書　株主名簿
	公社債など	銘柄別一覧表　残高証明書　証書
その他	預貯金	預金証書　残高証明書　通帳
	生命保険金	保険会社の支払明細書　保険証券
	退職手当金	勤務会社からの最終給与証明書　退職手当金の支払調書
債務など	債務	借用証書　金融機関からの借入金残高証明書　固定資産税・住民税の納税告知書や領収書など　準確定申告書　医療費領収書
	葬儀費用	葬儀費用出納帳　葬儀関係費用領収書

引書も無料でもらえるので、手引書を参考にして書類に1枚1枚正確に記載していく。黒インクか黒のボールペンを使い、誤字、脱字がないようにくれぐれも注意することが大切。

申告書類作成のポイント/相続税編

　相続税の申告書類には、第1表から第15表まで（間に第1表の付表と第8の2表の付表と第11・11の2表等の付表を挟んで）数多くの種類がありますが、本当の意味での**申告書**は**第1表**だけで、あとは申告書に付随する**計算書**（第2表〜第8表）と**明細書等**（第9表〜第14表）と**種類別価額表**（第15表）です。

　第1表だからといって申告書から書き始めるのではなく、普通は第9表（生命保険金などの明細書）から記入を始めて、第10表（退職手当金などの明細書）、第11表（相続税がかかる財産の明細書）、第11の2表（相続時精算課税適用財産の明細書他）、第11・11の2表の付表2（小規模宅地等の特例、特定計画山林の特例又は個人の事業用資産の納税猶予の適用にあたっての同意及び特定計画山林についての課税価格の計算明細書）、第12表（農地等についての納税猶予の適用を受ける特例農地等の明細書）、第13表（債務及び葬式費用の明細書）、第14表（純資産価額に加算される暦年課税分の贈与財産価額及び特定贈与財産価額・出資持分の定めのない法人などに遺贈した財産・特定の公益法人などに寄附した相続財産・特定公益信託のために支出した相続財産の明細書）、第15表（相続財産の種類別価額表）へと書き進め、それから第1表（相続税の申告書）へ。そのあと

は第2表（相続税の総額の計算書）、第3表（財産を取得した人のうちに農業相続人がいる場合の各人の算出税額の計算書）、第4表の2（暦年課税分の贈与税額控除額の計算書）、第5表（配偶者の税額軽減額の計算書）、第6表（未成年者控除額・障害者控除額の計算書）、第7表（相次相続控除額の計算書）、第8表（外国税額控除額・農地等納税猶予税額の計算書）、第8の8表（税額控除額及び納税猶予税額の内訳書）と進んでいきます。

　農業相続人がいない場合は第3表、第12表は必要なく、第8表の「農地等納税猶予税額の計算書」への記入も必要ありません。

　10年以内に2回以上相続が生じ、相続税が課税された場合には税負担の軽減を受けることができます。この適用を受けるためには第7表（相次相続控除額の計算書）が必要となります。

　その他にも、相続開始前7年以内に贈与を受けた相続人がいなければ第4表の2は必要なしといったぐあいに、相続人それぞれのケースにより不要なものが出てきます。

　用紙や手引きは、国税庁のホームページからダウンロードすることができます。

　このあとに続くページに、記載例を含めた各表の用紙を掲載しました。紙面の都合上一部割愛しているものもあります。

※**マイナンバーについて**　2016年に相続が発生したものから、申告書にはマイナンバーを入れることになりました。被相続人の個人番号は必要ありませんが、相続人は全員のマイナンバーを記入して提出することになりました。実際の入れ方は次のページから始まる申告書類の見本をご覧ください。
※本書で使用している申告用紙等は、原則として2024年6月末現在のものです。変更される場合がありますのでご注意ください。また、2021年4月1日から国税に関する法令により、届け書等に押印をする必要がなくなりました（一部書類を除く）。これにより相続税の申告書も押印はしなくてもよいのですが、申告用紙が古く申告書に㊞欄がある場合でも、押印しなくてよいことになりました。

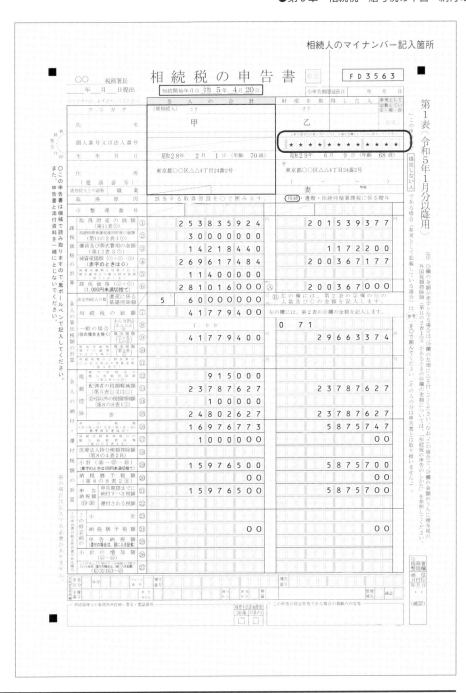

相続人のマイナンバー記入箇所

相 続 税 の 申 告 書　　FD3563

相続開始年月日 令和 5 年 4 月 20 日　※申告期限延長日　　年　　月　　日

___○○___税務署長　　___年___月___日提出

第1表（令和5年1月分以降用）

	各 人 の 合 計 （被相続人）甲	財産を取得した人 乙
個人番号又は法人番号		＊ ＊ ＊ ＊ ＊ ＊ ＊ ＊ ＊ ＊ ＊ ＊
生 年 月 日	昭和28年 2月 1日（年齢 70歳）	昭和29年 6月 9日（年齢 68歳）
住 所	東京都○○区△△4丁目24番2号	東京都○○区△△4丁目24番2号
取 得 原 因	該当する取得原因を○で囲みます。	相続・遺贈・相続時精算課税に係る贈与

		各人の合計	乙
取得財産の価額（第11表③）	①	2 5 3 8 3 5 9 2 4	2 0 1 5 3 9 3 7 7
相続時精算課税適用財産の価額（第11の2表1⑦）	②	3 0 0 0 0 0 0 0	
債務及び葬式費用の金額（第13表3⑦）	③	1 4 2 1 8 4 4 0	1 1 7 2 2 0 0
純資産価額（①＋②−③）（赤字のときは0）	④	2 6 9 6 1 7 4 8 4	2 0 0 3 6 7 1 7 7
純資産価額に加算される暦年課税分の贈与財産価額（第14表1④）	⑤	1 1 4 0 1 6 0 0 0	
課税価格（④＋⑤）（1,000円未満切捨て）	⑥	2 8 1 0 1 6 0 0 0	2 0 0 3 6 7 0 0 0
法定相続人の数 遺産に係る基礎控除額		5　6 0 0 0 0 0 0 0	
相続税の総額（⑦）	⑦	4 1 7 7 9 4 0 0	
あん分割合 一般の場合（⑧）	⑧	1 . 0 0	0 ・ 7 1
算出税額（⑨）	⑨	4 1 7 7 9 4 0 0	2 9 6 6 3 3 7 4
	⑩		
	⑪		
税額控除	暦年課税分の贈与税額控除額 ⑫	9 1 5 0 0 0	
	配偶者の税額軽減額（第5表）⑬	2 3 7 8 7 6 2 7	2 3 7 8 7 6 2 7
	未成年者控除額等（第8表1⑤）⑭	1 0 0 0 0 0	
	計 ⑮	2 4 8 0 2 6 2 7	2 3 7 8 7 6 2 7
差引税額（⑨＋⑪−⑮）又は（⑩＋⑪−⑮）⑯		1 6 9 7 6 7 7 3	5 8 7 5 7 4 7
相続時精算課税分の贈与税額控除額 ⑰		1 0 0 0 0 0 0	0 0
医療法人持分税額控除額（第8の4表2B）⑱			
小計（⑯−⑰−⑱）（黒字のときは100円未満切捨て）⑲		1 5 9 7 6 5 0 0	5 8 7 5 7 0 0
納税猶予税額（第8の8表2⑧）⑳		0 0	0 0
申告期限までに納付すべき税額（⑲−⑳）㉑		1 5 9 7 6 5 0 0	5 8 7 5 7 0 0
還付される税額 ㉒			
この申告が修正申告である場合 納税猶予税額 ㉓		0 0	0 0
申告納税額 ㉔			
小計の増加額（㉔−⑳）㉕			

税務署整理欄

通信日付印 申告年月日・・

125

相続人のマイナンバー記入箇所

相続税の申告書（続）　修正　FD3564

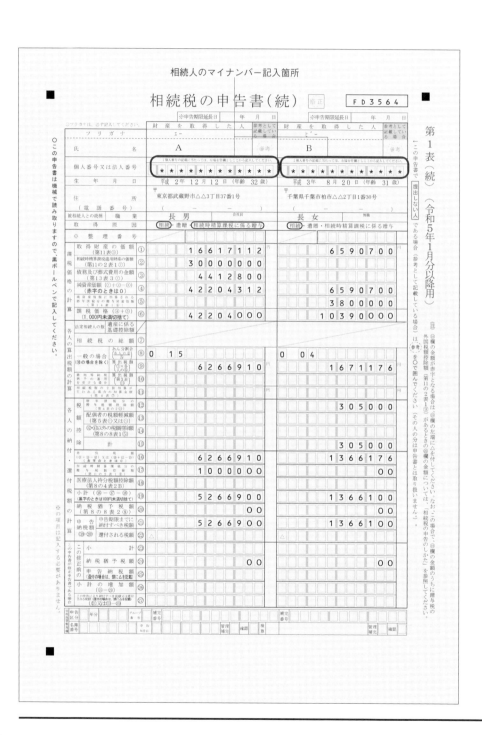

※申告期限延長日 年 月 日	財産を取得した人	参考として記載している場合	財産を取得した人	参考として記載している場合	※申告期限延長日 年 月 日

フリガナ	エー		ビー	
氏　　　名	A	参考	B	参考
個人番号又は法人番号	＊＊＊＊＊＊＊＊＊＊＊＊		＊＊＊＊＊＊＊＊＊＊＊＊	
生　年　月　日	平成 2 年 12 月 12 日（年齢 32 歳）		平成 3 年 8 月 20 日（年齢 31 歳）	
住　　　所（電話番号）	〒 東京都武蔵野市△△3丁目37番1号		〒 千葉県千葉市柏市△△2丁目1番30号	
被相続人との続柄 職業	長男 会社員		長女 無職	
取　得　原　因	相続・遺贈・相続時精算課税に係る贈与		相続・遺贈・相続時精算課税に係る贈与	
※ 整理番号				

課税価格の計算	取得財産の価額（第11表③）	①	1 6 6 1 7 1 1 2		6 5 9 0 7 0 0
	相続時精算課税適用財産の価額（第11の2表1⑦）	②	3 0 0 0 0 0 0 0		
	債務及び葬式費用の金額（第13表3⑦）	③	4 4 1 2 8 0 0		
	純資産価額（①+②-③）（赤字のときは0）	④	4 2 2 0 4 3 1 2		6 5 9 0 7 0 0
	純資産価額に加算される暦年課税分の贈与財産価額（第14表1④）	⑤			3 8 0 0 0 0 0
	課税価格（④+⑤）（1,000円未満切捨て）	⑥	4 2 2 0 4 0 0 0		1 0 3 9 0 0 0 0

各人の算出税額の計算	法定相続人の数 遺産に係る基礎控除額				
	相続税の総額	⑦			
	一般の場合（⑩の場合を除く） あん分割合 各人の⑥	⑧	0 . 1 5	0 . 0 4	
	算出税額（⑦×各）（⑦×各）	⑨	6 2 6 6 9 1 0	1 6 7 1 1 7 6	
	農地等納税猶予の適用を受ける農業相続人 算出税額（第3表⑩）	⑩			
	相続税額の2割加算が行われる場合の加算金額（第4表⑦）	⑪			

各人の納付・還付税額の計算	税額控除	暦年課税分の贈与税額控除額（第4表の2⑤）	⑫		3 0 5 0 0 0
		配偶者の税額軽減額（第5表○又は○）	⑬		
		⑫・⑬以外の税額控除額（第8の8表1⑤）	⑭		
		計	⑮		3 0 5 0 0 0
	差引税額（⑨+⑪-⑮）又は（⑩+⑪-⑮）（黒字のときは100円未満切捨て）	⑯	6 2 6 6 9 1 0	1 3 6 6 1 7 6	
	相続時精算課税分の贈与税額控除額（第11の2表⑧）	⑰	1 0 0 0 0 0 0	0 0	
	医療法人持分税額控除額（第8の4表2B）	⑱			
	小計（⑯-⑰-⑱）（黒字のときは100円未満切捨て）	⑲	5 2 6 6 9 0 0	1 3 6 6 1 0 0	
	納税猶予税額（第8の8表2⑧）	⑳	0 0	0 0	
	申告納税額	申告期限までに納付すべき税額（⑲-⑳）	㉑	5 2 6 6 9 0 0	1 3 6 6 1 0 0
		還付される税額	㉒	△	△
この申告書が修正申告書である場合	小　　計	㉓			
	納税猶予税額	㉔	0 0	0 0	
	申告納税額（還付の場合は、頭に△を記載）	㉕			
	小計の増加額（㉓-㉒）	㉖			
	（㉑又は㉕）-㉒	㉗			

申告区分	年分	区分	グループ	補完番号	補正	確認	検算	補完番号		管理補完	確認

相続人のマイナンバー記入箇所

相続税の申告書（続）　FD3564

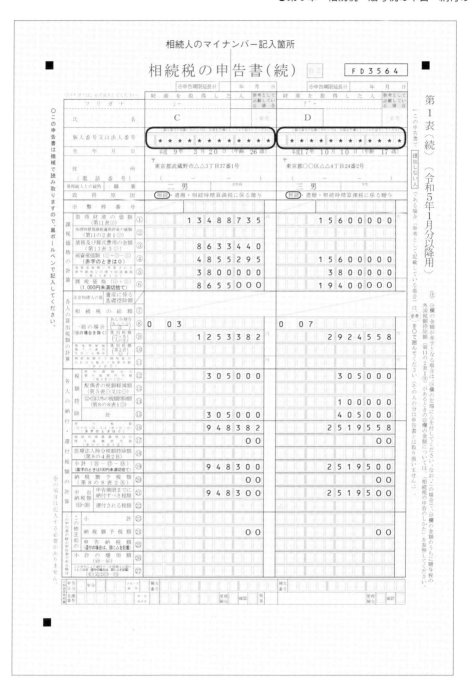

相 続 税 の 総 額 の 計 算 書

被相続人	甲

この表は、第1表及び第3表の「相続税の総額」の計算のために使用します。

なお、被相続人から相続、遺贈や相続時精算課税に係る贈与によって財産を取得した人のうちに農業相続人がいない場合は、この表の⑥欄及び⑪欄並びに⑨欄から⑪欄までは記入する必要がありません。

① 課税価格の合計額	② 遺産に係る基礎控除額	③ 課税遺産総額
ⓘ（第1表⑥Ⓐ） 281,016,000 円	3,000 万円 + (600 万円 × ⓑ（法定相続人の数） 5 人) = ⓒ 6,000 万円	ⓘ（Ⓐ−Ⓒ） 221,016,000 円
ⓘ（第3表⑥Ⓐ） ,000 円	ⓑの人数及びⓒの金額を第1表Ⓑへ転記します。	ⓘ（Ⓐ−Ⓒ） ,000 円

④ 法定相続人		⑤ 左の法定相続人に応じた法定相続分	第1表の「相続税の総額⑦」の計算		第3表の「相続税の総額⑦」の計算	
氏 名	被相続人との続柄		⑥ 法定相続分に応ずる取得金額（Ⓒ×⑤）（1,000円未満切捨て）	⑦ 相続税の総額の基となる税額〔下の「速算表」で計算します。〕	⑨ 法定相続分に応ずる取得金額（Ⓒ×⑤）（1,000円未満切捨て）	⑩ 相続税の総額の基となる税額〔下の「速算表」で計算します。〕
乙	妻	1/2	110,508,000 円	27,203,200 円	,000 円	円
A	長 男	1/8	27,627,000	3,644,050	,000	
B	長 女	1/8	27,627,000	3,644,050	,000	
C	二 男	1/8	27,627,000	3,644,050	,000	
D	三 男	1/8	27,627,000	3,644,050	,000	
			,000		,000	
			,000		,000	
			,000		,000	
			,000		,000	
			,000		,000	
			,000		,000	
			,000		,000	
			,000		,000	
			,000		,000	
ⓐ 法定相続人の数 5 人		合計 1	⑧ 相続税の総額（⑦の合計額）（100円未満切捨て） 41,779,400		⑪ 相続税の総額（⑩の合計額）（100円未満切捨て） 00	

相続税の速算表

法定相続分に応ずる取得金額	10,000千円以下	30,000千円以下	50,000千円以下	100,000千円以下	200,000千円以下	300,000千円以下	600,000千円以下	600,000千円超
税 率	10%	15%	20%	30%	40%	45%	50%	55%
控 除 額	－	500千円	2,000千円	7,000千円	17,000千円	27,000千円	42,000千円	72,000千円

第2表 　　　　　　　　　　　　　　　　　　　　　　　　　　（資4−20−3−A4統一）

暦年課税分の贈与税額控除額の計算書

被相続人	甲

第4表の2（平成31年1月分以降用）

この表は、第14表の「1 純資産価額に加算される暦年課税分の贈与財産価額及び特定贈与財産価額の明細」欄に記入した財産のうち相続税の課税価格に加算されるものについて、贈与税が課税されている場合に記入します。

	控除を受ける人の氏名		B	C	D
	贈与税の申告書の提出先		柏 税務署	武蔵野 税務署	○○ 税務署
相続開始の年の前年分（令和4年分）	被相続人から暦年課税に係る贈与によって租税特別措置法第70条の2の5第1項の規定の適用を受ける財産（特例贈与財産）を取得した場合				
	相続開始の年の前年中に暦年課税に係る贈与によって取得した特例贈与財産の価額の合計額	①	3,800,000	3,800,000	3,800,000
	①のうち被相続人から暦年課税に係る贈与によって取得した特例贈与財産の合計額（贈与税額の計算の基礎となった価額）	②	3,800,000	3,800,000	3,800,000
	その年分の暦年課税分の贈与税額（裏面の「2」参照）	③	305,000	305,000	305,000
	控除を受ける贈与税額（特例贈与財産分）（③×②÷①）	④	305,000	305,000	305,000
	被相続人から暦年課税に係る贈与によって租税特別措置法第70条の2の5第1項の規定の適用を受けない財産（一般贈与財産）を取得した場合				
	相続開始の年の前年中に暦年課税に係る贈与によって取得した一般贈与財産の価額の合計額（贈与税の配偶者控除後の金額）	⑤	円	円	円
	⑤のうち被相続人から暦年課税に係る贈与によって取得した一般贈与財産の合計額（贈与税額の計算の基礎となった価額）	⑥			
	その年分の暦年課税分の贈与税額（裏面の「3」参照）	⑦			
	控除を受ける贈与税額（一般贈与財産分）（⑦×⑥÷⑤）	⑧			
相続開始の年の前々年分（令和3年分）	贈与税の申告書の提出先		税務署	税務署	税務署
	被相続人から暦年課税に係る贈与によって租税特別措置法第70条の2の5第1項の規定の適用を受ける財産（特例贈与財産）を取得した場合				
	相続開始の年の前々年中に暦年課税に係る贈与によって取得した特例贈与財産の価額の合計額	⑨	円	円	円
	⑨のうち被相続人から暦年課税に係る贈与によって取得した特例贈与財産の合計額（贈与税額の計算の基礎となった価額）	⑩			
	その年分の暦年課税分の贈与税額（裏面の「2」参照）	⑪			
	控除を受ける贈与税額（特例贈与財産分）（⑪×⑩÷⑨）	⑫			
	被相続人から暦年課税に係る贈与によって租税特別措置法第70条の2の5第1項の規定の適用を受けない財産（一般贈与財産）を取得した場合				
	相続開始の年の前々年中に暦年課税に係る贈与によって取得した一般贈与財産の価額の合計額（贈与税の配偶者控除後の金額）	⑬	円	円	円
	⑬のうち被相続人から暦年課税に係る贈与によって取得した一般贈与財産の合計額（贈与税額の計算の基礎となった価額）	⑭			
	その年分の暦年課税分の贈与税額（裏面の「3」参照）	⑮			
	控除を受ける贈与税額（一般贈与財産分）（⑮×⑭÷⑬）	⑯			
相続開始の年の前々々年分（令和2年分）	贈与税の申告書の提出先		税務署	税務署	税務署
	被相続人から暦年課税に係る贈与によって租税特別措置法第70条の2の5第1項の規定の適用を受ける財産（特例贈与財産）を取得した場合				
	相続開始の年の前々々年中に暦年課税に係る贈与によって取得した特例贈与財産の価額の合計額	⑰	円	円	円
	⑰のうち被相続人から暦年課税に係る贈与によって取得した特例贈与財産の合計額（贈与税額の計算の基礎となった価額）	⑱			
	その年分の暦年課税分の贈与税額（裏面の「2」参照）	⑲			
	控除を受ける贈与税額（特例贈与財産分）（⑲×⑱÷⑰）	⑳			
	被相続人から暦年課税に係る贈与によって租税特別措置法第70条の2の5第1項の規定の適用を受けない財産（一般贈与財産）を取得した場合				
	相続開始の年の前々々年中に暦年課税に係る贈与によって取得した一般贈与財産の価額の合計額（贈与税の配偶者控除後の金額）	㉑	円	円	円
	㉑のうち被相続人から暦年課税に係る贈与によって取得した一般贈与財産の合計額（贈与税額の計算の基礎となった価額）	㉒			
	その年分の暦年課税分の贈与税額（裏面の「3」参照）	㉓			
	控除を受ける贈与税額（一般贈与財産分）（㉓×㉒÷㉑）	㉔			
	暦年課税分の贈与税額控除額計（④＋⑧＋⑫＋⑯＋⑳＋㉔）	㉕	305,000 円	305,000 円	305,000 円

（注）各人の㉕欄の金額を第1表のその人の「暦年課税分の贈与税額控除額⑪」欄に転記します。

第4表の2

（資4-20-5-3-A4統一）

●相続税・贈与税の申告・納付

配偶者の税額軽減額の計算書

	被相続人	甲

私は、相続税法第19条の2第1項の規定による配偶者の税額軽減の適用を受けます。

1 一般の場合

（この表は、①被相続人から相続、遺贈や相続時精算課税に係る贈与によって財産を取得した人のうちに農業相続人がいない場合又は②配偶者が農業相続人である場合に記入します。）

課税価格の合計額のうち配偶者の法定相続分相当額	（第1表のⒶの金額）	〔配偶者の法定相続分〕		⑦ ※	円
	281,016,000円 × $\frac{1}{2}$		140,508,000 円	160,000,000	
	上記の金額が16,000万円に満たない場合には、16,000万円				

配偶者の税額軽減額を計算する場合の課税価格	①分割財産の価額（第11表の配偶者の①の金額）	分割財産の価額から控除する債務及び葬式費用の金額			⑤純資産価額に加算される暦年課税分の贈与財産価額（第1表の配偶者の⑤の金額）	⑥（①－④＋⑤）の金額（⑤の金額より赤字のときは0）（1,000円未満切捨て）
		②債務及び葬式費用の金額（第1表の配偶者の③の金額）	③未分割財産の価額（第11表の配偶者の②の金額）	④（②－③）の金額（②の金額が③の金額より大きいときは0）		
	円	円	円	円	円	円
	201,539,377	1,172,200		1,172,200		200,367,000

⑦相続税の総額（第1表の⑦の金額）	⑥の金額と⑥の金額のうちいずれか少ない方の金額	課税価格の合計額（第1表のⒶの金額）	配偶者の税額軽減の基となる金額（⑦×⑧÷⑨）
円	円	円	円
41,779,400	160,000,000	281,016,000	23,787,627

配偶者の税額軽減の限度額	（第1表の配偶者の⑨又は⑩の金額） （第1表の配偶者の⑫の金額）	
	(29,663,374 円 － 円)	29,663,374

配偶者の税額軽減額	⑩の金額と⑩の金額のうちいずれか少ない方の金額	○
		23,787,627

（注）○の金額を第1表の配偶者の「配偶者の税額軽減額⑬」欄に転記します。

2 配偶者以外の人が農業相続人である場合

（この表は、被相続人から相続、遺贈や相続時精算課税に係る贈与によって財産を取得した人のうちに農業相続人がいる場合で、かつ、その農業相続人が配偶者以外の場合に記入します。）

課税価格の合計額のうち配偶者の法定相続分相当額	（第3表のⒶの金額）	〔配偶者の法定相続分〕		⑰ ※	円
	,000円 × ── ＝		円		
	上記の金額が 万円に満たない場合には、 万円				

配偶者の税額軽減額を計算する場合の課税価格	⑪分割財産の価額（第11表の①の金額）	分割財産の価額から控除する債務及び葬式費用の金額			⑮純資産価額に加算される暦年課税分の贈与財産価額（第1表の⑤の金額）	⑯（⑪－⑭＋⑮）の金額（⑮の金額より小さいときは⑮の金額）（1,000円未満切捨て）
		⑫債務及び葬式費用の金額（第1表の配偶者の③の金額）	⑬未分割財産の価額（第11表の配偶者の②の金額）	⑭（⑫－⑬）の金額（⑫の金額が⑬の金額より大きいときは0）		
	円	円	円	円	円	※ ,000

⑰相続税の総額（第3表の⑦の金額）	⑯の金額と⑯の金額のうちいずれか少ない方の金額	課税価格の合計額（第3表のⒶの金額）	配偶者の税額軽減の基となる金額（⑰×⑱÷⑲）
円	円	円	円
00		,000	

配偶者の税額軽減の限度額	（第1表の配偶者の⑨の金額） （第1表の配偶者の⑫の金額）	
	(円 － 円)	

配偶者の税額軽減額	⑳の金額と○の金額のうちいずれか少ない方の金額	○
		円

（注）○の金額を第1表の配偶者の「配偶者の税額軽減額⑬」欄に転記します。

第5表

（資4−20−6−1−A4統一）

未成年者控除額 障害者控除額 の計算書

被相続人	甲

第6表
〔令和3年4月分以降用〕

1 未成年者控除
（この表は、相続、遺贈や相続時精算課税に係る贈与によって財産を取得した法定相続人のうちに、満18歳にならない人がいる場合に記入します。）

未成年者の氏名	D				計
年　齢 （1年未満切捨て）①	平成17年10月10日生 17歳	年　月　日生 歳	年　月　日生 歳	年　月　日生 歳	
未成年者控除額 ②	10万円×(18歳－17歳) = 100,000	10万円×(18歳－_歳) = 0,000	10万円×(18歳－_歳) = 0,000	10万円×(18歳－_歳) = 0,000	円 100,000
未成年者の第1表の(⑨＋⑪－⑫)又は(⑩＋⑪－⑫－㉒)の相続税額 ③	2,619,558	円	円	円	2,619,558

(注)　1　過去に未成年者控除の適用を受けた人は、②欄の控除額に制限がありますので、「相続税の申告のしかた」をご覧ください。
　　　2　②欄の金額と③欄の金額のいずれか少ない方の金額を、第8の8表1のその人の未成年者の「未成年者控除額①」欄に転記します。
　　　3　③欄の金額が②欄の金額を超える人は、その超える金額(②－③の金額)を次の④欄に記入します。

控除しきれない金額 (②－③) ④	円	円	円	円	計　　　円

（扶養義務者の相続税額から控除する未成年者控除額）
④欄の金額は、未成年者の扶養義務者の相続税額から控除することができますから、その金額を扶養義務者間で協議の上、適宜配分し、次の⑥欄に記入します。

扶養義務者の氏名					計
扶養義務者の第1表の(⑨＋⑪－⑫)又は(⑩＋⑪－⑫－㉒)の相続税額 ⑤	円	円	円	円	円
未成年者控除額 ⑥					

(注)　各人の⑥欄の金額を未成年者控除を受ける扶養義務者の第8の8表1の「未成年者控除額①」欄に転記します。

2 障害者控除
（この表は、相続、遺贈や相続時精算課税に係る贈与によって財産を取得した法定相続人のうちに、一般障害者又は特別障害者がいる場合に記入します。）

障害者の氏名					計
年　齢 （1年未満切捨て）①	年　月　日生 歳	年　月　日生 歳	年　月　日生 歳	年　月　日生 歳	
障害者控除額 ②	万円×(85歳－_歳) = 0,000	万円×(85歳－_歳) = 0,000	万円×(85歳－_歳) = 0,000	万円×(85歳－_歳) = 0,000	円 0,000
障害者の第1表の(⑨＋⑪－⑫)又は(⑩＋⑪－⑫－㉒)の相続税額 ③	円	円	円	円	円

(注)　1　過去に障害者控除の適用を受けた人の控除額は、②欄により計算した金額とは異なりますので税務署にお尋ねください。
　　　2　②欄の金額と③欄の金額のいずれか少ない方の金額を、第8の8表1のその人の障害者の「障害者控除額②」欄に転記します。
　　　3　③欄の金額が②欄の金額を超える人は、その超える金額(②－③の金額)を次の④欄に記入します。

控除しきれない金額 (②－③) ④	円	円	円	円	計　　　円

（扶養義務者の相続税額から控除する障害者控除額）
④欄の金額は、障害者の扶養義務者の相続税額から控除することができますから、その金額を扶養義務者間で協議の上、適宜配分し、次の⑥欄に記入します。

扶養義務者の氏名					計
扶養義務者の第1表の(⑨＋⑪－⑫)又は(⑩＋⑪－⑫－㉒)の相続税額 ⑤	円	円	円	円	円
障害者控除額 ⑥					

(注)　各人の⑥欄の金額を障害者控除を受ける扶養義務者の第8の8表1の「障害者控除額②」欄に転記します。

第6表　　　　　　　　　　　　　　　　　　　　　　　　　　　　　　　(資4−20−7−A4統一)

税額控除額及び納税猶予税額の内訳書　　FD3572

被相続人　甲

（単位は円）

1 税額控除額

　この表は、「未成年者控除」、「障害者控除」、「相次相続控除」又は「外国税額控除」の適用を受ける人が第1表の「⑫・⑬以外の税額控除額⑭」欄に記入する金額の計算のために使用します。

		（氏名）D		（氏名）
※ 整理番号				
未成年者控除額（第6表1②、③又は⑥）	①	100000		
障害者控除額（第6表2②、③又は⑥）	②			
相次相続控除額（第7表⑱又は⑲）	③			
外国税額控除額（第8表1⑧）	④			
合　計（①+②+③+④）	⑤	100000		

　（注）　各人の⑤欄の金額を第1表のその人の「⑫・⑬以外の税額控除額⑭」欄に転記します。

（単位は円）

2 納税猶予税額

　この表は、次の相続税の特例の適用を受ける人が第1表の「納税猶予税額㉘」欄に記入する金額の計算のために使用します。
(1)　農地等についての納税猶予及び免除等（租税特別措置法第70条の6第1項）
(2)　非上場株式等についての納税猶予及び免除（租税特別措置法第70条の7の2第1項又は第70条の7の4第1項）
(3)　非上場株式等についての納税猶予及び免除の特例（租税特別措置法第70条の7の6第1項又は第70条の7の8第1項）
(4)　山林についての納税猶予及び免除（租税特別措置法第70条の6の6第1項）
(5)　医療法人の持分についての納税猶予及び免除（租税特別措置法第70条の7の12第1項）
(6)　特定の美術品についての納税猶予及び免除（租税特別措置法第70条の6の7第1項）
(7)　個人の事業用資産についての納税猶予及び免除（租税特別措置法第70条の6の10第1項）

		（氏名）		（氏名）
※ 整理番号				
農地等納税猶予税額（第8表2⑦）	①	0 0		0 0
株式等納税猶予税額（第8の2表2A）	②	0 0		0 0
特例株式等納税猶予税額（第8の2の2表2A）	③	0 0		0 0
山林納税猶予税額（第8の3表2⑧）	④	0 0		0 0
医療法人持分納税猶予税額（第8の4表2A）	⑤	0 0		0 0
美術品納税猶予税額（第8の5表2A）	⑥	0 0		0 0
事業用資産納税猶予税額（第8の6表2A）	⑦	0 0		0 0
合　計（①+②+③+④+⑤+⑥+⑦）	⑧	0 0		0 0

（注）1　上記(1)～(7)の特例又は医療法人の持分についての相続税の税額控除（租税特別措置法第70条の7の13第1項）のうち2以上の特例の適用を受ける人がいる場合は、その人の①～⑦欄には、第8の7表の「3　納税猶予税額等」のうち①～⑦欄に対応する欄の金額を転記します。
　　　2　各人の⑧欄の金額を第1表のその人の「納税猶予税額㉘」欄に転記します。

※税務署整理欄	申告区分	年分	名簿番号		申告年月日		グループ番号

※の項目は記入する必要がありません。

生命保険金などの明細書

被相続人	甲

第9表 （平成21年4月分以降用）

1　相続や遺贈によって取得したものとみなされる保険金など

この表は、相続人やその他の人が被相続人から相続や遺贈によって取得したものとみなされる生命保険金、損害保険契約の死亡保険金及び特定の生命共済金などを受け取った場合に、その受取金額などを記入します。

保険会社等の所在地	保険会社等の名称	受取年月日	受取金額	受取人の氏名
東京都○○区△△1丁目1番1号	△△生命保険相互会社	5・8・25	35,750,657 円	乙
東京都○○区△△1丁目1番1号	△△生命保険相互会社	5・8・20	1,631,630	A
東京都○○区××2丁目2番2号	××生命保険株式会社	5・8・20	23,015,321	C
		・　・		
		・　・		
		・　・		
		・　・		
		・　・		

2　課税される金額の計算

この表は、被相続人の死亡によって相続人が生命保険金などを受け取った場合に、記入します。

保険金の非課税限度額	（第2表の（A）の法定相続人の数） （ 500万円 × 5人 により計算した金額を右の（A）に記入します。）	（A） 円 25,000,000

保険金などを受け取った相続人の氏名	① 受け取った保険金などの金額	② 非課税金額 $\left(A \times \dfrac{各人の①}{⑤} \right)$	③ 課税金額 （① － ②）
乙	35,750,657 円	14,798,044 円	20,952,613 円
A	1,631,630	675,370	956,260
C	23,015,321	9,526,586	13,488,735
合　計 ⑤	60,397,608	25,000,000	35,397,608

第9表

（資4－20－10－A4統一）

相続税がかかる財産の明細書

（相続時精算課税適用財産を除きます。）

被相続人	甲

この表は、相続や遺贈によって取得した財産及び相続や遺贈によって取得したものとみなされる財産のうち、相続税のかかるものについての明細を記入します。

○相続時精算課税適用財産の明細については、この表によらず第11の2表に記載します。

遺産の分割状況	区　分	① 全 部 分 割	2 一 部 分 割	3 全 部 未 分 割
	分 割 の 日	・　・		

財　産　の　明　細				数　量	単　価	価　額	分割が確定した財産	
種類	細目	利用区分、銘柄等	所在場所等	固定資産税評価額 倍数	単価	額 円	取得した人の氏名	取得財産の価額
土地等	宅地	自用地	○○区△△4丁目24番2号	330.00㎡ (11・11の2表の付表1のとおり)		6,000,000	乙	6,000,000
土地等	宅地	事業用	○○区△△1丁目4番5号	450.00㎡		63,516,000	乙	63,516,000
	小　計						⟨ 69,516,000⟩	
計							⟪ 69,516,000⟫	
家　屋	家屋	自用家屋	○○区△△4丁目24番2号	200.00㎡ 6,247,450		6,247,450	乙	6,247,450
家　屋	家屋	自用家屋	○○区△△1丁目4番5号	184.00㎡ 8,548,000		8,548,000	乙	8,548,000
	小　計						⟨ 14,795,450⟩	
計							⟪ 14,795,450⟫	
有価証券	特定同族株式 （配当還元）	株式会社○○	○○区△△3丁目15番5号	1,000株	50	50,000	A	50,000
	小　計						⟨ 50,000⟩	
有価証券	特定同族株式 （その他方式）	○○商事株式会社	○○区△△1丁目3番5号	10,000株	1,500	15,000,000	乙 7/10 A 2/10 D 1/10	10,500,000 3,000,000 1,500,000
	小　計						⟨ 15,000,000⟩	
有価証券	その他の株式	○○建設株式会社	△△証券△△支店	10,000株	783	7,830,000	乙	7,830,000

合計表	財産を取得した人の氏名	（各人の合計）	乙	A	B	C	D
	分割財産の価額 ①	253,835,924 円	201,539,377	16,617,112	6,590,700 円	13,488,735	15,600,000 円
	未分割財産の価額 ②						
	各人の取得財産の価額（①＋②） ③	253,835,924	201,539,377	16,617,112	6,590,700	13,488,735	15,600,000

相続税がかかる財産の明細書

（相続時精算課税適用財産を除きます。）

| 被相続人 | 甲 |

第11表
（令和2年4月分以降用）

この表は、相続や遺贈によって取得した財産及び相続や遺贈によって取得したものとみなされる財産のうち、相続税のかかるものについての明細を記入します。

遺産の分割状況	区　分	1 全部分割	2 一部分割	3 全部未分割
	分割の日	・　・	・　・	・　・

左欄（縦書き）：相続時精算課税適用財産の明細については、この表によらず第11の2表に記載します

種類	細目	利用区分、銘柄等	所在場所等	数量 固定資産税評価額	単価 倍数	価額	分割が確定した財産 取得した人の氏名 取得財産の価額
有価証券	その他の株式	○○石油株式会社	△△証券△△支店	5,000株	719	3,595,000	乙 3,595,000
有価証券	その他の株式	○○工業株式会社	△△証券△△支店	10,000株	556	5,560,000	乙 5,560,000
有価証券	その他の株式	○○電力株式会社	△△証券△△支店	5,000株	2,820	14,100,000	D 14,100,000
	小　計					〈 31,085,000〉	
有価証券	公債及び社債	10年利付国債×回	△△証券△△支店			3,158,700	B 3,158,700
有価証券	公債及び社債	一般事業○○△回	△△証券△△支店			3,432,000	B 3,432,000
	小　計					〈 6,590,700〉	
有価証券	証券投資信託の受益証券	○○投信○○ファンド	△△証券△△支店	1,662,000口	1	1,662,000	A 1,662,000
	小　計					〈 1,662,000〉	
有価証券	貸付信託の受益証券	○○信託銀行貸付信託○	△△証券△△支店	5,240,700口	1	5,240,700	A 5,240,700
	小　計					〈 5,240,700〉	
	計					《 59,628,400》	
現金預貯金等	現金	現金	○○区△△4丁目24番2号			450,000	乙 450,000
	小　計					〈 450,000〉	
現金預貯金等	預貯金	通常貯金	○○郵便局			753,100	乙 753,100

合計表	財産を取得した人の氏名	（各人の合計）					
	分割財産の価額 ①	円	円	円	円	円	円
	未分割財産の価額 ②						
	各人の取得財産の価額（①−②）③						

第11表

-2-

（資4−20−12−1−A4統一）

相続税がかかる財産の明細書

（相続時精算課税適用財産を除きます。）

被相続人 甲

○相続時精算課税適用財産の明細については、この表によらず第11の2表に記載します。

この表は、相続や遺贈によって取得した財産及び相続や遺贈によって取得したものとみなされる財産のうち、相続税のかかるものについての明細を記入します。

遺産の分割状況	区　分	1 全部分割	2 一部分割	3 全部未分割
	分割の日	・　・	・　・	

財　　産　　の　　明　　細				数量 固定資産税評価額	単価 倍数	価額 円	分割が確定した財産 取得した人の氏名 取得財産の価額
種類	細目	利用区分、銘柄等	所在場所等				
		小　計				〈 753,100〉	
現金預貯金等	預貯金	普通預金	○○銀行△△支店			1,565,698	A 1,565,698
現金預貯金等	預貯金	普通預金	○×銀行△△支店			6,296,880	乙 6,296,880
		小　計				〈 7,862,578〉	
現金預貯金等	預貯金	定期預金	○○銀行△△支店			4,142,454	A 4,142,454
現金預貯金等	預貯金	定期預金	○×銀行△△支店			47,790,334	乙 47,790,334
		小　計				〈 51,932,788〉	
		計				《 60,998,466〉	
家庭用財産		家財一式	○○区△△4丁目24番2号			2,500,000	乙 2,500,000
		小　計				〈 2,500,000〉	
		計				《 2,500,000〉	
その他の財産		生命保険金等				20,952,613	乙 20,952,613
その他の財産		生命保険金等				956,260	A 956,260
その他の財産		生命保険金等				13,488,735	C 13,488,735
		小　計				〈 35,397,608〉	

合計表	財産を取得した人の氏名	（各人の合計）					
	分割財産の価額 ①	円	円	円	円	円	円
	未分割財産の価額 ②						
	各人の取得財産の価額（①＋②）③						

第11表

-3-

（資4−20−12−1−A4統一）

136

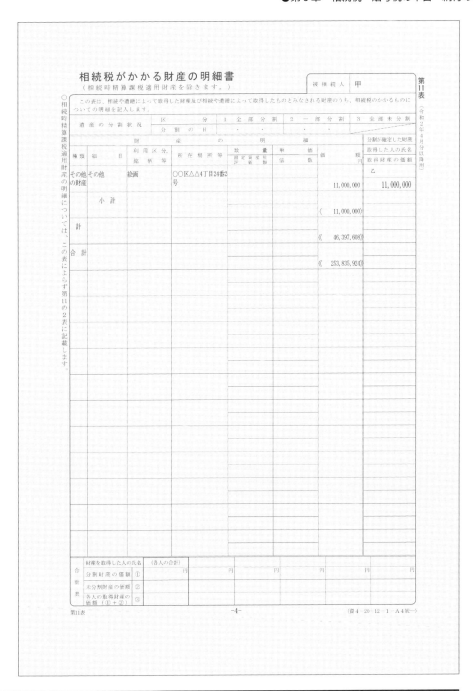

●相続税・贈与税の申告・納付

137

相続時精算課税適用財産の明細書
相続時精算課税分の贈与税額控除額の計算書

被相続人	甲

この表は、被相続人から相続時精算課税に係る贈与によって取得した財産（相続時精算課税適用財産）がある場合に記入します。

1 相続税の課税価格に加算する相続時精算課税適用財産の課税価格及び納付すべき相続税額から控除すべき贈与税額の明細

番号	① 贈与を受けた人の氏名	② 贈与を受けた年分	③ 贈与税の申告書を提出した税務署の名称	④ ⑤の年分に被相続人から相続時精算課税に係る贈与を受けた財産の価額の合計額（課税価格）	⑤ ④の財産に係る贈与税額（贈与税の外国税額控除前の金額）	⑥ ⑤のうち贈与税額に係る外国税額控除額
1	A	平成29年分	○○税務署	30,000,000 円	1,000,000 円	円
2						
3						
4						
5						
6						

贈与を受けた人ごとの相続時精算課税適用財産の課税価格及び贈与税額の合計額	氏 名	（各人の合計）	A			
	⑦ 課税価格の合計額（④の合計額）	30,000,000 円	30,000,000 円	円	円	円
	⑧ 贈与税額の合計額（⑤の合計額）	1,000,000	1,000,000			
	⑨ ⑧のうち贈与税額に係る外国税額控除額の合計額（⑥の合計額）					

（注） 1 相続時精算課税に係る贈与をした被相続人がその贈与をした年の中途に死亡した場合の③欄は「相続時精算課税選択届出書を提出した税務署の名称」を記入してください。
2 ④欄の金額は、下記2の「価額」欄の金額に基づき記入します。
3 各人の⑦欄の金額を第1表のその人の「相続時精算課税適用財産の価額②」欄及び第15表のその人の⑪欄にそれぞれ転記します。
4 各人の⑧欄の金額を第1表のその人の「相続時精算課税分の贈与税額控除額⑰」欄に転記します。

2 相続時精算課税適用財産（1の④）の明細
（上記1の「番号」欄の番号に合わせて記入します。）

番号	① 贈与を受けた人の氏名	② 贈与年月日	③ 相続時精算課税適用財産の明細				
			種類	細目	利用区分、銘柄等	所在場所等	数量	価額
1	A	平29・5・12	現金預貯金等	現金	現金	○○区△△4丁目24番2号		30,000,000 円
		・　・						
		・　・						
		・　・						
		・　・						

（注） 1 この明細は、被相続人である特定贈与者に係る贈与税の申告書第2表に基づき記入します。
2 ③の「価額」欄には、被相続人である特定贈与者に係る贈与税の申告書第2表の「財産の価額」欄の金額を記入します。ただし、特定事業用資産の特例の適用を受ける場合には、第11・11の2表の付表3の⑦欄の金額と⑦欄の金額に係る第11・11の2表の付表3の2の③欄の金額の合計額を、特定計画山林の特例の適用を受ける場合には、第11・11の2表の付表4の「2 特定受贈森林経営計画対象受贈山林である選択特定計画山林の明細」の④欄の金額を記入します。

第11の2表

（資4−20−12−2−A4統一）

小規模宅地等についての課税価格の計算明細書

　FD3549

被相続人	甲

この表は、小規模宅地等の特例（租税特別措置法第69条の４第１項）の適用を受ける場合に記入します。
なお、被相続人から、相続、遺贈又は相続時精算課税に係る贈与により取得した財産のうちに、「特定計画山林の特例」の対象となり得る財産又は「個人の事業用資産についての相続税の納税猶予及び免除」の対象となり得る宅地等その他一定の財産がある場合には、第11・11の２表の付表２の２を作成します（第11・11の２表の付表２を作成する場合には、この表の「１　特例の適用にあたっての同意」欄の記入を要しません。
（注）この表の１又は２の各欄に記入しきれない場合には、第11・11の２表の付表１（続）を使用します。

1 特例の適用にあたっての同意

この欄は、小規模宅地等の特例の対象となり得る宅地等を取得した全ての人が次の内容に同意する場合に、その宅地等を取得した全ての人の氏名を記入します。

私（私たち）は、「２　小規模宅地等の明細」の①欄の取得者が、小規模宅地等の特例の適用を受けるものとして選択した宅地等又はその一部（「２　小規模宅地等の明細」の⑤欄で選択した宅地等）の全てが限度面積要件を満たすものであることを確認の上、その取得者が小規模宅地等の特例の適用を受けることに同意します。

氏名	乙

（注）小規模宅地等の特例の対象となり得る宅地等を取得した全ての人の同意がなければ、この特例の適用を受けることはできません。

2 小規模宅地等の明細

この欄は、小規模宅地等の特例の対象となり得る宅地等を取得した人のうち、その特例の適用を受ける人が選択した小規模宅地等の明細を記載し、相続税の課税価格に算入する価額を計算します。

「小規模宅地等の種類」欄は、選択した小規模宅地等の種類に応じて次の１〜４の番号を記入します。
小規模宅地等の種類：1 特定居住用宅地等、2 特定事業用宅地等、3 特定同族会社事業用宅地等、4 貸付事業用宅地等

小規模宅地等の種類 1〜4	特例の適用を受ける取得者の氏名　事業内容	③のうち小規模宅地等（「限度面積要件」を満たす宅地等）の面積
	所在地番	④のうち小規模宅地等（④×⑨）の価額
	取得者の持分に応ずる宅地等の面積	課税価格の計算に当たって減額される金額（⑥×⑨）
	取得者の持分に応ずる宅地等の価額	課税価格に算入する価額（④−⑦）
1	乙	330.00
	○○区△△4丁目24番2号	30000000
	330.00 ㎡	24000000
	30000000 円	6000000

（注）1 ①欄の「　」は、選択した小規模宅地等が被相続人等の事業用宅地等（2、3又は4）である場合に、相続開始の直前にその宅地等の上で行われていた被相続人等の事業について、例えば、飲食サービス業、法律事務所、貸家などと具体的に記入します。
2 小規模宅地等を選択する一の宅地等が共有である場合又は一の宅地等が貸家建付地である場合において、その評価額の計算上「賃貸割合」が1でないときには、第11・11の2表の付表1（別表1）を作成します。
3 小規模宅地等を選択する宅地等が、配偶者居住権に基づく敷地利用権又は配偶者居住権の目的となっている建物の敷地の用に供される宅地等である場合には、第11・11の2表の付表1（別表1の2）を作成します。
4 ⑧欄の金額を第11表の「財産の明細」の「価額」欄に転記します。

○「限度面積要件」の判定

上記「2 小規模宅地等の明細」の⑤欄で選択した宅地等の全てが限度面積要件を満たすものであることを、この表の各欄を記入することにより判定します。

小規模宅地等の区分	被相続人等の居住用宅地等	被相続人等の事業用宅地等		
⑨小規模宅地等の種類	1 特定居住用宅地等	2 特定事業用宅地等	3 特定同族会社事業用宅地等	4 貸付事業用宅地等
⑨減額割合	80/100	80/100	80/100	50/100
⑤の小規模宅地等の面積の合計	330.00 ㎡			㎡
⑤のうちに4貸付事業用宅地等がない場合	330.00 ≦330㎡	2 の及び3 の面積の合計 ≦400㎡		
⑤のうちに4貸付事業用宅地等がある場合	1 の面積 ×200/330 ＋	2 の及び3 の面積の合計 ×200/400 ＋		4 の面積 ≦200㎡

（注）限度面積は、小規模宅地等の種類（4 貸付事業用宅地等の選択の有無）に応じて、ⅠイⅡ又はロにより判定を行います。「限度面積要件」を満たす場合に限り、この特例の適用を受けることができます。

※ 税務署整理欄	区分		名簿番号		申告年月日	通信日付印	グループ番号	確定

第11・11の2表の付表1　　　　　　　　　　　　　　　　　　　（資4-20-12-3-1-A4統一）

債務及び葬式費用の明細書

被相続人 甲

1 債務の明細

（この表は、被相続人の債務について、その明細と負担する人の氏名及び金額を記入します。なお、特別寄与者に対し相続人が支払う特別寄与料についても、これに準じて記入します。）

債務の明細					負担することが確定した債務	
種類	細目	債権者 氏名又は名称	住所又は所在地	発生年月日 弁済期限	金額	負担する人の氏名	負担する金額
公租公課	固定資産税	○○区役所		5・1・1 ・・	345,900円	乙	345,900円
公租公課	固定資産税	○○都税事務所		5・1・1 ・・	250,800	A	250,800
公租公課	市民税	○○市役所		5・1・1 ・・	4,800	乙	4,800
公租公課	所得税	○○税務署		5・3・15 ・・	310,800	乙	310,800
公租公課	市役所	○○区役所		5・1・1 ・・	510,700	乙	510,700
銀行借入金	証書借入	○○銀行	○○市△△2丁目1番1号	24・12・23 5・12・23	8,633,440	C	8,633,440
合計					10,056,440		

2 葬式費用の明細

（この表は、被相続人の葬式に要した費用について、その明細と負担する人の氏名及び金額を記入します。）

葬式費用の明細				負担することが確定した葬式費用	
支払先 氏名又は名称	住所又は所在地	支払年月日	金額	負担する人の氏名	負担する金額
○○寺	○○市△△5丁目1号	5・4・30	2,000,000円	A	2,000,000円
○○葬儀社	○○市△△5丁目4番6号	5・4・30	2,162,000	A	2,162,000
		・・			
		・・			
		・・			
合計			4,162,000		

3 債務及び葬式費用の合計額

債務などを承継した人の氏名			（各人の合計）	乙	A	C
債務	負担することが確定した債務	①	10,056,440円	1,172,200円	250,800円	8,633,440円
	負担することが確定していない債務	②				
	計 （①+②）	③	10,056,440	1,172,200	250,800	8,633,440
葬式費用	負担することが確定した葬式費用	④	4,162,000		4,162,000	
	負担することが確定していない葬式費用	⑤				
	計 （④+⑤）	⑥	4,162,000		4,162,000	
合計 （③+⑥）		⑦	14,218,440	1,172,200	4,412,800	8,633,440

（注）　1　各人の⑦欄の金額を第1表のその人の「債務及び葬式費用の金額⑬」欄に転記します。
　　　　2　③、⑥及び⑦欄の金額を第15表の⑬、㉝及び㉞欄にそれぞれ転記します。

第13表

（資4－20－14－A4統一）

純資産価額に加算される暦年課税分の
贈与財産価額及び特定贈与財産価額
出資持分の定めのない法人などに遺贈した財産・
特定の公益法人などに寄附した相続財産・
特定公益信託のために支出した相続財産

の明細書

被相続人	甲

第14表（令和5年4月分以降用）

1　純資産価額に加算される暦年課税分の贈与財産価額及び特定贈与財産価額の明細

この表は、相続、遺贈や相続時精算課税に係る贈与によって財産を取得した人（注）が、その相続開始前3年以内に被相続人から暦年課税に係る贈与によって取得した財産がある場合に記入します。

（注）被相続人から租税特別措置法第70条の2の2（直系尊属から教育資金の一括贈与を受けた場合の贈与税の非課税）第12項第1号に規定する管理残額及び同法第70条の2の3（直系尊属から結婚・子育て資金の一括贈与を受けた場合の贈与税の非課税）第12項第2号に規定する管理残額以外の財産を取得しなかった人（その人が被相続人から相続時精算課税に係る贈与によって財産を取得している場合を除きます。）は除きます。

番号	贈与を受けた人の氏名	贈与年月日	相続開始前3年以内に暦年課税に係る贈与を受けた財産の明細				②①の価額のうち特定贈与財産の価額	③相続税の課税価格に加算される価額（①－②）
			種類	細目	所在場所等	数量	① 価額		
1	B	4・5・10	現金預貯金等	現金			3,800,000		3,800,000
2	C	4・8・10	現金預貯金等	現金			3,800,000		3,800,000
3	D	4・5・10	現金預貯金等	現金			3,800,000		3,800,000

贈与を受けた人ごとの③欄の合計額	（各人の合計） 11,400,000 円

氏名	B	C	D	
④ 金額	3,800,000	3,800,000	3,800,000	円
氏名				
④ 金額				円

上記「②」欄において、相続開始の年に被相続人から贈与によって取得した居住用不動産や金銭の全部又は一部を特定贈与財産としている場合には、次の事項について、「（受贈配偶者）」及び「（受贈財産の番号）」の欄に所定の記入をすることにより確認します。

（受贈配偶者）	（受贈財産の番号）

私、　　　　　　　　は、相続開始の年に被相続人から贈与によって取得した上記　　　　　　　　の特定贈与財産の価額については贈与税の課税価格に算入します。

なお、私は、相続開始の年の前年以前に被相続人からの贈与について相続税法第21条の6第1項の規定の適用を受けていません。

（注）③欄の金額を第1表のその人の「純資産価額に加算される暦年課税分の贈与財産価額⑤」欄及び第15表の⑨欄にそれぞれ転記します。

2　出資持分の定めのない法人などに遺贈した財産の明細

この表は、被相続人が人格のない社団又は財団や学校法人、社会福祉法人、宗教法人などの出資持分の定めのない法人に遺贈した財産のうち、相続税がかからないものの明細を記入します。

遺贈した財産の明細					出資持分の定めのない法人などの所在地・名称
種類	細目	所在場所等	数量	価額	
				円	
		合計			

3　特定の公益法人などに寄附した相続財産又は特定公益信託のために支出した相続財産の明細

私は、下記に掲げる相続財産を、相続税の申告期限までに、

(1)　国、地方公共団体又は租税特別措置法施行令第40条の3に規定する法人において寄附をしましたので、租税特別措置法第70条第1項の規定の適用を受けます。

(2)　租税特別措置法施行令第40条の4第5項の要件に該当する特定公益信託の信託財産とするために支出しましたので、租税特別措置法第70条第3項の規定の適用を受けます。

(3)　特定非営利活動促進法第2条第3項に規定する認定特定非営利活動法人に対して寄附をしましたので、租税特別措置法第70条第10項の規定の適用を受けます。

寄附（支出）年月日	寄附（支出）した財産の明細					公益法人等の所在地・名称（公益信託の受託者及び信託名）	寄附（支出）をした相続人等の氏名
	種類	細目	所在場所等	数量	価額		
・・					円		
・・							
			合計				

（注）この特例の適用を受ける場合には、期限内申告書に一定の受領書、証明書類等の添付が必要です。

第14表

-1-

（資4-20-15-A4統一）

相続財産の種類別価額表 <small>（この表は、第11表から第14表までの記載に基づいて記入します。）</small>

（単位は円）　　被相続人 甲　　　　　　　　　　FD3539

○この申告書は機械で読み取りますので、黒ボールペンで記入してください。

※ ※の項目は記入する必要がありません。

種類	細目	番号	各人の合計（被相続人）	乙（氏名）
土地（土地の上に存する権利を含みます）	田	①		
	畑	②		
	宅　地	③	6 9 5 1 6 0 0 0	6 9 5 1 6 0 0 0
	山　林	④		
	その他の土地	⑤		
	計	⑥	6 9 5 1 6 0 0 0	6 9 5 1 6 0 0 0
	⑥のうち配偶者居住権に基づく敷地利用権	⑦		
	⑥のうち 通常価額	⑧		
	特例農地等 農業投資価格による価額	⑨		
家　屋　等		⑩	1 4 7 9 5 4 5 0	1 4 7 9 5 4 5 0
	⑩のうち配偶者居住権	⑪		
事業（農業）用財産	機械,器具,農耕具,その他の減価償却資産	⑫		
	商品,製品,半製品,原材料、農産物等	⑬		
	売　掛　金	⑭		
	その他の財産	⑮		
	計	⑯		
有価証券	特定同族会社の株式及び出資 配当還元方式によったもの	⑰	5 0 0 0 0 0	
	その他の方式によったもの	⑱	1 5 0 0 0 0 0 0	1 0 5 0 0 0 0 0
	⑰及び⑱以外の株式及び出資	⑲	3 1 0 8 5 0 0 0	1 6 9 8 5 0 0 0
	公債及び社債	⑳	6 5 9 0 7 0 0	
	証券投資信託、貸付信託の受益証券	㉑	6 9 0 2 7 0 0	
	計	㉒	5 9 6 2 8 4 0 0	2 7 4 8 5 0 0 0
現　金，預貯金等		㉓	6 0 9 9 8 4 6 6	5 5 2 9 0 3 1 4
家　庭　用　財　産		㉔	2 5 0 0 0 0 0	2 5 0 0 0 0 0
その他の財産	生命保険金等	㉕	3 5 3 9 7 6 0 8	2 0 9 5 2 6 1 3
	退職手当金等	㉖		
	立　木	㉗		
	その他	㉘	1 1 0 0 0 0 0 0	1 1 0 0 0 0 0 0
	計	㉙	4 6 3 9 7 6 0 8	3 1 9 5 2 6 1 3
合計（⑥+⑩+⑯+㉒+㉓+㉔+㉙）		㉚	2 5 3 8 3 5 9 2 4	2 0 1 5 3 9 3 7 7
相続時精算課税適用財産の価額		㉛	3 0 0 0 0 0 0 0	
不動産等の価額（⑥+⑩+⑯+⑰+⑱+⑲）		㉜	9 9 3 6 1 4 5 0	9 4 8 1 1 4 5 0
債務等	債　務	㉝	1 0 0 5 6 4 4 0	1 1 7 2 2 0 0
	葬　式　費　用	㉞	4 1 6 2 0 0 0	
	合　計（㉝+㉞）	㉟	1 4 2 1 8 4 4 0	1 1 7 2 2 0 0
差引純資産価額（㉚+㉛-㉟）（赤字のときは0）		㊱	2 6 9 6 1 7 4 8 4	2 0 0 3 6 7 1 7 7
純資産価額に加算される暦年課税分の贈与財産価額		㊲	1 1 4 0 0 0 0 0	
課税価格（㊱+㊲）（1,000円未満切捨て）		㊳	2 8 1 0 1 6 0 0 0	2 0 0 3 6 7 0 0 0

税務署整理欄	申告区分	年分	名簿番号	申告年月日	グループ番号

第15表　　（資4-20-10-1-A4統一）

相続財産の種類別価額表（続）

（この表は、第11表から第14表までの記載に基づいて記入します。）

（単位は円）　続相続人　甲　　　　　FD3540

種類	細目	番号	A（氏名）	B（氏名）
	整理番号			
土地（土地の上に存する権利を含みます）	田	①		
	畑	②		
	宅地	③		
	山林	④		
	その他の土地	⑤		
	計	⑥		
	⑥のうち配偶者居住権に基づく敷地利用権	⑦		
	⑥のうち通常価額	⑧		
	特例農地等 農業投資価格による価額	⑨		
家屋等	家屋等	⑩		
	⑩のうち配偶者居住権	⑪		
事業（農業）用財産	機械、器具、農耕具、その他の減価償却資産	⑫		
	商品、製品、半製品、原材料、農産物等	⑬		
	売掛金	⑭		
	その他の財産	⑮		
	計	⑯		
有価証券	特定同族会社の株式及び出資 配当還元方式によったもの	⑰	50000	
	その他の方式によったもの	⑱	3000000	
	⑰及び⑱以外の株式及び出資	⑲		
	公債及び社債	⑳		6590700
	証券投資信託、貸付信託の受益証券	㉑	6902700	
	計	㉒	9952700	6590700
現金、預貯金等	現金、預貯金等	㉓	5708152	
家庭用財産	家庭用財産	㉔		
その他の財産	生命保険金等	㉕	956260	
	退職手当金等	㉖		
	立木	㉗		
	その他	㉘		
	計	㉙	956260	
	合計（⑥+⑩+⑯+㉒+㉓+㉔+㉙）	㉚	16617112	6590700
	相続時精算課税適用財産の価額	㉛	30000000	
	不動産等の価額（⑥+⑩+⑫+⑰+⑱+⑲）	㉜	3050000	
債務等	債務	㉝	250800	
	葬式費用	㉞	4162000	
	合計（㉝+㉞）	㉟	4412800	
	差引純資産価額（㉚+㉛-㉟）（赤字のときは0）	㊱	42204312	6590700
	純資産価額に加算される暦年課税分の贈与財産価額	㊲		3800000
	課税価格（㊱+㊲）（1,000円未満切捨て）	㊳	42204000	10390000

○税務署整理欄　申告区分　年分　名簿番号　申告年月日　グループ番号

第15表（続）

○この申告書は機械で読み取りますので、黒ボールペンで記入してください。

※の項目は記入する必要がありません。

第15表（続）（令和２年４月分以降用）

（令4-20-16-2-A4税一）

●相続税・贈与税の申告・納付

相続財産の種類別価額表（続） （この表は，第11表から第14表までの記載に基づいて記入します。）

FD3540

（単位は円）

○この申告書は機械で読み取りますので、黒ボールペンで記入してください。

※ この項目は記入する必要がありません。

種類	細目	番号	被相続人 甲 （氏名）C	（氏名）D
※	整理番号			
土地（土地の上に存する権利を含みます）	田	①		
	畑	②		
	宅地	③		
	山林	④		
	その他の土地	⑤		
	計	⑥		
	⑥のうち配偶者居住権に基づく敷地利用権	⑦		
⑥のうち特例農地等	通常価額	⑧		
	農業投資価格による価額	⑨		
家屋等		⑩		
	⑩のうち配偶者居住権	⑪		
事業（農業）用財産	機械、器具、農耕具、その他の減価償却資産	⑫		
	商品、製品、半製品、原材料、農産物等	⑬		
	売掛金	⑭		
	その他の財産	⑮		
	計	⑯		
有価証券	特定同族会社の株式及び出資	配当還元方式によったもの	⑰		
		その他の方式によったもの	⑱		1500000
	⑰及び⑱以外の株式及び出資	⑲		14100000
	公債及び社債	⑳		
	証券投資信託、貸付信託の受益証券	㉑		
	計	㉒		15600000
現金、預貯金等		㉓		
家庭用財産		㉔		
その他の財産	生命保険金等	㉕	13488735	
	退職手当金等	㉖		
	立木	㉗		
	その他	㉘		
	計	㉙	13488735	
合計 （⑥+⑩+⑯+㉒+㉓+㉔+㉙）		㉚	13488735	15600000
相続時精算課税適用財産の価額		㉛		
不動産等の価額（⑥+⑩+⑫+⑰+⑱+⑲+㉛）		㉜		1500000
債務等	債務	㉝	8633440	
	葬式費用	㉞		
	合計（㉝+㉞）	㉟	8633440	
差引純資産価額（㉚+㉛−㉟）（赤字のときは0）		㊱	4855295	15600000
純資産価額に加算される暦年課税分の贈与財産価額		㊲	3800000	3800000
課税価格（㊱+㊲）（1,000円未満切捨て）		㊳	8655000	19400000

※税務署整理欄	申告区分	年分	名簿番号	申告年月日	グループ番号

第15表（続）

（資4－20－16－2－A4続－1）

申告書類作成のポイント/贈与税編

　贈与税の申告書類には、第一表から第三表までがあります。その他に、住宅取得等資金の贈与の特例にかかわる贈与税額の計算明細書や農地等の贈与税の納税猶予税額の計算書などがあります。

　第一表は、贈与税の申告をする際には必要となります。贈与税の申告をした人が、その年に納めなければならない税額や申告をした人の名前や住所といった基本的な情報も記載されます。

　第二表は相続時精算課税の計算明細書ですので、暦年課税のみの申告の場合には不要となります。

　第三表は修正申告の際に必要となります。

　なお、第二表については、贈与者ごとに必要となりますので、仮に同じ年に2人から受けた贈与について精算課税を選択した場合には、二表を2枚提出することになります。

　その他に、農地等の納税猶予を受ける場合に必要な計算書等もありますが、これはもちろん農地等の納税猶予を受けるのでなければ必要ありません。

　また、相続時精算課税の申告をする際には「相続時精算課税選択届出書」の提出も必要です。この届出書は、一度この届け出を提出した者から翌年以降贈与を受けて、贈与税の申告をする際には提出をする必要はありません。

　このあとに続くページに、記載例を掲載しました。

　この記載例では、父からの現金の贈与について精算課税を選択し、母からの現金の贈与については、暦年課税による申告をしたという設定になっています。

　相続時精算課税選択届出書もあわせて掲載してあります。

※マイナンバーについて　2016年分の贈与税から、申告書にはマイナンバーを入れることになりました。贈与者の個人番号は必要なく、納税者本人のマイナンバーを記入して提出することになりました。実際の入れ方は次のページから始まる申告書類の見本をご覧ください。
※本書で使用している申告用紙等は、原則として2024年6月末現在のものです。変更される場合がありますのでご注意ください。また、2021年4月1日から国税に関する法令により、届け書等に押印をする必要がなくなりました（一部書類を除く）。これにより贈与税の申告書も押印はしなくてもよいのですが、申告用紙が古く申告書に印欄がある場合でも、押印しなくてよいことになりました。

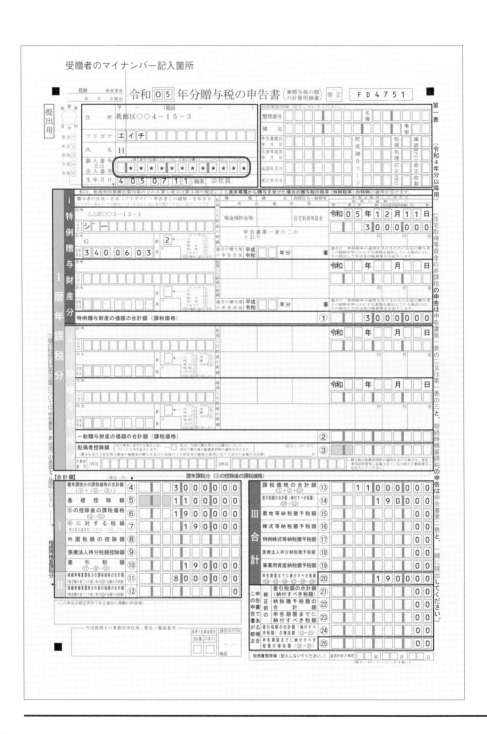

受贈者のマイナンバー記入箇所

令和 [0][5] 年分贈与税の申告書（兼贈与税の額の計算明細書） 修正 F D 4 7 5 1

第一表

（令和4年分以降用）

住所 葛飾区○○○4-15-3

フリガナ エイチ

氏名 H

個人番号又は法人番号 ＊＊＊＊＊＊＊＊＊＊＊＊

生年月日 4 0 5 0 7 1 1　職業 会社員

■ **令和５年分贈与税の申告書** (住宅取得等資金の非課税の計算明細書)　修正　FD4749　■

受贈者の氏名	H

次の住宅取得等資金の非課税の適用を受ける人は、□の中にレ印を記入してください。

☑ 私は、租税特別措置法第70条の２第１項の規定による住宅取得等資金の非課税の適用を受けます。（注１）

（単位：円）

贈与者の住所・氏名（フリガナ）・申告者との続柄・生年月日	取得した財産の所在場所等	住宅取得等資金を取得した年月日 住宅取得等資金の金額
住所　△△区○○３－１３－１ フリガナ　シ゛ー 氏名　G　続柄　2　父①母②祖父③祖母④上記以外⑤ 生年月日　3 4 0 0 6 0 3 明治①大正②昭和③平成④	葛飾区○○○４－１５－３	令和 05 年 12 月 11 日 1 3 0 0 0 0 0 0 令和　年　月　日
住宅取得等資金の合計額	㉟	1 3 0 0 0 0 0 0
贈与者の住所・氏名（フリガナ）・申告者との続柄・生年月日 住所 フリガナ 氏名　続柄　父①母②祖父③祖母④上記以外⑤ 生年月日 明治①大正②昭和③平成④	取得した財産の所在場所等	住宅取得等資金を取得した年月日 住宅取得等資金の金額 令和　年　月　日 令和　年　月　日
住宅取得等資金の合計額	㊱	
住宅資金非課税限度額（1,000万円又は500万円）　（注２）	㊲	1 0 0 0 0 0 0 0
令和４年分の贈与税の申告で非課税の適用を受けた金額	㊳	
住宅資金非課税限度額の残額（㊲－㊳）	㊴	1 0 0 0 0 0 0 0
㉟のうち非課税の適用を受ける金額	㊵	1 0 0 0 0 0 0 0
㊱のうち非課税の適用を受ける金額	㊶	
非課税の適用を受ける金額の合計額（㊵＋㊶） ㊴の金額を限度とします。	㊷	1 0 0 0 0 0 0 0
㉟のうち課税価格に算入される金額（㉟－㊵） ㊸に係る贈与者の「財産の価額」欄（申告書第一表又は第二表）にこの金額を転記します。	㊸	3 0 0 0 0 0 0
㊱のうち課税価格に算入される金額（㊱－㊶） ㊹に係る贈与者の「財産の価額」欄（申告書第一表又は第二表）にこの金額を転記します。	㊹	

新築・取得・増改築等をした住宅用の家屋等の登記事項証明書等に記載されている13桁の不動産番号等を記入してください。
※不動産番号等が記載されている書類の写しを添付した場合には下記の記入を省略することができます。

不動産の種別	所在地	不動産番号
土地・建物 土地・建物 土地・建物 土地・建物	葛飾区○○○４－１５－３	1 2 3 4 5 6 7 8 9 0 1 2 3

（注１）　住宅取得等資金の非課税の適用を受ける人で、令和５年分の所得税及び復興特別所得税の確定申告書を提出した人は次の欄を記入し、提出していない人は合計所得金額を明らかにする書類を贈与税の申告書に添付する必要があります（令和５年分の所得税に係る合計所得金額が2,000万円超（新築若しくは取得又は増改築等をした住宅用の家屋の床面積が50㎡未満である場合は1,000万円超）の場合には、住宅取得等資金の非課税の適用を受けることができません。）。

所得税及び復興特別所得税の確定申告書を提出した年月日	令 6・ 3 ・ 15	提出した税務署	葛飾　税務署

（注２）　新築若しくは取得又は増改築等をした住宅用の家屋が、一定の省エネルギー性、耐震性又はバリアフリー性を満たす住宅用の家屋（租税特別措置法施行令第40条の４の２第８項の規定により証明がされたものをいいます。）である場合は「1,000万円」と、それ以外の住宅用の家屋である場合は「500万円」となります。

（注３）　住宅取得等資金の非課税又は住宅取得等資金の贈与を受けた場合の相続時精算課税選択の特例（以下、これらを「住宅取得等資金の贈与の特例」といいます。）の適用を受ける人が、所得税の住宅借入金等特別控除の適用を受ける場合には、住宅借入金等特別控除額の計算上、住宅の取得等又は住宅の増改築等の対価等の額から住宅取得等資金の贈与の特例の適用を受けた部分の金額を差し引く必要がありますのでご注意ください。

＊	税務署整理欄	整理番号		名簿		確認	

＊欄には記入しないでください。

（資５－10－１－３－Ａ４統一）

令和 05 年分贈与税の申告書（相続時精算課税の計算明細書）修正　FD4737

受贈者の氏名	H

提出用

次の特例の適用を受ける場合には、□の中にレ印を記入してください。

□ 私は、租税特別措置法第70条の3第1項の規定による**相続時精算課税選択の特例**の適用を受けます。

（単位：円）

相続時精算課税分

特定贈与者の住所・氏名（フリガナ）・申告者との続柄・生年月日		左の特定贈与者から取得した財産の明細	種類 細目 利用区分・銘柄等			財産を取得した年月日 財産の価額		
			所在場所等			数量 単価 固定資産税評価額 倍数		
住所 川崎市○○区△△2−20−5			現金預貯金等 現金	現金		令和 05 年 10 月 08 日		
							8 0 0 0 0 0 0	
			川崎市○○区△△2−20−5			円	円	
フリガナ エフ						令和 年 月 日		
氏名 F								
						円	円	
続柄 1 父1、母2、祖父3 祖母4、1〜4以外5						令和 年 月 日		
生年月日 3 31.10.08 明治1、大正2、昭和3、平成4								
						円	円	

特別控除額の計算	財産の価額の合計額（課税価格）	㉖		8 0 0 0 0 0 0
	過去の年分の申告において控除した特別控除額の合計額（最高2,500万円）	㉗		
	特別控除額の残額（2,500万円−㉗）	㉘		2 5 0 0 0 0 0 0
	特別控除額（㉖の金額と㉘の金額のいずれか低い金額）	㉙		8 0 0 0 0 0 0
	翌年以降に繰り越される特別控除額（2,500万円−㉗−㉙）	㉚		1 7 0 0 0 0 0 0
税額の計算	㉙の控除後の課税価格（㉖−㉙）【1,000円未満切捨て】	㉛		0 0 0
	㉛に対する税額（㉛×20%）	㉜		0 0
	外国税額の控除額（外国にある財産の贈与を受けた場合で、外国の贈与税を課せられたときに記入します。）	㉝		0 0
	差引税額（㉜−㉝）	㉞		0

上記の特定贈与者からの贈与により取得した財産に係る過去の相続時精算課税分の贈与税の申告状況	申告した税務署名	控除を受けた年分	受贈者の住所及び氏名（「相続時精算課税選択届出書」に記載した住所・氏名と異なる場合にのみ記入します。）
	署	平成 令和 年分	
	署	平成 令和 年分	
	署	平成 令和 年分	
	署	平成 令和 年分	

（注）上記の欄に記入しきれないときは、適宜の用紙に記載し提出してください。

◎ 上記に記載された特定贈与者からの贈与について初めて相続時精算課税の適用を受ける場合には、申告書第一表及び第二表と一緒に「相続時精算課税選択届出書」を必ず提出してください。なお、同じ特定贈与者から翌年以降財産の贈与を受けた場合には、「相続時精算課税選択届出書」を改めて提出する必要はありません。

＊ 税務署整理欄	整理番号		名簿		届出番号	−
	財産細目コード		確認			

＊欄には記入しないでください。

（資5−10−2−1−A4統一）

相 続 時 精 算 課 税 選 択 届 出 書

税務署受付印

令和＿＿＿年＿＿＿月＿＿＿日

葛飾＿＿＿税務署長

受贈者	住所又は居所	〒　－　　　電話（　　－　　－　　）
		葛飾区○○４－１５－３
	フリガナ	エイチ
	氏　名（生年月日）	H　（大・昭・㊚　5　年　7　月　11　日）
	特定贈与者との続柄	子

私は、下記の特定贈与者から令和＿5＿年中に贈与を受けた財産については、相続税法第21条の9第1項の規定の適用を受けることとしましたので、下記の書類を添えて届け出ます。

記

1　特定贈与者に関する事項

住　所又は居所	川崎市○○区△△２－２０－５
フリガナ	エフ
氏　名	F
生年月日	明・大・㊼・平　31　年　10　月　8　日

2　年の途中で特定贈与者の推定相続人又は孫となった場合

| 推定相続人又は孫となった理由 | |
| 推定相続人又は孫となった年月日 | 令和　　　年　　　月　　　日 |

(注)　孫が年の途中で特定贈与者の推定相続人となった場合で、推定相続人となった時前の特定贈与者からの贈与について相続時精算課税の適用を受けるときには、記入は要しません。

3　添付書類

次の書類が必要となります。

なお、贈与を受けた日以後に作成されたものを提出してください。

（書類の添付がなされているか確認の上、□に✓印を記入してください。）

☑　受贈者や特定贈与者の戸籍の謄本又は抄本その他の書類で、次の内容を証する書類

（1）　受贈者の氏名、生年月日

（2）　受贈者が特定贈与者の直系卑属である推定相続人又は孫であること

(※)1　租税特別措置法第70条の6の8（（個人の事業用資産についての贈与税の納税猶予及び免除））の適用を受ける特例事業受贈者が同法第70条の2の7（（相続時精算課税適用者の特例））の適用を受ける場合には、「(1)の内容を証する書類」及び「その特例事業受贈者が特定贈与者からの贈与により租税特別措置法第70条の6の8第1項に規定する特例受贈事業用資産の取得をしたことを証する書類」となります。

2　租税特別措置法第70条の7の5（（非上場株式等についての贈与税の納税猶予及び免除の特例））の適用を受ける特例経営承継受贈者が同法第70条の2の8（（相続時精算課税適用者の特例））の適用を受ける場合には、「(1)の内容を証する書類」及び「その特例経営承継受贈者が特定贈与者からの贈与により租税特別措置法第70条の7の5第1項に規定する特例対象受贈非上場株式等の取得をしたことを証する書類」となります。

(注)　この届出書の提出により、特定贈与者からの贈与については、特定贈与者に相続が開始するまで相続時精算課税の適用が継続されるとともに、その贈与を受ける財産の価額は、相続税の課税価格に加算されます（この届出書による相続時精算課税の選択は撤回することができません。）。

| 作成税理士 | | 電話番号 | |

| ※　税務署整理欄 | 届出番号 | － | 名　簿 | | | | 確認 | |

※欄には記入しないでください。

（資5－42－A4統一）

申告しないと無申告加算税が、偽ると重加算税がかかる

期限を過ぎていても、税務署からの決定通知前なら申告は可能だが、加算税が課せられる

税務署は独自調査を行う

財産を相続するのはいいけれど、相続税を支払うのがたいへんな負担になるというのが、多くの相続人の本音でしょう。

しかし、納めなければならない相続税があるのに、申告を怠ったり申告洩れをしたりすると、かなり厳しい罰が科されることになります。

遺産相続が行われると、税務署は納めるべき相続税があるか否かの調査をします。これを「税務調査」と呼んでいます。

税務署の調査は、申告を怠っているケースから申告洩れのケースにまで及びます。

ですから、どんなに巧妙にごまかしたつもりでも、この税務調査で徹底的に調査されれば、必ず暴露されてしまいます。

もちろん贈与税についても同様に、申告を怠ったりしていないか、また申告があっても申告洩れがないかなどの税務署の調査が行われます。

税務署は、相続税の申告・納付期限である10か月を経過した日から5年間、また贈与税についても、申告・納付期限である贈与を受けた年の翌年3月15日から6年間は独自に調査することができるのですから、正確な申告をしておかないと、あとで指摘を受けることになります。

税務調査は多岐にわたり徹底している

相続税や贈与税は本人の申告が建て前ですが、期限内に申告しないでいると、税務署が調査して課税価格や税額を決めることができます。これを「決定」といいます。

税務署の調査は多岐にわたりますが、例えば不動産の名寄せをしたり、取引銀行などに被相続人名義の預貯金がないかどうかを照会したりします。

申告書を提出した場合でも、税務調査は行われます。ですから多少でもごまかして申告していると、この段階で厳しくチェックされるわけです。

無申告、申告洩れなどいずれにしても税務署の目をごまかすことはできないということを肝に銘じておきましょう。

申告の偽装内容に応じて加算税が課税される

申告しなかったり、事実を偽って申告すると税金が加算されます。加算される割合はかなり高くなりますので、加算税の内容がどういうものであるかを十分に認識して、このような事態にならないよう注意してください。

無申告などに課される加算税には、その状況に応じて「過少申告加算税」「無申告加算税」「重加算税」などがあり、課税さ

役立ち情報◆節税の3つのポイント 相続税をできるだけ低く抑えて節税するには、被相続人と相続人の双方が事前によく話し合って対策を講じておくこと。①生前贈与で長年かけて贈与

れる割合も異なりますので、下の表を参考にしてください。

決定通知前ならまだ
相続税の申告は可能

　申告すべき相続税や贈与税を怠っていると、税務署が調査をして、相続税の決定通知を行うことはすでに説明しました。

　税務署はいろいろ調査をしなければならないので、申告の期限が過ぎたからといってすぐに決定通知を出すというわけにはい

きません。そこで、税務署から決定通知がある前に、申告をすることもできます。これを「期限後申告」といいます。

　ただし、期限後申告をすれば加算税から逃れられるということではありません。表からもわかるように、期限内に申告しなかったということで加算はされます。

　ただし、期限後申告の場合はその理由を申し立てることができ、その理由が正当であると認められれば、無申告加算税は課されずにすみます。

相続税・贈与税にかかる延滞税・加算税の種類と課税率

	種類	課税されるケース	割合
納付	延滞税	期限後に納付した場合	**14.6％**[1]（2か月以内は年7.3％）
申告	過少申告加算税	期限内に申告した税額が申告洩れなどにより少なかった場合で、納税者が自主的に修正申告したとき	課税なし
		調査通知以後から調査による更正等予知前まで（その税額が期限内申告税額と50万円とのうちいずれか多い金額を超えるときのその部分には5％加重）	**5%**（10%）
		税務調査の行われたあとで修正申告をした場合（その税額が期限内申告税額と50万円とのうちいずれか多い金額を超えるときのその部分には5％加重）	**10%**（15%）
	無申告加算税	期限を過ぎているが、納税者が自主的に申告した場合	**5%**
		調査通知以後から調査による更正等予知前まで	**10%**（50万円を超える部分15%）
		税務調査の行われたあとで納税者が自主的に申告した場合	**15%**[2,3]（50万円を超える部分20%）
	重加算税	申告はしたが財産を隠したり事実を偽装していた場合	**35%**[2]
		申告をせず、財産を隠したり事実を偽装していた場合	**40%**[2,4]

※1　各年の特例基準割合が年7.2%に満たない場合は、2か月以内はその特例基準割合＋1%、それ以降は特例基準割合＋7.3%で計算。2024年分は2.4%と8.7%。
※2　過去5年以内に無申告加算税または重加算税を課されたことがある場合は10%加重。2024年1月1日以後に法定申告期限が到来する国税について過去5年以内を、前年度及び前々年度に変更。※3　2024年1月1日以後に法定申告期限が到来する国税について25%、300万円を超える部分は30%。ただし、納税者の責めに帰すべき事由がないと認められる場合を除く。※4　2024年1月1日以後に法定申告期限が到来する国税について50%に変更。

する、②相続財産をお金から他の財産に変えるなどして評価額を低くする、③将来支払うべき相続税を見込んで、生命保険などで納税資金の準備をしておく、などがポイントだ。

修正申告は調査通知前に。
払い過ぎは「更正の請求」を

修正申告書には相続人全員の記入が必要。追加税額の納付日は申告書の提出日と同じだ

納税者が自主的に修正申告をする

相続や贈与により取得した財産を、きちんと評価して申告したつもりでも、あとになって新たに財産が出てきたり、申告洩れが見つかったりすることがあるものです。

すでに申告したあとだから、このまま知らないふりをしていようという気分にもなるかもしれませんが、提出した申告書に対しては多くの場合、税務調査が行われて、申告洩れがあれば必ず見つかるものです。その結果、加算税や延滞税がかけられます。

もともと申告を偽装したわけではないので、このような一種の罰金が科せられるのは、なんとしても防ぎたいものです。

こんな場合は、自主的に申告内容を訂正し、新たに修正した申告書を提出することです。これを「修正申告」といい、調査通知が行われる前に納税者が自ら修正申告をすれば、加算税は免除されて、延滞税だけですみます。贈与税についても同様です。

相続人全員が修正申告書に記入

相続税の修正申告書は他の申告書と同じように税務署に用意されています。

修正申告書には相続人全員が、修正前の金額と修正後の金額、およびその差額を記入しなければなりません。

なお、相続人全員が修正申告書に記入することになりますので、申告洩れのあった財産を相続しなかった人の税額も自動的に増えることになります。

贈与税の修正申告書は、贈与により一緒に財産を取得した者は他にいませんから、自分一人で正しい申告をし直しましょう。

追加分の税額の納付日は、修正申告書の提出日と同じです。そこで、修正申告書を提出すると同時に追加分の税額をきちんと納めることになります。

税金の払い過ぎの訂正方法は？

申告書のミスは、申告洩れに限ったことではありません。

財産の過大評価や課税価格の計算の間違いなどで、申告した税額が実際より多過ぎたという場合もあるものです。

相続税を多く払い過ぎるのは不本意ですから、払い過ぎに気づいたら直ちに訂正しましょう。税務署に対して「更正の請求」をすれば訂正することができます。更正の請求には期限があり、申告書の提出期限（10か月）から５年以内となっています。

ただし次のような場合は、更正請求ができる期間が、そのことを知った日の翌日から４か月以内になるので注意が必要です。①申告後に遺産分割の話し合いがまとまり、申告額が多過ぎたということになった

役立ち情報◆「更正」と「決定」　税務署は申告・納税に対して税務調査を行い、更正や決定をする。申告税額に誤りがあった場合、修正して正しい税額を通知するのが「更正」。納める

場合。

②遺産が未分割であるため配偶者控除の適用を受けずに申告していたが、そのあと遺産分割が確定して配偶者控除が受けられるようになった結果、申告額が多いことがわかった場合。

贈与税を多く払い過ぎた場合にも更正の請求という手続きにより、払い過ぎた税金を訂正することはできます。

贈与税の場合は、更正の請求の期限は、申告書の提出期限（贈与を受けた年の翌年3月15日）から6年以内です。

いずれにしても税額を多く払い過ぎた場合は、更正の請求をすれば払い過ぎた分を戻してもらうことができるのですから、速やかに必要な手続きをしたいものです。

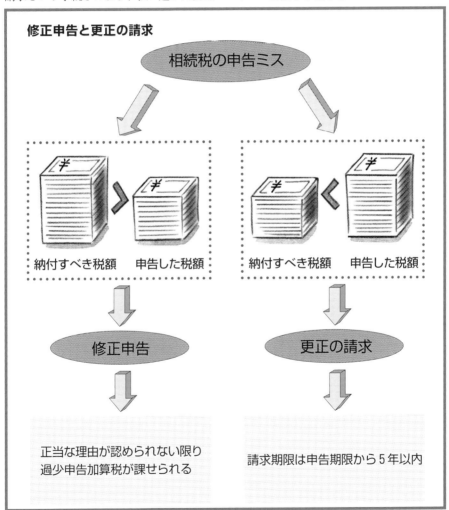

修正申告と更正の請求

相続税の申告ミス

納付すべき税額 ＞ 申告した税額

納付すべき税額 ＜ 申告した税額

修正申告

更正の請求

正当な理由が認められない限り過少申告加算税が課せられる

請求期限は申告期限から5年以内

●相続税・贈与税の申告・納付

べき相続税があるのに申告を怠っていた場合、独自に調査をして税額を決め、納税するように通知するのが「決定」である。更正や決定にはもちろん加算税が課せられる。

納付期限を過ぎると延滞税をかけられる

1人でも納税しない人がいるときは他の相続人が連帯納税義務者として納めなくてはならない

◆ 納付期限は申告期限と同じ ◆

　期限内に無事申告をすませたら、期限内での納税が待っています。相続する財産が高額であればあるほど相続税も高くなります。申告書を作成する準備段階で、その税額をどのように捻出するかという手だても当然なされていなければなりません。

　しかし、相続税がかなり高額だと、一度に納めてしまうのは無理だったり、お金で納めることが不可能という場合もあります。そんなときは延納、物納という方法がありますので、賢く利用して金銭的な負担を分散させることをお勧めします。

　延納や物納については次の項で述べますが、延納・物納の手続きを取らない限り、相続税の納付期限は申告期限と同じです。つまり、相続開始の日の翌日から10か月以内ということになり、申告をした人は納税者として申告書に記載した税額を納めます。もちろん相続人全員が個々に納めなければなりません。

　相続税は納付書を書いて日本銀行の本店・支店、国税代理店、税務署、最寄りの金融機関（銀行、郵便局等）に払い込みます。

　贈与税についても同様です。贈与税の申告をしたら申告書に記載された税金を納付しなければなりません。納付期限は、申告期限と同じですから贈与を受けた年の翌年3月15日までです。

　納付期限内に税金を納めないと、延滞税が課されます。申告期限から2か月以内は、年2.4％（2024年12月31日まで）の割合で、それ以降は納付するまで、年8.7％の割合で延滞税が課されることになります。

　また、相続税・贈与税ともに「連帯納付の義務」というものがあり、相続税については同一の被相続人から財産をもらった相続人はすべて、相続によって得た金額を限度としてお互いが連帯しあって相続税を納めることとなっています。ですから相続人のうちの誰かが相続税を納めないと、他の人にもその相続税を納める義務が生じてしまうことになります。

　贈与税については、贈与を受けた者はもちろんのこと、贈与をした者にも、その贈与にかかる贈与税を納める義務があります。財産を贈与した人はその贈与税まで、責任を持たなければいけないのです。

◆ 期限後納付は遅滞に応じて延滞税がかけられる

　期限後申告または修正申告をした人は、申告書を提出した日が納税日となります。それぞれに期限後申告書に記載した相続税、あるいは修正申告によって増えた税額を支払うことになります。

　また申告書を提出しなかったり、申告書の内容に一部誤りがあったなどの理由で、

　役立ち情報◆加算税と延滞税の違い　相続税には加算税、延滞税が課せられることがあるが、この2つは混同して考えられがち。加算税は申告をしなかったり偽って申告したときに課され

税務署が課税価格を決定または更正して通知してきた場合は、納付の遅れた期間に応じて延滞税がかけられます。

　納付期限は通知が発せられた日の翌日から1か月以内とされています。やはり、通常の相続税と同じように自分で納付書を書いて日本銀行、国税代理店、税務署、銀行、郵便局等に払い込まなければなりません。

税金の納付方法

納税方法	ペナルティ	納付期限	納税先
原則的な納付	なし	期限内申告書の提出期限	銀行
期限後納付	延滞税	申告書を提出した日 更正・決定の場合は更正通知書を発した日の翌日から1か月後の日	日本銀行の本・支店 税務署
延納	利子税	相続財産に占める不動産の割合と担保とする財産の種類によって異なる	国税代理店（日本銀行の代理店など）
物納	なし	申告書を提出した日 更正・決定の場合は更正通知書を発した日の翌日から1か月後の日	郵便局

るもので、延滞税は納税の期限が過ぎた場合に課せられるもの。税額を間違って申告してあとで修正したり、税務署から税額修正の通知がきて税額を追徴される場合も延滞税がかけられる。

納税額が10万円超なら申告すれば延納や物納ができる

延納には利子税が課せられる。物納の期間はいろいろだが、一定の条件を満たす必要がある

延納・物納という特例も認められている

相続税を納めるつもりで申告をしても、相続税が高過ぎて全額払えなかったり、相続した不動産をお金に換えられなくて、納税が遅れると延滞税の対象となることはすでに説明しました。高い相続税を支払った上に、延滞税まで取られてはたまりません。そこでこんな場合は「延納」「物納」を最大限に活用したいもの。

相続税に限らず税金はすべて金銭で一度にまとめて納めるというのが原則ですが、相続税は譲られた財産の価値を基準にして課せられ、しかもかなりの重税になることから、このような特例が認められているのです。相続税が高額過ぎて一度に納めきれないようなときは延納や物納の手続きを取っておきましょう。なお、延納には延納の期間に応じて利子税が課されます。

贈与税についても延納は同じように認められています。

延納の申請にかかわる手続きや利子税が課されるといったことは、相続税とほぼ同じですが、物納は認められていません。

相続税と贈与税についてはいろいろな面で同じような規定が用意されていますが、物納については、全く違うので注意が必要です。

延納が認められるケースとは？

延納というのは一度に納めきれない税金を分割して払う方法で、次の条件を満たしていれば認められます。

①納めるべき相続税が10万円を超え、金銭で納めることが困難な事情がある場合。
②担保を提供できること。ただし、延納する税額が100万円以下で延納期間が3年以下である場合には担保は不要。
③延納申請書を提出すること。

税額が10万円を超える場合というのは、期限内申告あるいは修正申告、税務署による更正のいずれによって納める税金にも認められています。ただし、自分で申告した税金が7万円、税務署が更正した税金が7万円という場合、合計で14万円になりますが、各々の税額が10万円を超えないので、延納は認められません。

担保にすることができる資産は、相続によって取得した資産に限られてはいませんが、国債および地方債、社債、土地、建物など一定のものに限られています。

延納を許可してもらうには申請書の提出が必要

延納を認めて許可してもらうためには申請書を提出しなければなりません。

期限内申告の場合は申告期限までに、期

役立ち情報◆物納申請書に記載すること 物納の申請書は延納と同じく税金の納付期限までに提出しなければならない。申請書には①納めることになっている相続税額、②相続税額のうち

限後申告または修正申告の場合はこれらの申告書を提出するときに延納の申告をします。税務署の決定・更正によって納める税金を延納する場合は、通知書が発せられた日から1か月の日までに申請書を提出しなければなりません。

　延納の期間と利子税は、相続した財産の中に不動産がどれだけふくまれているか、あるいは担保にするものの種類などによって異なります。

◆◆◆ 延納でも無理なときは
◆◆◆ 物納という手もある

　延納によっても金銭で納めることができない場合には、申請書を出して特定の物をお金の代わりに納めることができます。

　物納するには、物納にあてることのできる財産があることが条件ですが、その財産の種類及び物納にあてる優先順位については、下記の図表を参照してください。

　物納の申請は、期限内申告の場合は期限内申告書の提出期限までに、期限後申告または修正申告の場合はそれらの提出と同時に、更正・決定ではその税額の納付期限までとなっています。

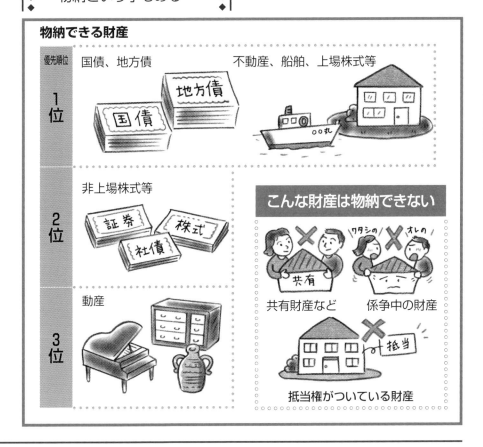

物納できる財産

優先順位		
1位	国債、地方債	不動産、船舶、上場株式等
2位	非上場株式等	**こんな財産は物納できない**　共有財産など／係争中の財産
3位	動産	抵当権がついている財産

金銭で納めることのできない金額と理由、③物納で納めることを求める相続税額、④物納にあてようとしている財産の種類、数、価格、所在地の明細などを記載することになっている。

相続税の申告準備中に相続人が死んだ場合は

Q 祖父の財産を相続した父が、その相続税の申告を準備中に死んでしまいました。申告の期限が2つ同時に近づいています。どうすればよいのでしょうか。

A 申告すべき人が死亡した場合には、その人の相続人（包括遺贈を受けた人もふくまれる）が申告義務を引き継がねばなりません。もしもあなたがお父さんの財産の相続人ならば、お父さんの死亡から10か月以内に、おじいさんの遺産に関するお父さんの相続税を申告・納付しなければならず、同じ10か月以内に、お父さんの遺産に関するあなたの相続税も申告・納付することになります。

妊娠中の胎児にも、その父の遺産の相続権はあるのか

Q 夫の死後、妊娠がわかりました。胎児にも相続権はあると聞いていますが、流産や死産も考えられます。かといって、相続税の申告期限は相続開始から10か月以内。生まれるまで待っていたのでは申告の準備が遅れ、夫の両親は暗に中絶を勧めたりします。何か方法はないのでしょうか。

A 残念ながら待つしかありません。無事赤ちゃんが生まれるかどうかによって、ご主人の遺産を相続できる人やその相続分が変わってくるからです。生まれれば遺産は妻であるあなたと赤ちゃんが1/2ずつ（つまり全部）相続することになり、流産、死産、中絶などだと、あなたが2/3、ご主人の両親が1/3（父と母で1/6ずつ）を相続することになります。なお、生まれたあと死亡した場合は、赤ちゃんがいったん相続した

1/2を、赤ちゃんの直系尊属であるあなたが相続することになり、ご自分の取得分と合わせて全額があなたのものとなります。

死亡が長く確認されない行方不明者の遺産相続はどうなるのか

Q 夫の乗っていた船が沈没し、まだ遺体が見つかっていません。死亡が確認されないと遺産相続はできないと

Q&A

聞いていますが、方法はないのですか。

　　被相続人が生死不明の場合、普通
A はその状態が7年以上続くと家庭
裁判所に失踪宣告を申し立て、認められ
れば被相続人は死亡したものとして相続
が開始しますが、これとは別に特別失踪
（危難失踪）というのがあり、これだと
1年間生死不明の状態が続けば失踪宣告
を申し立てることができます。

　山や海で遭難したり、飛行機事故にあ
ったりして、死体が発見されない場合が
それにあたりますが、あなたのご主人の
ケースもこれに該当するといえます。

　申し立てができるのは、配偶者をふく
め、法定相続人や親権者、保険金受取人
など、失踪宣告をすることに法律上の利
害関係を持つ人たちです。

　なお、失踪宣告を受けた人が生きて帰
ってきたときは、宣告はなかったものと
されて、相続によって移転した財産は元
に戻さねばなりませんが、生活費や学費

などに使われたものは、残っている分だ
け返せばよいとされています。

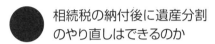

相続税の納付後に遺産分割のやり直しはできるのか

　　父が亡くなり、遺族たちの間で遺
Q 産分割協議を行って、相続税の納
付をすませました。ところが1年後、私
のもらった土地のすぐそばに新しい団地
ができることになって地価が上がり始め、
弟たちが遺産分割をやり直すべきだとい
い出して困っています。

　　正式に決まってすでに実行された
A 遺産の分割を、もう1度やり直す
ことは普通はできません。例えば、ある
相続人が遺産の一部を故意に他の相続人
たちに知らせなかったため、それが分割
協議から洩れていた、などという場合に
は、実行ずみの遺産分割が無効となり、
やり直しの必要が出てきますが、あなた
のケースではやり直しは認められません。

column

スムーズな延納・物納のコツ

　相続税が数千万円、数億円にものぼる場合は、申告期限までにお金を全額用意できないものです。

　そんなときは延納・物納という納税方法を最大限活用することです。

　延納申請したからといって何年も税金を払い続けるというわけではありません。利子税の負担も重くのしかかってくるわけですから、延納手続きをした上で時機を見て財産を売却して、相続税を一括で納税するというのが賢明です。

　財産の売却は、相続税の申告期限から3年以内というのが適当です。通常財産を売却すれば、売却益に対して譲渡税がかかりますが、3年以内の売却の場合、これまで支払った相続税の一定金額を譲渡資産の取得費に加算することができるので、結果として売却益が少なくなり、譲渡税を減少させることができます。

　物納は、延納によっても税金が払えない場合に限り認めてもらえます。

　物納できる財産は相続や遺贈で取得したものに限られています。

　土地も物納できる財産の1つですが、どの土地を物納するかは相続人の自由な選択にまかされています。

　そこで、自分たちにとって収益の低い土地、売却しにくい土地から物納するのが有利といえます。人に貸している土地はその代表といえるでしょう。

　ただし、このような不要な土地から物納する場合、この土地が実際物納できるかどうかということを的確につかんでおく必要があります。

　というのは、たまたま物納しようとした土地が、物納の条件を満たしていない場合、税務署から「補正通知」により、どこそこを補正（改善）してくださいという旨の通知があるからです。

　例えば、他の土地との境界の確認書などが必要という場合など、補正ができないと、その土地の物納をやめて、他の財産を提供しなければならなくなります。

　不要な土地を物納するにしても、どの土地がどうすれば物納できるかを、事前に専門家などに相談しておくのが賢明といえます。

　なお、一定の要件のもとで物納申請後に延納に切り換えることも、延納を物納に切り換えることもできます。

第 **6** 章

贈与税は
どんな場合に
かけられるか

相続税を補完する税金といわれる贈与税は、どんなときにかけられるのか。非課税扱いを受けられるのはどんな贈与か。税額控除が適用されるのはどんな贈与か。課税価格の算出法とともに説明しよう。

贈与は個人から贈られた財産。相続税と合わせて課税される

贈与は両者の契約の上に成り立つ。口約束でもよいが、できれば契約書を作っておきたい

贈与は契約によって成立する

広辞苑で「贈与」の意味を引くと、「金銭、物品などをおくり与えること」となっています。ですから、**贈与税というのは人から贈り与えられた財産に課される税金**ということができます。

相続税が、被相続人の死亡によって相続人に移転した財産に課されるのに対し、贈与税は生前に人から人へ移転した財産にかけられる税金です。

例えば親から子へ、祖父母から孫へ現金や土地をあげることが贈与ですが、実はこれだけでは説明不足で、「○○をあげますよ」と現金や土地を贈られる側が、「はい、○○をいただきます」という意思表示をし

て初めて贈与が成立するのです。そういう意味から、贈与は単にもののやりとりではなく、正式な契約ということができます。

贈与を確実にするには契約書の作成が必要

酒の席や何気ない日常会話での口約束であっても、贈与の契約は成立します。必ず書類が必要というわけではありません。

父親が長男に「○○の土地をお前にやろう」と贈与の意を伝え、息子が「じゃ、約束だよ。あの土地はもらったからね」というような口約束であっても、一応契約は成立します。

しかし後々の問題が起きないためにも、口約束による贈与ではなく、契約書をきちんと交わしておきたいものです。

相続税と贈与税の密接な関係

贈与税は、相続税を抜きにして語ることはできません。相続税と贈与税は持ちつ持たれつの関係とか兄弟のような間柄といわれますが、法律的にも贈与税は相続税法の中に規定されています。

どうしてこのように密接な関係にあるのかといえば——すでに述べたように相続や遺贈（贈与者が遺言によって一方的に財産を贈ること）には相続税がかけられます。相続税は課税対象額が大きければ大きいほど高くなりますから、その負担をできるだけ減らすために、財産の一部あるいはすべてを生前に妻や子供に分けてしまおうという考えも当然出てくるはずです。

そして、被相続人は生きているうちに財

　役立ち情報◆相続税と贈与税の共通点　相続税と贈与税は相続税法という同じ法律で規定されているため、次のようないくつかの共通点がある。①個人から個人へと財産が移転したときに

産を全部妻とか子供に贈与してしまうと、相続が開始しても、それを課すべき財産がないため相続税は課税されないことになってしまいます。

これでは、生きているうちに贈与をした人としなかった人とでは、納税の負担がひどく不公平になってしまいます。

そこで、生前贈与により相続税では課税されないこととなる部分を、贈与税で課税して補完しようというわけなのです。

しかし、18ページから21ページでも述べた通り、近年、生前贈与に対する国の考え方は変わってきており、むしろそれを奨励するような税制の改正も見られます。

それが、従来の課税方式を残したままそれと並列する形で生まれた相続時精算課税制度。これを選べば贈与税額はかなり大きく軽減されます。ただし、選ぶには条件があって贈与をする父母又は祖父母は、贈与をした年の1月1日において60歳以上である必要があり、贈与を受ける推定相続人である子又は孫は贈与を受けた年の1月1日において18歳以上である必要があります。

しかし、住宅取得資金の生前贈与については、2026年12月31日までの期間、贈与をする親の年齢が60歳未満でも適用を受けることができる非課税制度があります。（詳しくは20ページ参照）

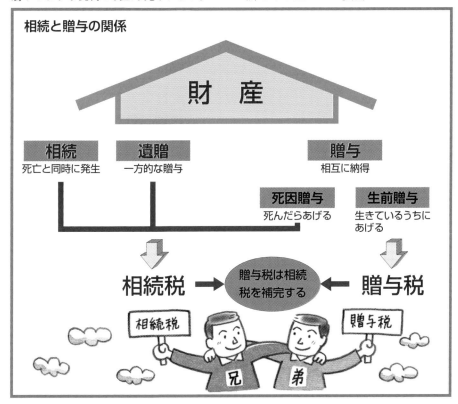

相続と贈与の関係

財産

相続	遺贈		贈与
死亡と同時に発生	一方的な贈与		相互に納得

死因贈与　死んだらあげる

生前贈与　生きているうちにあげる

相続税　→　贈与税は相続税を補完する　←　贈与税

相続税　贈与税

●贈与税

課せられる税金である、②財産をもらった人が納税しなければならない、③財産の数や価値が増加するに従って課税率が増す累進税率である、④税金は原則として一度に現金で納める。

低額譲渡や債務の肩代わり
には贈与税が課される

保険料を負担しないで受け取った保険金、肩代わりしてもらった借金なども贈与とみなされる

贈与税はどんな財産に
かけられるのか？

　財産の贈与は普通夫から妻、親から子など身内の間で行われます。このように個人から個人へ無償あるいはそれに近い状況で贈られた財産に贈与税がかかります。

　無償に近い状況というのは、ただで財産をあげるのではなく、市価よりずっと安い値段で売るという形で財産が移行される場合のことです。この場合も売った値段を市価から差し引いた差額分は贈与とみなされて、課税の対象となります。

　相続税にみなし相続財産というのがあるように、贈与税にも「みなし贈与財産」というのがあります。実質的には財産の移転であるのに、贈与者と受贈者の間に贈与契約書などがないため課税されないこととなるものがあります。しかし、それらに贈与税がかからないと、他の贈与財産との調和が保たれないので、贈与された財産とみなして課税することにしているのです。

みなし贈与財産には
こんなものがある

　相続税法によって、贈与したのと同じとみなされる財産には、次のようなものがあります。
①信託契約による受益権
「信託」とは自分の財産を他の人に管理あるいは運用させること。親が子を信託者にして信託による収益を受けさせると「信託受益権」の贈与があったとみなされます。
②保険料を負担しない保険金
　生命保険などは満期になると保険金が支払われます。保険料や掛け金を負担していないのに満期保険金を受け取った場合も、贈与を受けたとして税金がかかります。
③掛け金を負担しない定期金
　保険料を負担しない保険金と同じく、掛

子が親から借金を肩代わりしてもらったときも贈与とみなされ贈与税がかかる。

　役立ち情報◆名義変更と贈与税　土地の名義を子供に変更するなど財産の名義を変更したり、子供の名義で株式を買うなど他人の名義で財産を手に入れて報酬が支払われないときは、名義

け金を負担しない定期金を受け取ることも贈与を受けたのと同じにみなされます。

④いちじるしく低い価格で譲渡された利益

　贈与はあくまでもタダで財産を与えることですから、時価よりかなり低い価格で財産を譲り受けた場合、その差額分が課税の対象になります。例えば時価5000万円の土地を1000万円で譲り受けると、差額の4000万円は贈与とみなされ課税されます。

⑤借金の免除や引き受けなどによる利益

　子供が借金して財産を手に入れた場合、親がその借金を肩代わりするのも、結果は贈与と同じにみなされます。また、なんの代償もなしに借金を免除したり、代わりに借金を返済してもらうのも同様です。

　このように個人から個人に経済的な利益が移った場合はすべて贈与があったとして課税されることになります。

贈与税のかかる財産

種類	課税される財産	贈与とみなされるとき
財産	贈与によってもらった財産	「あげる」「いただきます」という契約が成立したとき
みなし贈与財産	信託受益金	委託者以外の人を受益者とする信託行為があったとき
	生命保険金	保険料を負担していない保険金を受け取ったとき
	定期金（年金）	掛け金を負担しない定期金（年金）を受け取ったとき
	低額譲受	財産評価額よりずっと低い価格で譲り受けたとき
	債務免除益など	借金を免除してもらったり肩代わりしてもらったとき

●贈与税

人が財産を贈与によって得たとして課税される。名義変更は贈与か否かの認定が難しいので一応贈与とみなされるのである。

法人からの贈与、冠婚葬祭費などは贈与税では非課税財産

相続開始前7年以内に受けた贈与には、贈与税でなくて相続税が課せられる

非課税財産にはどんなものがあるか

タダでもらい受けた財産であっても贈与税がかからないものもあります。これらを贈与税の非課税財産といい、贈与税はかかりませんが、所得税など他の税金の課税対象となることがあるので、贈与する側もされる側も注意が必要です。

①法人から贈与された財産

贈与税がかかるのは個人から個人へ移転した財産です。ですから法人から贈与された財産には贈与税はかからず、財産をもらい受けた人の一時所得として、所得税が課税されます。

②扶養義務者相互間の生活費や教育費

夫婦や親子、兄弟姉妹で生活費や教育費を出し合うのは当然の義務ですから、生活費や教育費にあてるために財産を贈与しても課税されません。これは親子・親族間では相互に扶養する義務があるという考え方にもとづいています。

生活費とは日常生活するのに必要な費用、教育費とは義務教育に関するものから大学入学金、学費、教材費、図書文具費までふくみます。ただし、生活費、教育費としてもらった財産で家や車などを買ったりしたら、それは課税の対象となってしまいます。

③公益事業用の財産

宗教、慈善、学術などの公益事業を行う目的で取得し、公益事業のために用いることが確実である財産には、贈与税はかかりません。

④選挙運動のための寄付金

公職選挙法が適用される公職の候補者が、選挙運動のための資金として寄付された財産で、選挙管理委員会に届け出たものには課税されません。

⑤心身障害者扶養共済制度にもとづく給付

地方公共団体の条例で決められた心身障害者扶養共済制度にもとづいて、心身障害者を扶養する人に対して給付金が支給され

贈与税のかからない財産

役立ち情報◆歳暮や中元も贈与だが… 贈与は課税の対象になるとはいえ、私たちは1年を通じて歳暮や中元、見舞い、お祝いなどを贈ったり贈られたりしている。もちろんおつき合いに

ます。

心身障害者を保護するためには、給付金が必要ですから、このような給付金や給付金を受ける権利に対しては課税されないことになっています。

⑥特別障害者扶養信託契約の受益権

精神または身体に重度の障害がある特別障害者の生活費などに充てるために、一定の信託契約に基づいて特別障害者を受益者とする財産の信託があったときは、その信託受益権の価額のうち6000万円までは贈与税がかかりません。

また、受益者が一般障害者の場合には、3000万円までが贈与税が非課税とされます。

⑦冠婚葬祭費

香典や花輪代、結婚式の祝い金など社交上必要とされるもので、社会通念にあては

まる額には課税されません。

⑧直系尊属から贈与を受けた住宅取得等資金

直系尊属から贈与を受けた住宅取得等資金のうち一定の要件を満たすものとして、贈与税の課税価格に算入されなかったものも贈与税がかかりません。

相続開始前7年以内の贈与財産には相続税が課税

相続開始前7年以内に被相続人から贈与されたものは、贈与税の課税対象になるとともに、相続税の課税価格にも加算されます。

ただし、相続開始のその年の贈与については贈与税は非課税となっており、また、納付贈与税額は相続税で贈与税額控除の規定があり、二重課税の排除がなされています。

非課税財産の種類	非課税の範囲
法人から贈与された財産	限度なし（ただし所得税の対象となる）
扶養義務者からもらった生活費や教育費	通常必要と認められるもの
社交上必要と認められる香典、祝金、見舞金など	社会通念上相応な額と認められるもの
相続開始の年に被相続人から贈与された財産	限度なし（ただし相続税の対象となる）
公益事業用財産（宗教・慈善・学術事業など）	公益事業として利用される部分
公職選挙の選挙運動のための寄付金	公職選挙法の規定により報告のあったもの
心身障害者扶養共済制度にもとづく給付金の受給権	給付金として支給される全額
特別障害者扶養信託契約にもとづく信託受益権	6000万円まで（一般障害者の場合3000万円まで）
一定の特定公益信託から交付を受ける金品	財務大臣の指定するもの、また学生などに対する学資の支給を行うことを目的とする特定公益信託から交付されるもの
直系尊属から贈与を受けた住宅取得等資金	条件により異なる

●贈与税

必要で相応の金額であれば、課税されたりはしない。このように社交の円滑化に利するようなものまで課税されたら、お祝いなどする気にもならないし、生活が窮屈になってしまう。

借金の返済免除、無利子の貸与なども贈与とみなされる

離婚の際の財産分与には贈与税はかからないが、税金逃れが明らかな場合には課税もある

離婚による財産分与には原則として課税されない

贈与税の対象になるのは、ひと言でいえば、タダでもらったもので、金銭に換算することができる経済的な価値を持ったすべてのものといえるでしょう。

ただし、親が子供の借金の肩代わりをしたり、貸していた借金はもう返さなくてもよいというようなケースも、表面上は財産を贈与したわけではありませんが、結果として利益を得ているので課税されることを忘れてはなりません。

しかし、離婚するときに分与された財産に対しては原則として贈与税はかかりません。

これは2人が結婚している間、夫婦で協力し合って財産を形成し、離婚によってそれを清算して分与されたと考えられるからです。また、専業主婦などの場合、当面は収入のあてがないので、分与された財産が生活費にあてられる可能性もあるでしょう。夫が離婚原因を作った場合、分与される財産は慰謝料とみなすこともできます。

このような性質を持つ財産に贈与税をかけるのは妥当ではないということから、課税の対象にならないのです。

ただし、その分与が明らかに贈与税や相続税を逃れるための手段とみなされたり、夫婦のいろいろな事情を考慮しても分与される財産の額が多過ぎるという場合は、贈与税がかけられることもあります。

親の土地を借りて家を建てたらどうなる

子供が親の土地を借りて家を建てるということがよくありますが、課税の対象になるかならないかは、ケースによってさまざまです。

法律的にはものの貸し借りは、「賃貸借」と「使用貸借」とに分かれます。賃貸借は文字通り賃貸料を取って貸し借りをするもので、使用貸借はタダで貸し借りをするものです。

親の土地を借りて家を建てるとき地代を払うと、賃貸借ということになります。賃貸借の場合、借地権利金を払わなければなりませんから、地代だけということになると、借地権は親から子に贈与されたとみなされて、贈与税が課税されます。

使用貸借、つまりタダで土地を借りたのなら使用権が発生しますが、使用貸借に関する使用権の評価はゼロなので、贈与があったとはみなされずに、課税されません。

近親者間のお金の貸し借りは贈与税の対象になるか？

親子、あるいは兄弟姉妹同士、無利子でお金を貸したり、子供が家を買うとき親が頭金を出してやったりというのもよくある

役立ち情報◆債務の肩代わりが贈与にならない場合　親子間の債務の肩代わりには贈与税が課税されるが、学生もしくは就職してまだ間がない子供が自動車事故を起こし、被害者への損害

ケースです。

こんな場合、本人同士は財産の贈与という意識はないかもしれませんが、利息や立て替えて払ってもらった分は経済的な利益を受けたも同然なのですから、財産の移転ということで贈与税がかかります。

住宅の共有登記の
メリットとデメリット

最近は共働き夫婦が増えてきましたので、住宅を買うとき、夫婦の共有名義で登記する例がよく見受けられます。

夫婦いずれにも財産や収入がある場合は、おのおのの負担した資金額に応じた配分で共有登記すると、どちらにも贈与税はかかりません。また、一定の条件で両方が住宅取得特別控除を受けられるので、所得税が節税できます。2人のどちらかが亡くなって相手の財産を相続する場合も、共有名義だとその分相続財産が少ないので、相続税も少なくなります。

夫婦のどちらかにしか収入がないのに、共有名義にして半々の割合で登記したりすると、半分は収入のあるほうからないほうへの贈与とみなされて、贈与税がかけられます。

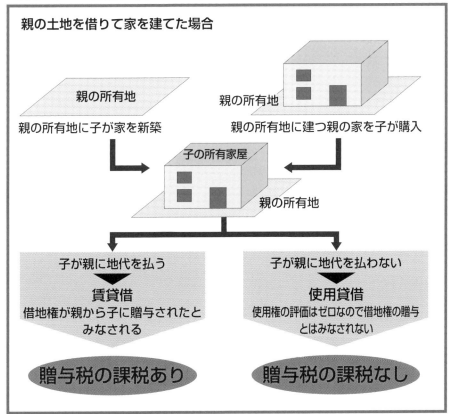

親の土地を借りて家を建てた場合

親の所有地 — 親の所有地に子が家を新築

親の所有地 — 親の所有地に建つ親の家を子が購入

子の所有家屋 / 親の所有地

子が親に地代を払う → **賃貸借**　借地権が親から子に贈与されたとみなされる

子が親に地代を払わない → **使用貸借**　使用権の評価はゼロなので借地権の贈与とはみなされない

贈与税の課税あり

贈与税の課税なし

●贈与税

賠償を親が代わって支払った場合、子供にまだ損害賠償能力がないということがわかれば、贈与税はかからない。同じ債務の肩代わりでも、相手に返済能力があるかないかで違ってくる。

贈与税は1年間の贈与価額で計算。基礎控除は1人110万円

贈与税の基礎控除は受贈者1人につき110万円。それ以下ならもらっても納税の必要はない

課税価格はいくらになるか?

　贈与税の課税方法は相続税とは異なります。相続税が相続したときにもらった財産に課税されるのに対して、贈与税はその年の1月1日から12月31日までの1年間に各個人からもらった財産の合計価額に課税されます。

　相続税や贈与税など税額を計算するときの基礎となる金額を課税価格といいます。

　贈与税の課税価格は、みなし贈与財産をふくむ贈与財産の合計額から非課税財産の価額を差し引いたものです。この場合、贈与財産の合計額からは死因贈与（生前に結んだ贈与契約が贈与者の死亡と同時にその効力が発生するもの）の分は除かれるので注意が必要です。死因贈与には相続税が課税されるからです。

贈与税の基礎控除は1人につき一律110万円

　こうして算出した課税価格から基礎控除が差し引かれます。贈与税の基礎控除は一律110万円となっていて、贈与者が何人いても、贈与財産がいくつあっても変わりません。つまり贈与税に関しては受贈者1人につき年間110万円までは非課税という

贈与税の速算表

基礎控除後の課税価格	一般税率	控除額	特例税率	控除額
200万円以下の金額	10%	—	10%	—
300万円以下の金額	15%	10万円	15%	10万円
400万円以下の金額	20%	25万円	15%	10万円
600万円以下の金額	30%	65万円	20%	30万円
1000万円以下の金額	40%	125万円	30%	90万円
1500万円以下の金額	45%	175万円	40%	190万円
3000万円以下の金額	50%	250万円	45%	265万円
4500万円以下の金額	55%	400万円	50%	415万円
4500万円超の金額	55%	400万円	55%	640万円

　役立ち情報◆贈与税の特例税率　暦年課税の贈与税のうち、父母や祖父母などから財産の贈与を受けた人（贈与を受けた年の1月1日において18歳以上の人に限ります）のその財産にか

ことです。

　基礎控除額というのはもともと課税の最低限度額はいくらかということを定めるためのもので、贈与税に関しては「受贈額が年間110万円以下なら課税はありませんよ」という意味合いをふくんでいます。

　一方、受贈財産の合計額が110万円を超える場合は、課税価格から110万円を差し引いた残額に贈与税がかけられることになります。

　課税される税率は下の表のように基礎控除後の課税価格によって変わってきます。

　この表からもわかるように、贈与税の税率は110万円を差し引いた課税価格に応じて10％から55％となっていて、最高税率は相続税と同じです。ただし同じ55％でも、課税価格は相続税の場合6億円超なのに対し、贈与税の場合は3000万円超ですから、かなり厳しい税率といえます。

　しかし、父母又は祖父母が60歳以上で子又は孫が18歳以上なら、相続税と贈与税を一体化して処理する相続時精算課税方式を利用できます。これだと、贈与財産の価格から、年110万円の基礎控除と複数年にわたり利用できる非課税枠の2500万円を控除した価額に一律20％の税率を掛けた額が納めるべき贈与税となります。

　贈与税の非課税という制度もあります。

　2026年12月31日までの間に贈与を受けた住宅取得等資金について、一定の額まで贈与税が課されません（詳しくは20ページ参照）。

　又、父母又は祖父母の年齢が60歳以上でなくてもこの適用を受けることができます。

　2026年3月31日までの間に贈与を受けた教育資金、2025年3月31日までの間に贈与を受けた結婚・子育て資金も一定の額まで贈与税は課されません（詳しくは6ページ参照）。

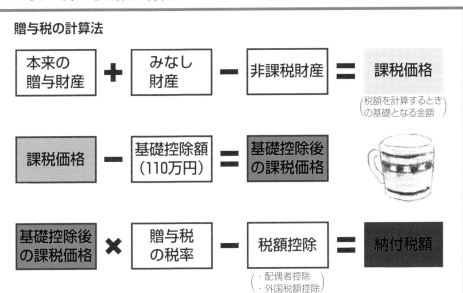

贈与税の計算法

| 本来の贈与財産 | ＋ | みなし財産 | － | 非課税財産 | ＝ | 課税価格 |

（税額を計算するときの基礎となる金額）

| 課税価格 | － | 基礎控除額（110万円） | ＝ | 基礎控除後の課税価格 |

| 基礎控除後の課税価格 | × | 贈与税の税率 | － | 税額控除 | ＝ | 納付税額 |

（・配偶者控除　・外国税額控除）

贈
与
税

かる贈与税の額は「特例税率」という「一般税率」とは別の税率が適用される。

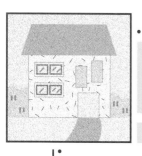

贈与税の配偶者控除は
条件つきで最高2000万円

配偶者控除を受けるには、結婚生活20年以上で同一夫婦間に1度だけといった条件がつく

贈与税にも配偶者控除があるが条件がつけられている

財産というものは夫婦が協力し合って形作られるものです。そのため夫婦間で財産を贈与する場合、税金が重くなり過ぎないように、「配偶者控除」という優遇措置が講じられています。

18ページでお話しした「相続時精算課税制度」を除くと、贈与税は相続税などに比べて、税額控除など税額を減らすための規定がほとんどありません。というのは、贈与税がもともと相続税の取り洩れを防ぐための税金なので、贈与税にあまり多くの特別な措置を設けると、相続税を補うための機能や役割を果たせなくなるからです。

このように現実的でシビアな贈与税も配偶者への配慮は忘れてはいません。一定の要件を満たせば最高2000万円が控除されます。また、この規定の適用を受けた贈与については、2019年7月1日から相続の遺産分割の際相続の財産にはふくまれないことになりました（87ページ参照）。このような軽減措置は、配偶者の老後の生活を保障する方策となっています。

配偶者控除が適用されるための4つの条件

贈与税の配偶者控除を受けるためには、次の要件をすべて満たさなければなりません。

①結婚してから20年以上たった夫婦間の贈与であること。

②配偶者からの贈与が居住用の不動産か、居住用の不動産を買うための資金であること。

③贈与された居住用不動産、またはそれを買うための資金は、贈与を受けた翌年の3月15日までに居住に用いるか、あるいは居住用不動産を買って居住に用いること。

④その住居はその後も引き続いて居住に用いる見込みがあること。

以上の要件を満たしているから、配偶者控除を受けたいという場合は、贈与税の申告書にその旨を記載し、結婚の期間が20年以上の配偶者であることを証明する戸籍謄本か抄本、居住用不動産に関する登記簿の抄本か謄本、住民票の写しなどを添付しなければなりません。

配偶者控除は同一夫婦間に1回だけ

結婚の期間が20年以上の配偶者が合計3600万円の贈与を受けた場合について具体的に課税額を見てみましょう。

配偶者から3500万円の居住用不動産、別の贈与者から100万円の贈与を受けたとします。贈与税の課税価格は3600万円となり、控除額は基礎控除の110万円と配偶者控除2000万円を合計した2110万

役立ち情報◆贈与税の基礎控除額は少ないが… 贈与税の基礎控除は特例を適用する場合を除けば年間110万円なので、多額な財産に110万円程度では焼け石に水という気がするかもしれ

円となります。課税価格の3600万円から2110万円を差し引いた1490万円に贈与税が課税されることになります。

　贈与の合計がぴったり2110万円なら控除額を目いっぱい使って、課税価格がゼロになるので贈与税はかかりません。贈与額が1500万円という場合は、配偶者控除だけを利用して十分に贈与税をゼロにすることができます。数字の上からは配偶者控除

の枠がまだ500万円残っていることになりますが、これを翌年以降に繰り越して使おうと考えても、そういうわけにはいかないのです。

　なお、配偶者控除は同一夫婦間で1度だけ、ある年1年間に限って適用できるものなので、控除額の枠を目いっぱい使うのが賢明です。

配偶者控除を受けるための条件

結婚20年以上

私たちはまだね！

結婚20年以上の夫婦間の贈与には配偶者控除が適用されるので賢く活用しよう

限度額は2000万円（基礎控除をプラスすると2110万円）まで

婚姻期間が20年以上の配偶者であること

贈与する財産は居住用の土地（借地権をふくむ）、家屋、あるいはこれらを取得するための資金であること

同一夫婦間で今までにこの控除の適用を受けていないこと

贈与税

生前贈与を賢く使って
節税対策を考える

金銭贈与の場合には銀行振込などを利用して、通帳に残る形で送金をしたほうがよい

相続対策のための生前贈与
だから、方法はよく考えて

　贈与というのは、一方があげます、もう一方がもらいますという双方の合意によって成立します。

　つまり、親が子供名義で預金をしているような場合は、贈与ではないのです。

　また、親が子供名義の預金の通帳や印鑑を保管していて、子供の自由にならないようにしているような場合には、その預金の実際の所有者は親であり、単なる名義預金です。仮に贈与税の申告をしていたとしても、贈与ではありません。

　「子供が困ったときには、迷わず子供に渡すから子供のものだ」という主張は通らないのです。自由にならないものは自分のものではないのです。ましてや贈与の事実さえ知らない場合には、自分のものかどうか以前の問題です。

　現に相続税の申告の後で、相続人に対して税務署から所有財産についての問い合わせが来た際に、生前贈与を受けた財産の記載を兄弟全員が誰も知らされていなかったという笑えない話もあります。このような場合に、名義預金ということになると、相続人のものではなく、被相続人のものということになり、相続税の負担が増えることもあり得るのです。

　相続対策のために生前贈与をするのであ

れば、ゆくゆく問題になるような方法をとるのは得策ではありません。

　また、子供が親から借り入れをする場合には、金銭消費貸借契約書を作成しておけば万全かというと、そうではありません。

　では公正証書できちんと残せばいいのかというとそれも違います。形式ではなく、実際が問われるのです。

　借りているのであれば、返済の事実を確認できるようにしておくほうが重要ですので、返済を銀行振り込みなどの方法にしておくほうが賢明でしょう。

教育資金の一括贈与の
非課税措置を利用しよう

　2013年4月1日から2026年3月31日までの間に、祖父母や父母などの直系尊属から30歳未満の受贈者が教育資金の一括贈与を受けた場合、1500万円を上限に贈与税が非課税となります。

　ただし、受贈者の前年の合計所得が1000万円を超える場合には、この制度の適用が不可能になります。

　また教育資金についても一定の用件があ

　役立ち情報◆相続時精算課税を選んだら申告を忘れない　一度、相続時精算課税を選択するとその後の贈与についても相続時精算課税が適用され、その申告を忘れると加算税や延滞税が課

り、さらに受贈者が23歳になった後は学校や職業訓練講座のみが非課税の対象となります。

また、金融機関での「教育資金口座」の開設が必要となり、口座を開設した金融機関を通じて一定の書面を税務署長に提出する必要があります。

他にも注意すべき要件がいくつかありますが、贈与者から子供や孫へ贈与することができることを考える、価値がある制度といえるでしょう。（6ページ参照）

結婚・子育て資金の一括贈与の非課税措置も活用しよう

2015年4月1日から2025年3月31日までの間に、祖父母や父母などの直系尊属から18歳以上50歳未満の受贈者が結婚・子育て資金の一括贈与を受けた場合、1000万円を上限に贈与税が非課税となります。

ただし、受贈者の前年の合計所得が1000万円を超える場合には、この制度の適用はありません。

教育資金の一括贈与と同様、この制度にもいくつかの要件がありますので、確認の上、この制度の適用を受けるかどうか検討してみるとよいでしょう（6ページ参照）。

遺産の再分割は贈与になる

遺産分割が確定し、相続税の申告もすませた後で、相続人間で分割についての再度の話し合いが行われ、分割をやり直すことになった場合はどうなるでしょうか。

この場合一度確定した分割をやり直すと、贈与になります。

例えば、長男がすべての財産を取得することで遺産分割が確定し、その後に次男に半分の財産を相続させるとすると、当初長男が相続した財産について、長男から次男への贈与ということになります。

つまり、贈与税の課税を受けることになるので、注意が必要です。

暦年課税と相続時精算課税をうまく使って贈与税を考える

贈与税の一番の節税方法は？　と聞くと「贈与者にできる限り長生きしてもらうこと」と教えてくれた人がいます。

贈与者が長生きしてくれれば、その間にいろいろな方法を考えたり実行したりすることができるからです。

贈与税は相続税の補完税という性質から贈与税と相続税を切り離すことはできず、密接なかかわりを持っています。ですから、相続税を節税するために贈与税を払うというのも1つの方法です。このために、賢い生前贈与を行う必要があるのですが、その方法を誤るとせっかくの生前贈与が税務上認められず、思わぬ結果をまねくことがあるかもしれないということを念頭に置いて、実行する必要があるのです。

また、贈与税については、暦年課税と相続時精算課税という2つの方法が選択できることから、検討する余地が増えましたが、どの方法でどの財産を贈与すれば相続対策に対して有効かどうかを考えましょう。ただ、相続税の節税のことばかりにとらわれていると、相続がいわゆる争続になりかねません。相続対策財産と相続人の心の問題についても考えたいものです。

●贈与税

される場合があるので注意が必要だ。

贈与税の申告期限は翌年の2月1日から3月15日まで

贈与税にも延納が認められるが、利子税がかかり、期間は最高5年。物納は認められない

非課税枠内の贈与でも申告が必要なものもある

　贈与税は相続税と異なり1年1年を単位として課税されますので、ある年の1月1日から12月31日までの1年間に贈与を受けた財産が基礎控除額の110万円を超えるときは課税の対象となり、申告しなければなりません。

　反対に、計算した結果課税価格が110万円の基礎控除以下であったり、基礎控除額は超えるが、外国税額控除を差し引くと110万円の非課税枠内におさまったという場合は、納める税金がないのですから、申告する必要はありません。

　贈与税の配偶者控除や住宅取得等資金贈与の特例などの適用を受けた人の中には、おかげで今回は税金を納めなくてすんだという人もいるかもしれません。しかしこれらの**特例**を受けた場合は、たとえ贈与額が非課税枠の中でおさまったとしても**贈与税の申告が必要**です。この特例の適用を受けるためには、申告しなければならないということを忘れないでください。

贈与税の申告書の提出先は受贈者の住所地の税務署

　申告書の提出期限は、財産の贈与を受けた年の翌年の2月1日から3月15日までです。つまり、1月1日から12月31日までに贈与された分を翌年の2月1日から3月15日までに申告して納税しなければなりません。

　年度末の12月に贈与があった場合は翌年の申告の時期までに1～2か月ほどしかありませんので、申告期限に間に合うように申告書を作成しなければなりません。

　贈与税は、贈与があったからといって、税務署から自動的に「いつまでに○○を払ってください」と通知してくるわけではありません。こちらから申告しないでいると、そのまま期限が過ぎてしまいますが、そのうち預金が急に増えたとか、新しく購入した住宅の資金はどうしたのかとか税務署から問い合わせてきます。

　相続税も税務署から督促がくるまで申告しないでほうっておくと無申告加算税がかけられますが、贈与税も同じで期限内申告の税額の15～20%の加算税を取られますから注意が必要です。

　納めるべき贈与税がある場合は、期限内にきちんと申告しましょう。なお、申告書の提出先は、贈与を受けた人の住所地の税務署です。

　申告書（納付書）は税務署や銀行などに用意されているので、課税価格、贈与税額、贈与を受けた年月日などを記載するほか、配偶者控除や住宅取得等資金贈与などの特例を受ける場合は、それぞれその旨を記載しなければなりません。

役立ち情報◆贈与税の無申告加算税と重加算税　贈与税を申告しなかったり、ごまかして申告すると、無申告加算税（5～20%）、重加算税（35～40%）がかかるのは相続税と同じ。贈与

贈与税を延納するときは

❶

（その前によく考えて…）（延納を…）

延納に必要な条件

- 贈与税額が10万円を超えていること
- 金銭で1度に納付することが不可能な理由があること
- 担保を提供すること（延納税額が100万円以下で延納期間3年以内の場合は不要）
- 贈与税の申告期限までに延納申請書を提出すること

❷

（担保は大丈夫かな？…）

担保の種類

他の人の金銭
国債、地方債
税務署長等が確実と認める社債その他の有価証券
土地
保険つきの建物、立木、自動車、船舶、建設機械など
鉄道財団、工場財団、鉱業財団など
税務署長等が確実と認める保証人の保証

❸

（利子税がかかる）（延納税額 ¥0000-）

延納期間は最高5年　**納税**
- ●日本銀行の本・支店
- ●日本銀行の代理店
- ●最寄りの金融機関
- ●税務署

贈与税

贈与税にも延納が認められている

　贈与税の納付期限は申告期限と同じで、贈与を受けた年の翌年の3月15日となっています。

　現金で一度にまとめて納めるのが原則ですが、贈与税額が多いと一度に納めきれない場合もあります。納税額が10万円を超えるときは相続税と同じように延納が認められていますので、申告期限までに手続きすれば延納にすることができます。

　延納には担保が必要（税額が100万円以下で延納期間が3年以内の場合は不要）で、担保としては、国債、地方債、社債、株式、不動産などがありますが、税務署長等が確実と認める保証人も有力な担保代わりとなります。

　延納は最高5年までで、原則年6.6％の利子税がかかりますが、贈与税が払えないからと申告を偽って40％もの重加算税を取られるよりはずっとましです。

　なお、贈与税には物納は認められていません。

税の申告書に間違いがあったときは修正申告や更正の請求ができる。申告後の修正だと、修正によって増えた税額に対して過少申告加算税がかかるが、重加算税よりはずっと軽い。

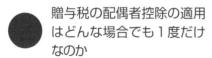

● 贈与税の配偶者控除の適用はどんな場合でも1度だけなのか

Q 死んだ前の夫から、配偶者控除の特例を利用した非課税の贈与で不動産をもらいました。現在の夫からも、この特例を使った居住用不動産の贈与を受けられませんか。

A 同じ配偶者からは1度しか受けられませんが、配偶者が変われば、もう1度この特例の適用による贈与を受けられます。婚姻期間20年以上の夫婦に限るという条件がついていますが、もしもあなたが現在のご主人と20年以上連れ添っておられるのなら、当然受けられることになります。

● 息子名義で買って、贈与になるといわれた土地の名義変更は

Q いずれは息子のものになるのだからと、息子名義で土地を買ったのですが、それは贈与になるから贈与税を

取られると聞いて驚いています。今からでも贈与の事実を取り消すことはできるのでしょうか。

A 贈与税の申告期限は、贈与のあった翌年の3月15日です。このときまでに取り消しの申告をすれば間に合います。息子さんの名義からあなたの名義への変更も、申告までにすませてください。

申告期日を過ぎても、税務署の調査による税額が決定するまでなら取り消しは可能ですが、税額決定がいつになるかわかりませんから、やはり取り消しは申告期限までにすませておくべきでしょう。

● 離婚の際の財産分与には現金と不動産のどちらが得か

Q 夫との協議離婚が成立し、財産の分与を受けることになりました。現金でもらうのと不動産でもらうのとでは、どちらが有利でしょうか。

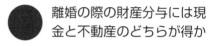

Q&A

A 離婚の際の夫婦間の財産分与には贈与税はかかりません。夫婦の財産は2人で蓄積したもの、という考え方の上に立っての措置です。従って、現金であろうと不動産であろうと、あなたは税金を払う必要はありません。しかし例えば5000万円の現金の価値はあくまでも5000万円ですが、不動産ならあなたの運用次第で新たな利益を生み出してくれるかもしれません。分与される不動産の運用価値を見定めた上で、どちらが得か考えてください。

なお、現金でも不動産でもあなたに贈与税はかかりませんが、ご主人のほうは別。不動産だと所得税が課税されます。所得税法上は、その不動産をあなたに売ったものとみなして課税の取り扱いを受けるからです。

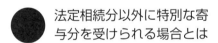

法定相続分以外に特別な寄与分を受けられる場合とは

Q 嫁にもいかず、父の仕事を手伝って、その父を亡くしました。それぞれ別に家庭を持っている弟や妹は遺産の均等な分割を要求していますが、私のような立場の者には特別な寄与分の取得が許されるのではないのですか。

A 寄与分を受けられるのは相続人に限られています（2019年から相続人以外の特別寄与の制度がスタート。

53ページ参照）。あなたは相続人の1人ですから、受ける資格は確かにありますが、寄与分を認められるためには、あなたがお父さんの財産を維持・増加させるのにどれだけ貢献したかが問題になってきます。これは、あなたが実際に働いて財産を増やしたのではなくとも、例えば、病気になったお父さんの看護に献身することで財産を維持させることができ

た、という場合もあてはまるのですが、娘なら当然なすべきことをやった程度の努力なら、法定相続分を取得するだけで十分と解釈されてしまうでしょう。

寄与分といっても、その金額に特に決まりがあるわけではありません。相続人全員の合意さえあれば、いくらもらおうとかまわないのです。しかし、他の相続人たちがそれに反対しているときには、家庭裁判所へ申し立てをして調停や審判をあおぐこともできますから、それも考えてみるとよいでしょう。

column

農地の贈与税には納税猶予の特例がある

　贈与税は、原則として、贈与された不動産や預貯金などすべての財産や利益にかかります。

　ただし、農地などは莫大な贈与税が課せられることによって、大切な生活のかてを手離さなければなりません。そのような事態を考慮したのが「農地等の贈与に対する納税猶予制度」という特例です。

　農業を営むための農地は、細分化するとその経営を維持できなくなりますから、たとえ子供が何人いても細分化せずに、実質的に農業を引き継ぐ後継者に親の代からの農地を譲って経営の主導権を移すのが一般的です。

　このような農地の生前贈与が、特例によって納税猶予されるのです。

　ただし、贈与者が死亡すると相続が開始されますので、農地は時価で評価されて相続財産に加えられることになりますが、一定の要件を満たしていれば、相続税納税猶予制度の適用を受けることができます。

　従って、農地の場合は生前に一括贈与して、後継者が農業を引き継げば、贈与税は納税猶予されるので、贈与税を払わないですむわけですが、この特例を受けるためには、次のような一定の要件を満たしていなければなりません。

①贈与者は贈与日まで3年以上継続して農業を営んでいた個人であり、一定の要件に該当しないこと。

②受贈者は贈与者の推定相続人の1人であること。

③次の要件の全てに該当することを農業委員会（農業委員会を置かない市町村は市町村長）が証明した個人。農地等を取得した日の年齢が18歳以上で、その日まで3年以上継続して農業にたずさわっており、贈与後はただちに農業を営むこと、農業委員会の証明時に担い手となっていること。

④贈与財産は、贈与者が農業を営むために使っていた農地の全部及び採草放牧地3分の2並びに当該農地及び採草放牧地とともに取得する準農地の3分の2以上を農業後継者（推定相続人の1人）に一括して贈与すること。

　以上の要件を満たした上で、贈与日の翌年の3月15日までに所定の書類を添付して申請すれば、贈与税の納税が猶予されます。農地の贈与を受けた同じ年に他の財産を贈与された場合は、その財産の贈与税は納税期限までにちゃんと納めなければなりません。また、贈与された農地を他に譲ったり、農業をやめた場合はただちに納税猶予は中止されます。

第 7 章

財産の
価額評価は
どのように行うか

相続財産にしろ贈与財産にしろ、税額を計算するにはまず、その財産の評価額を知らねばならない。不動産もあれば有価証券もあり美術品もあるさまざまな財産の、それぞれの評価の基準と方法を解説しよう。

財産評価こそ相続税の基本。算定基準をマスターしよう

いろいろな相続財産の価額の評価は「財産評価基本通達」による基準に従って行われる

▶ 財産評価こそ税額計算の基礎となる

これまで相続財産や贈与財産にかかる税金の算出法や申告・納付の仕方について説明してきましたが、この場合財産の価額がすでに決まったものとして扱ってきました。そこでこの章では、もらった財産をどう評価するかということについて説明しましょう。

相続や贈与で受け取った財産がすべて金銭なら、財産の価額がいくらになるか簡単につかめます。しかし実情は土地や家屋など価額に見積もるのが難しい財産も多く、財産を譲られたら、まずそれがいくらぐらいになるか評価しなければなりません。

財産の評価によって税額も違ってきますから、どう評価するかということは、とても重要な問題なので、財産評価の仕組みをしっかりマスターしたいものです。

▶ 財産評価基本通達で財産の時価を算定する

土地、家屋、有価証券、美術品などの財産は、いくらになるかが単純に計算できないので、相続や贈与によって財産を受け取ったときの「時価」で評価することになっています。これは相続税法で定められたものです。

通常、ものを売買するときは売り手と買い手がお互いの合意によって売買価額を決めます。

例えば野菜や花や魚の市場ではセリが行われて、その日の取引価額、つまり時価が決められるわけです。

しかし、相続や贈与の場合は、財産をもらった日に税務署員がやってきて相続人や受贈者と話し合っていちいち価額を決めるというわけにはいきません。また、そのようにして協議したからといって時価を客観的かつ公平に決められるというわけではありません。

そこで、どのケースに対しても時価を公平に算定できる基準が設けられています。この基準を「財産評価基本通達」といいます。相続や贈与で受け取った財産はこの評価通達によって時価を算定し、それぞれ税額が算出されるわけです。

基本通達では、例えば土地を算定する場合、土地の場所や地形による価額の差も条件に入れて細かく作られており、中にはかなり複雑な計算になるものもあります。

前述したように、相続・贈与財産には課税される財産（みなし財産をふくむ）、課

役立ち情報◆土地などには「時価」の評価基準がある　相続税法では、地上権、生命保険契約に関する権利、定期金に関する権利などごく限られたものだけしか評価の方法が定められてお

税されない財産があります。財産の時価を正しく評価するためにも、どの財産が課税され、どの財産が課税されないかをしっかり確認しておく必要があります。

相続税はこれらの財産にかけられる

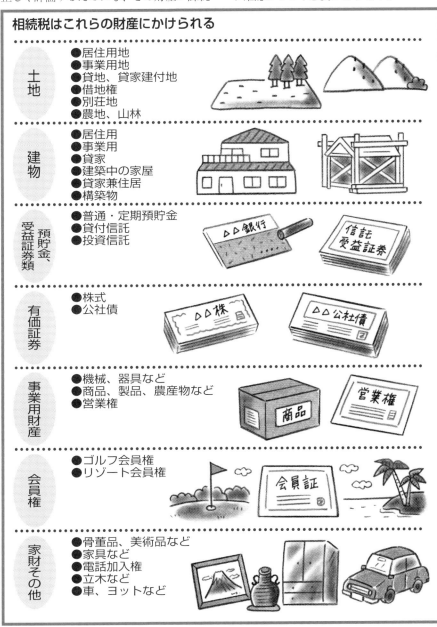

土地	●居住用地 ●事業用地 ●貸地、貸家建付地 ●借地権 ●別荘地 ●農地、山林
建物	●居住用 ●事業用 ●貸家 ●建築中の家屋 ●貸家兼住居 ●構築物
預貯金、受益証券類	●普通・定期預貯金 ●貸付信託 ●投資信託
有価証券	●株式 ●公社債
事業用財産	●機械、器具など ●商品、製品、農産物など ●営業権
会員権	●ゴルフ会員権 ●リゾート会員権
家財その他	●骨董品、美術品など ●家具など ●電話加入権 ●立木など ●車、ヨットなど

らず、財産の大部分を占める土地、家屋、株式などは「時価」によると定められているが、個々の財産の時価を求めるのはなかなか困難なので、その基準となる評価法が設けられている。

土地の評価額は公示価格の80％

相続・贈与税算定のための土地の評価は、毎年1月1日に改定の相続税評価額に従う

土地の時価の評価の仕方には4つがある

　財産相続というと真っ先に頭に浮かぶのが土地です。相続・贈与財産の中に土地の占める割合は高く、近年の統計ではほぼ4割近くになります。

　土地の時価がどう評価されるかはたいへん気になるところですが、評価の方法には次の4つがあります。

①取引価格（売買価額・実勢価額）
②地価公示価格（標準価額）
③相続税評価額（路線価）
④固定資産税評価額

　これらの時価はどれも一律というわけではなく、①の取引価格と②の公示価格は、ほぼ同額とされていますが、③④は評価がそれぞれ低くなっています。つまり、公示価格を100とすると相続税評価額（路線価）は8割評価、固定資産税評価額は7割評価となっています。

　このように相続税の評価額は、実際の取引時価（売買価額）より低くなっています

が、バブル崩壊後、売買価額が大幅に下落したため、地域によっては相続税評価額が売買価額を上回っているというケースもあるようです。

　相続税評価額である路線価が、公示価格より低く定められているのは、相続や贈与財産の時価が、「いますぐ売ったら、最低でいくらになる」というかなり消極的な評価方法で考えられているためです。

　これは、相続税を納めるために相続した土地を売り急いだりすると買い叩かれる恐れがあり、取引時価である売買価額よりかなり低い金額で泣く泣く手離さざるを得ないような事態を防ぐために、安全策を講じたものです。

相続税評価額は毎年1月1日に改定

　土地の相続税評価額が公示価格の8割で評価してあるということは、現金に比べて税金の面から優遇されているといえます。

　例えば1億円を現金で相続すれば、評価額は1億円の額面通りですが、1億円で土地を買っておけば、1億円の8割として8000万円ということになります。当然課税額も低くなるわけです。

　税金の面から考えれば、現金を土地に換えておいたほうが有利ということになるでしょう。

　なお、土地の相続税評価額は毎年1月1

役立ち情報◆土地の「時価」の引き上げ　4種類の土地の時価は、①の取引価格を最高として順に低くなるようにランクづけされていた。しかし、バブルの影響で地価が高騰したとき①の

日に地価公示価格と同時に改定されますの
で、相続・贈与があった年の1月1日の評

価額を参考にして、取得した土地の価額を
算定することになります。

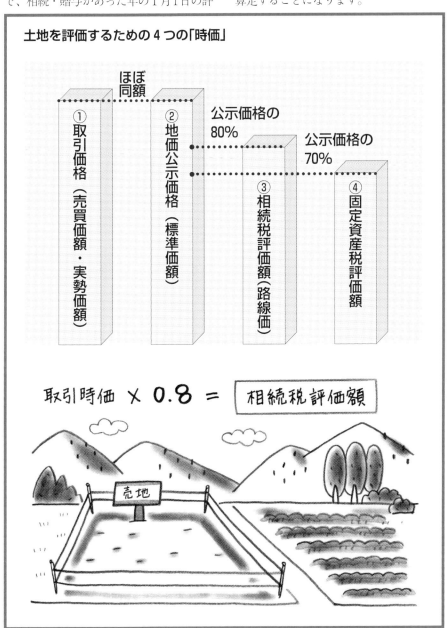

土地を評価するための4つの「時価」

ほぼ同額

① 取引価格（売買価額・実勢価額）

② 地価公示価格（標準価額）

公示価格の80%

③ 相続税評価額（路線価）

公示価格の70%

④ 固定資産税評価額

取引時価 × 0.8 ＝ 相続税評価額

売地

取引価格と②の公示価格の差が開いたため、公示価格を取引価格と同額まで引き上げたのであ
る。同じように差が開きすぎた相続税評価額と固定資産税評価額も8割と7割に引き上げた。

宅地の評価方法は2つ。路線価方式か倍率方式

宅地の評価に路線価方式と倍率方式のどちらを取るかは、その土地の場所によって決まる

路線価方式と倍率方式の2つがある

　宅地には市街地と市街地以外の地域（郊外や農村部）があり、それぞれに異なった評価方法が定められています。

　市街地にある宅地の評価方法は「路線価方式」です。これは道路につけられた価額（路線価）をベースにして、宅地によって異なる形状なども考慮して細やかに評価する方法です。

　市街地以外の地域にある宅地の評価方法は、「倍率方式」と呼ばれるものです。こちらは固定資産税の評価額に、地域ごとに定められた一定の割合（評価倍率）を掛けて評価する方法です。

　実際に自分の宅地を評価するときになって、路線価方式、倍率方式のどちらを採用すればよいのかわからないようなときは、税務署の資産税担当者に相談するとよいでしょう。

路線価方式は路線の価額が計算のベースとなる

　市街地の宅地に用いられる路線価方式は、評価の対象である宅地の面している路線の価額を、宅地1㎡あたりの価額として計算する方法です。

　路線というのは、通常不特定多数の人の通行に使われている道路または水路のこと

で、その価額がわからないと、宅地の評価額も計算できないわけですが、路線の値段を示す路線価図は、地図の形式になっていて、毎年国税庁HPで公表されます。市販されているほか、税務署や税理士会、市区

宅地評価の2つの方法

路線価方式

倍率方式

　役立ち情報◆倍率方式による評価の注意点　市街地以外にある宅地は〈評価額＝固定資産税評価額×倍率〉で算出できる。路線価方式のように土地の形状による補正などもない。毎年送ら

町村役場、図書館などでも閲覧することができます。

　路線価図の見方などについては次の項で説明することにします。

▶▶ 倍率方式は固定資産税評価額 ◀◀
▶▶ に評価倍率を掛けて算出する ◀◀

　市街地以外の宅地に用いられる倍率方式は、路線価方式に比べるとずっと簡単です。

固定資産税の評価額に国税局長が地域ごとに定める倍率を掛けて評価します。

　固定資産税の評価額を知りたい場合は、市町村に備えてある固定資産課税台帳を見ればすぐにわかります。また、都税事務所や市役所で評価証明書を出してもらうこともできます。

　国税局長が定める評価倍率は税務署でわかりますので、資産税担当者に問い合わせるか、直接見せてもらうことができます。

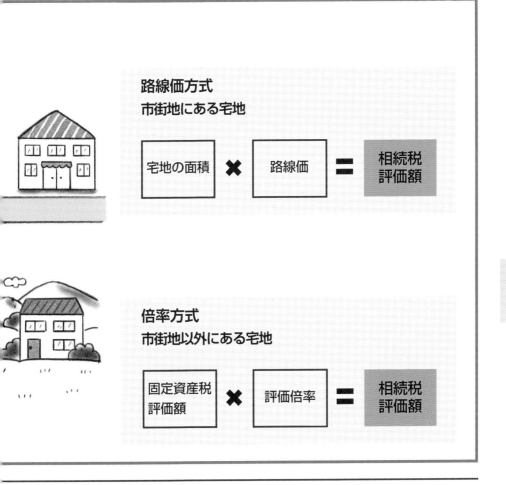

路線価方式
市街地にある宅地

宅地の面積 ✖ 路線価 ＝ 相続税評価額

倍率方式
市街地以外にある宅地

固定資産税評価額 ✖ 評価倍率 ＝ 相続税評価額

●財産の価額評価

れてくる固定資産税の納税通知書には固定資産税評価額や課税標準額が記載されているが、相続税評価額の計算には使わないこと。必ず市区町村の固定資産課税台帳で調べること。

▲▲▲▲▲▲▲▲▲▲▲▲▲▲▲▲▲▲▲▲▲▲▲▲▲▲▲▲▲▲▲

路線価は毎年１月１日を評価時点として決定

市街地にある土地であっても、地区区分によって評価の仕方はさらに変わってくる

▶▶▶ 路線価図の 上手な見方 ◀◀◀

　路線価図を実際に見てみると、いろいろな数字や記号が書いてあって、とまどうことが多いかもしれません。しかし、見方のルールさえわかれば、それほど複雑なものではありません。

　路線価図は①住居表示上と登記簿上の地番、②路線価、③借地権割合、④地区区分表示の４つで構成されています。②の路線価は毎年１月１日を評価時点として決定されることになっています。前にも述べましたが、その価額は公示価格の約８割となっています。

　さて、それではどんな点に注意して路線価図を見ていけばよいか順を追って説明します。

①土地の所在を確認する

　路線価図には住居表示と登記簿上の地番が記載されていますので、その番号から評価する土地がどこにあるかを確認します。

②路線価格を見る

　土地の所在地がわかったら、その所在地に面する道路の中央に記されている数字が１㎡の路線価です。数字の両側にのびている矢印までが同じ価格で数字の単位は1000円です。「←460→」とあるのは１㎡あたり46万円ということになります。

③「借地権割合」も確認する

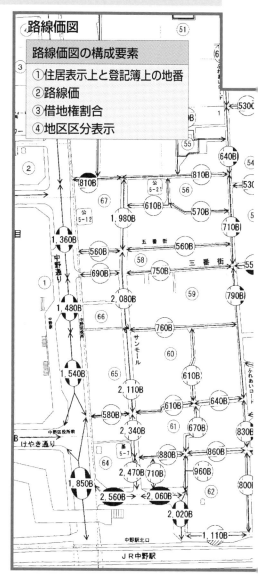

路線価図

路線価図の構成要素
①住居表示上と登記簿上の地番
②路線価
③借地権割合
④地区区分表示

　役立ち情報◆路線価図は地区区分表示にも留意　路線価というのは、ある道路に面している土地１㎡あたりの価額のことで、これが示されているのが路線価図である。路線価図には路線

その土地が自分の土地の場合は路線価だけを調べればすみますが、借地や貸付地の場合は借地権の割合を確認しなければなりません。借地権割合は「440Ｃ」のように路線価の数字の後ろにアルファベットで示されています。

④地区区分もチェックする

路線価の数字は丸や楕円で囲んだものもあれば、このような記号で囲んでいない裸のままのものまでいろいろです。これらの記号は7つの地区区分を表しています。宅地は奥行の長い土地、角地など形状がさまざまなので評価する上で各種の修正計算が必要。その計算のときにこの地区区分を使うのです。

なお、修正計算の仕方については次の項で説明します。

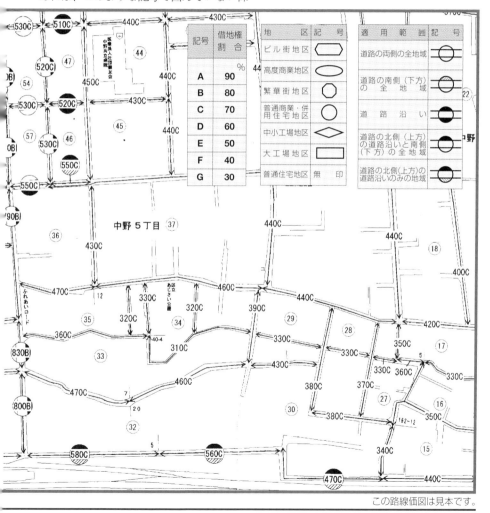

記号	借地権割合
	％
A	90
B	80
C	70
D	60
E	50
F	40
G	30

地　区	記　号
ビル街地区	⬡
高度商業地区	⬭
繁華街地区	⬡
普通商業・併用住宅地区	◯
中小工場地区	◇
大工場地区	▭
普通住宅地区	無　印

適　用　範　囲	記　号
道路の両側の全地域	◯
道路の南側（下方）の　全　地　域	◐
道　路　沿　い	◑
道路の北側（上方）の道路沿いと南側（下方）の全地域	◔
道路の北側（上方）の道路沿いのみの地域	◒

中野5丁目

この路線価図は見本です。

価を1000円単位で表示。この価額をもとにして土地の評価額を算出する。ただし路線によって「普通住宅地区」「ビル街地区」など7種類の地区区分があるので修正計算が必要となる。

●財産の価額評価

路線価は宅地の形、道路との接し方で修正される

その宅地の奥行や間口や、道路への面し方などによっても、路線価には修正が加えられる

宅地の形状によって路線価は修正される

路線価は、間口の広さと奥行がほぼ同じの正方形かそれに近い標準的な形をした宅地を想定してつけられた価額です。

しかし、宅地の形はどれもがきちんとした正方形とは限りません。むしろ、奥行に比べて間口が広かったり、その逆だったりとさまざまな形の土地のほうが多いのが実情です。

そこで、宅地の形状によって、それに見合った路線価に修正する必要が生じてくるわけです。

路線価の修正計算には修正率が使われる

路線価の修正計算に使われる修正率の主なものは次の通りです。
①奥行価格補正率
②側方路線影響加算率
③二方路線影響加算率
④間口狭小補正率、奥行長大補正率

⑤不整形地補正率、40%以内の評価減

どのような形状の宅地にどの修正率を用いるかは下図の説明を参考にしてください。これらの修正率を使えば、ほとんどの宅地を評価することができます。

④、⑤は計算がかなり複雑なので、詳しいことは税務署にたずねてください。

次の項で②の一方のみが道路に接する宅地と③の二方向で道路に接する宅地についての修正率と具体的な計算方法について説明しましょう。

よく使われる路線価修正

1 一方のみが路線に接する宅地

> 奥行価格補正率

2 角地

> 奥行価格補正率
> と
> 側方路線影響加算率

3 正面と裏面に路線がある宅地

> 奥行価格補正率
> と
> 二方路線影響加算率

役立ち情報◆路線価の修正 土地の評価額を出すときは宅地の形に応じて路線価を修正しなければならない。間口の狭い土地の場合は間口狭小補正率を、奥行がかなり長大な土地の場合は

奥行価格補正率表（平成30年分以降用）

奥行距離（m）	ビル街地区	高度商業地区	繁華街地区	普通商業・併用住宅地区	普通住宅地区	中小工場地区	大工場地区
4未満	0.80	0.90	0.90	0.90	0.90	0.85	0.85
4以上　6未満		0.92	0.92	0.92	0.92	0.90	0.90
6 〃　8 〃	0.84	0.94	0.95	0.95	0.95	0.93	0.93
8 〃　10 〃	0.88	0.96	0.97	0.97	0.97	0.95	0.95
10 〃　12 〃	0.90	0.98	0.99	0.99	1.00	0.96	0.96
12 〃　14 〃	0.91	0.99	1.00	1.00		0.97	0.97
14 〃　16 〃	0.92	1.00				0.98	0.98
16 〃　20 〃	0.93					0.99	0.99
20 〃　24 〃	0.94					1.00	1.00
24 〃　28 〃	0.95				0.97		
28 〃　32 〃	0.96		0.98		0.95		
32 〃　36 〃	0.97		0.96	0.97	0.93		
36 〃　40 〃	0.98		0.94	0.95	0.92		
40 〃　44 〃	0.99		0.92	0.93	0.91		
44 〃　48 〃	1.00		0.90	0.91	0.90		
48 〃　52 〃		0.99	0.88	0.89	0.89		
52 〃　56 〃		0.98	0.87	0.88	0.88		
56 〃　60 〃		0.97	0.86	0.87	0.87		
60 〃　64 〃		0.96	0.85	0.86	0.86	0.99	
64 〃　68 〃		0.95	0.84	0.85	0.85	0.98	
68 〃　72 〃		0.94	0.83	0.84	0.84	0.97	
72 〃　76 〃		0.93	0.82	0.83	0.83	0.96	
76 〃　80 〃		0.92	0.81	0.82			
80 〃　84 〃		0.90	0.80	0.81	0.82	0.93	
84 〃　88 〃		0.88		0.80			
88 〃　92 〃		0.86			0.81	0.90	
92 〃　96 〃	0.99	0.84					
96 〃　100 〃	0.97	0.82					
100 〃	0.95	0.80			0.80		

奥行長大補正率を使って修正する。三角形の土地や変形の土地は最大で40％減の修正が可能だ。道路に接していない無道路地や袋地もそれぞれの状態に応じて修正が必要だ。

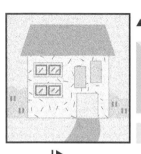

道路に二方で接していると路線価は高くなる

角地や、2つの道路に挟まれた宅地の場合、路線価が2つあるなら高いほうを正面路線とする

▶ 一方のみ道路に接した宅地の修正計算の仕方

宅地の形状はさまざまでも、一方だけが道路に面している宅地には奥行価格補正率を用います。

奥行価格補正率表（前ページ参照）を使って、土地の奥行距離に応じて路線価を修正することを**奥行価格補正**といいます。この表は上に地区区分、左に奥行の距離が表示されていて、両者が交差したところの数値が修正率となります。路線価図では地区区分は丸や楕円で示されており、それらの記号が「普通住宅地区」「ビル街地区」などを表しています。

それでは右図の土地（普通住宅地区）を実際に計算してみましょう。Aの土地は奥行が10mなので補正率は1.00で補正は不要。路線価60万円×300㎡＝1億8000万円となります。Bは奥行が30mなので補正率は0.95で、評価額は路線価60万円×300㎡×0.95＝1億7100万円です。

このことからも、奥行の深い土地は道路から遠くなるに従って価値が下がり、評価額も低くなることがわかります。

▶ 二方向が道路に接した宅地の修正計算の仕方

戸建て住宅を購入する場合でも、「角地

は価値が高い」と歓迎されますが、二方向で道路に接している宅地は、一方だけが道路に接している宅地よりも高く評価されるのです。

二方向が道路というケースには、角地と2路線に挟まれている宅地があります。

それでは、まず角地の評価額の出し方について説明しましょう。

角地の場合、路線価が2つありますので、基準となる路線価（正面路線価）を決めます。**正面路線価**は2つのうちの高いほうで、価額が同じ場合は間口の広いほうにします。

角地の評価額は次の手順で計算します。
①正面路線価からの奥行距離で奥行価格補正率がわかりますので、路線価に掛けて修正後の正面路線価を求めます。
②側方路線価（もう一方の路線価）からの奥行距離で奥行価格補正率を見つけて、同じように修正後の側方路線価を出し、さらに側方路線影響加算率を掛け合わせます。
③①と②を足したものが1㎡あたりの路線価です。その路線価に宅地の面積を掛けたものが評価額となります。

2路線に挟まれた宅地も、角地と同じように評価額が高くなります。こちらも路線価の高いほうが正面路線価、もう一方が裏面路線価です。計算の手順は角地と同じです。ただし、修正後の裏面路線価には二方路線影響加算率を掛けます。

役立ち情報◆準角地とは　角地は一般に利用価値が高くなるので、通常の路線価に一定の金額を加算して評価する。角地とは正面と側面が路線に接している宅地のこと。これに対して準角

このように角地の場合と2路線に挟まれた宅地の評価額の計算法は、加算率に差異がありますが、基本的には同じです。

路線価が2つあるケースでは、路線価の高いほうを正面路線とすることを忘れないでください。

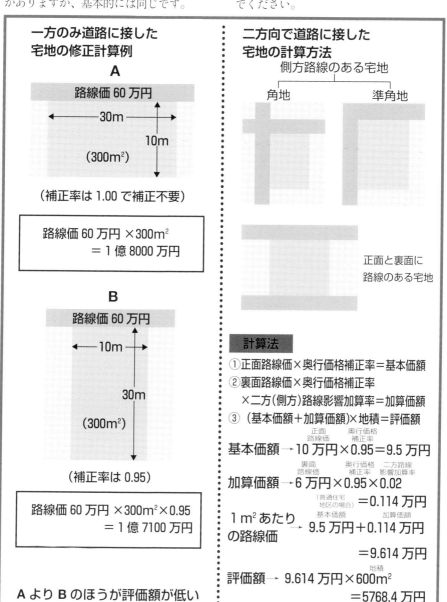

一方のみ道路に接した宅地の修正計算例

A

路線価60万円

←30m→

10m

(300m²)

（補正率は1.00で補正不要）

路線価60万円×300m²
＝1億8000万円

B

路線価60万円

←10m→

30m

(300m²)

（補正率は0.95）

路線価60万円×300m²×0.95
＝1億7100万円

AよりBのほうが評価額が低い

二方向で道路に接した宅地の計算方法

側方路線のある宅地

角地　　　　　　　　　準角地

正面と裏面に路線のある宅地

計算法

①正面路線価×奥行価格補正率＝基本価額
②裏面路線価×奥行価格補正率
　　×二方（側方）路線影響加算率＝加算価額
③（基本価額＋加算価額）×地積＝評価額

基本価額→　10万円×0.95＝9.5万円
（正面路線価　奥行価格補正率）

加算価額→　6万円×0.95×0.02
（裏面路線価　奥行価格補正率　二方路線影響加算率）
＝0.114万円
（普通住宅地区の場合）

1m²あたりの路線価→　9.5万円＋0.114万円
（基本価額　加算価額）
＝9.614万円

評価額→　9.614万円×600m²
（地積）
＝5768.4万円

地は一系統の路線が屈折していて、その屈折部の内側にある宅地のことをいう。角地の評価額は側方路線影響加算率表を使って計算するが、準角地のほうが加算率が低くなる。

貸している土地は借地権の価額を差し引いて評価

借地権割合は、その宅地のある地域によって異なっており、路線価図に表示されている

人に貸している土地は評価が低くなる

相続や贈与で受け取った土地がすべて自分のために使える土地とは限りません。中には「貸宅地」や「貸家建付地」もあります。貸宅地というのは、人に貸している土地、つまり他人の家の敷地となっている宅地で、「借地権」のあるものをいいます。ただし、他人の家の敷地ではあっても、借地権が設定されていなければ、貸宅地にはあてはまりません。

貸家建付地の「建付地」とは建物が乗っている土地のことで、その建物に借家人がいれば借家となりますので、貸家建付地と呼ぶわけです。

どちらも自分の土地であっても、自分のために使えないという点では同じです。また、借地人には借地権があるため、土地の所有者が自分のために使いたいと思っても、相手は借地借家法という法律で守られていますので、おいそれと出ていってもらうわけにはいきません。

このような点が考慮されますので、貸宅地は通常の宅地よりも評価額が低くなります。

従って、土地を空地にしておくよりはアパートやマンションを建てるほうが相続税の面からは有利なわけです。

貸している土地や借地権の評価方法

貸宅地の場合	貸宅地の評価額 ＝ その宅地の通常価額 － (その宅地の通常価額 × 借地権割合)
貸家建付地の場合	貸家建付地の評価額 ＝ その宅地の評価額 － (その宅地の評価額 × 借地権割合 × 借家権割合)
借地権の評価方法	借地権の価額 ＝ その宅地の通常価額 × 借地権割合

役立ち情報◆借地権と相続税 人から土地を借りて家を建てている借地人には借地権がある。借地人の家が相続された場合、借地権も相続税のかかる財産として相続人に引き継がれること

貸宅地の評価方法

　自分が所有している土地であっても、他人に貸している土地には、借地権が発生します。これは、土地の所有者から一方的に立ちのきを要求されると借地人が困るので、そうならないよう借地人を守るために作られた権利なのです。

　逆に土地の所有者は借地権があるために、自分の土地を自由にできないという不便さを強いられることになります。

　そこで貸宅地については、通常のさら地価額から借地権価額を控除して評価することになっています。通常の評価額から借地権価額を差し引いて計算するわけですが、具体的には左ページ下のような計算方法になります。

　なお、この計算に必要な借地権割合は地域ごとに異なっており、評価の際に必ず調べる必要があります。

　「路線価図の上手な見方」（188ページ）のところでも説明しましたが、借地権割合は路線価図の中で「460 C」のように路線価の横にアルファベットで示されますので、借地権割合の記号表を参考にして割合を確かめてください。

貸家建付地の評価方法

　貸家建付地には、戸建ての貸家の敷地はもちろんのこと賃貸アパートや賃貸マンションの敷地などもあります。

　貸宅地の場合、敷地の上に建てられた家屋は借地人のものですが、貸家建付地は敷地も家屋も地主の所有財産です。そのため貸宅地の借地権のように借りる側に強い権利が発生するわけではありません。ただし、現実問題として借家人にすぐに立ちのきを要求するわけにはいかないので、通常よりも低く評価することになり、具体的な計算方法は左ページ下のようになります。

借地権が設定されていると、たとえ所有者でもその土地を自由にすることができない。借地権を持つ人はその権利が財産として評価される。

●財産の価額評価

になる。借地人がその家屋を自宅として使っていれば、借地権は100％の評価となり、その家屋を人に貸していれば借地権の価値は低くなるので、当然評価も低くなる。

事業用地・居住用地は400㎡ または330㎡まで減額評価

相続した土地が何か所あろうとも、課税減額が適用されるのはそのうちの上記の広さまで

▶▶▶ 小規模宅地には一部評価 軽減の特例がある

　被相続人が事業用や居住用として使っていた土地は、財産という前に生活基盤であり、簡単に処分できる性質のものではありません。こうした土地にまで高額な税金が課された結果、相続税を払うためにその土地を売却しなければならない、という事態が起きないとはいえません。

　そこで、このような実情を配慮して、「小規模宅地等の課税価格算入額の特例」が設けられています。これは相続した事業用地や居住用地のうち一定の面積までの部分に限り一定の割合で減額して評価するというものです。

　減額することができる面積、減額割合は被相続人がその土地をどのように使っていたかにより、次のようになります。

①被相続人が事業用に使っていた宅地等で、一定の要件を満たす場合には、400㎡までは80%の減額がされます。

②被相続人が居住用に使っていた宅地等で、一定の要件を満たす場合には、330㎡までは80%の減額がされます。

③不動産賃貸をしていた宅地等について

小規模宅地の区分と評価額計算例

小規模宅地等の区分	減額割合
①特定事業用宅地等である小規模宅地等 　特定居住用宅地等である小規模宅地等 　特定同族会社事業用宅地等である小規模宅地等	100分の80
②貸付の用などの小規模宅地等	100分の50

計算例　　地積880㎡　　　評価額8800万円（1㎡10万円）

①一定の条件を満たす小規模宅地等の場合（3パターンに分かれる）

　イ．特定居住用宅地等の場合　　　　　　　ロ．特定事業用宅地等のみの場合

| ←330㎡→ | 550㎡ | | ←400㎡→ | 480㎡ |

80%減額 330㎡×20%　　550㎡　　　　　80%減額 400㎡×20%　　480㎡

〈330㎡×（1−80%）×10万円〉　　　　　〈400㎡×（1−80%）×10万円〉
　　＋〈550㎡×10万円〉　　　　　　　　　　＋〈480㎡×10万円〉
　　＝6160万円（評価額）　　　　　　　　　　＝5600万円（評価額）

　役立ち情報◆小規模宅地等の特例を受けるには　この特例の適用を受けるにはまず、相続税の申告期限までに相続人の間で遺産分割が確定していなければならないが、未分割の場合には、

は、200㎡まで50％の減額がされます。

　この特例は、被相続人をベースにしていますので、相続した土地全体で400㎡までまたは330㎡までの部分について、評価減がされるということです。相続人が2人、3人いるからといって、相続人それぞれに400㎡または330㎡が適用されるわけではありません。

　また何か所にも相続した土地があっても、減額が認められるのは、全体で400㎡までか330㎡までです。

　特定事業用宅地と特定居住用宅地、2種類の土地で減額の適用を受けようとします。この場合の限度面積は、特定事業用の限度400㎡と特定居住用の限度面積330㎡を合計した730㎡となります。

　しかし、特定事業用宅地と貸付の用に供していた宅地に減額の適用を受けようとす

ると、限度面積は合わせて400㎡で調整計算があります。特定居住用宅地と貸付の用に供している宅地の場合も同様に330㎡が上限で調整計算が必要となります。

　この他の要件に継続要件というものがあります。これは、相続税の申告期限において相続人が事業又は居住を継続していない宅地については、適用を受けることができないというものです。

　また、相続開始前3年以内に貸付の用に供された宅地等（相続開始前3年を超えて事業的規模で貸付事業を行っている者がその貸付事業の用に供しているものを除く）や、相続開始前3年以内に事業の用に供された宅地等（その宅地等上で事業の用に供されている減価償却資産の価額が、宅地等の価格の15％以上である場合を除く）については、減額の適用範囲から除かれます。

八. 特定事業用宅地等（440㎡）と特定居住用宅地等（440㎡）の両方を選択しようとする場合

　　440㎡＞400㎡で特定事業用宅地等は400㎡
　　440㎡＞330㎡で特定居住用宅地等は330㎡

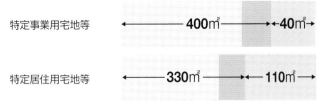

（400㎡＋330㎡）×（1－80％）×10万円＋（40㎡＋110㎡）×10万円＝2960万円

②　貸付事業用の小規模宅地等の場合

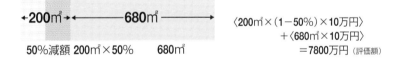

〈200㎡×（1－50％）×10万円〉
＋〈680㎡×10万円〉
＝7800万円（評価額）

期限内に申告をし、「申告期限後3年以内の分割見込書」を提出する必要があり、3年以内に分割が行われた場合には、基本的に分割が行われた日から4か月以内に更正の請求ができる。

家屋は、固定資産税の評価額と同額で評価

貸家は借家権を差し引き評価するが、借地権と違って借家権は借家人の相続財産とはならない

固定資産税評価額がすなわち相続税評価額に

事業用・居住用にかかわらず家屋は倍率方式を用いて、1棟ごとに評価します。評価の際には固定資産税評価額が基準になります。

倍率方式は路線価方式に比べて、算出方法はずっと簡単です。固定資産税評価額に一定の倍率を掛けて、相続税評価額を求めるのですが、現在倍率が全国どこでも1.0倍となっていますので、固定資産税評価額がそのまま相続税評価額ということになります。

固定資産税評価額は税務署では調べられません。その家屋の所在地にある、市町村役場の固定資産税係で確かめることができます。

家屋の評価額は1回調べておけば、まず変わりませんので、評価額を確認するときに「評価証明書」を取っておくとよいでしょう。

固定資産税の評価額がどうして長い間変わらないのかというのは、次のような理由によります。

家屋は年を経るごとに老朽化して価値は下がりますが、建築費は年々上昇していきます。そこで両者を差し引きすると、プラスマイナスゼロで評価額は変わらないというわけです。

付属設備はどう評価するか

家屋というのは、電気やガスの設備、給排水設備などが備わっているのが普通です。このような設備も立派な相続財産ですが、これらは家屋の一部ということですでに固定資産税評価額にふくまれています。

門や塀、庭石、池などの庭園設備は、家屋から独立したものとして家屋とは別に評価されます。

広告塔、煙突、プール、ガソリンスタンドなどを総称して構築物と呼び、これらも庭園設備と同じように1つずつ評価します。

ただし、構築物が2個以上ある場合に、1個ずつバラバラに評価すると利用価値がぐっと低くなるものは、まとめて評価することになっています。

門や塀、庭園設備、構築物などの評価法は右ページを参考にしてください。

人に貸している家屋は借家権割合を差し引く

自分が所有する家屋を他人に貸している人は、借家人に借家権がありますので、貸家となっている所有家屋の評価額から借家権割合（30％）を差し引いて評価します。

逆に、戸建やマンションなどを借りている借家人には、借家権があります。ただ

役立ち情報◆マンションの評価は土地と建物を別々に　マンションを評価する場合は、建物と土地を別々に評価しなければならない。これは建物と土地の両方を所有していることによる。

し、この借家権は相続財産としては評価されません。

▶▶▶ 建築中の家屋は
費用現価の70%で ◀◀◀

　家屋を建築中に、家屋の所有者が亡くなって相続が発生することがないとも限りません。このような場合、未完成の家屋も相続財産にふくまれますので、それなりに評価しなければなりません。

　固定資産税評価額はその家が完成した時点で決められるものなので、建築中の場合は家屋の相続税評価額を出すのに固定資産税評価額を基準にすることはできません。そこで、建築中の家屋には「費用現価」を使います。費用現価とは相続が開始された日までにかかった建築材料費、施工費などを金額に換算したものです。

　相続にあたって実際に費用現価を計算するときは、家屋の建設を依頼しているハウスメーカーなどに費用明細を算出してもらいます。

　建築中の家屋の相続税評価額は費用現価の70%となります。

家屋評価の特徴

家屋は固定資産税評価額がそのまま相続税評価額となる

門、塀、庭園設備などは家屋から独立したものとして、家屋とは別に評価する

貸家は所有家屋の評価額から借家権割合（30%）を差し引いて評価する

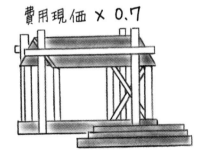
建築中の家屋は費用現価（相続日までの建築材料費や施工費）の70%となる

マンションの評価は建物と土地に分ける。土地は敷地全体の評価額に持ち分を掛けたもの

建物部分については固定資産税の評価額が相続税の評価額となる。土地のほうは、まずマンションの敷地全体の評価額を計算し、それに持ち分割合を掛けたものが評価額となる。

株式の評価基準は上場・店頭・同族で、それぞれ異なる

上場株式や気配相場等のある株式は、決められた時期の中の最も低い価額を選んで評価する

▶ 株式は3種類に区分して ◀ それぞれの評価方法に従う

ひと口に株式といっても、毎日のように取引されて、新聞の株式欄の常連でもある上場株式から、まったく売買されない同族会社の株式までさまざまです。ですから、これらを同じ基準で評価することはできません。

上場株式は毎日のように市場で取引されますので、当然のことながら値がついています。一方、同族会社の株式のような取引

相場のない株式は、たとえ売買されることがあったとしても、身内など特別の間柄に限られますので、評価するときに参考にできる数値がありません。

そこで、株式は上場株式、気配相場等のある株式、取引相場のない株式の3種類に分けて評価することになっています。

▶ 上場株式は最も低い ◀ 価額を選んで評価する

上場株式というのは、東京、名古屋、札幌、福岡の全国に4か所ある証券取引所の

いずれかに上場されている株式です。この上場株式は実際の取引価格（終値）によって評価します。

上場株式の評価方法には次の4つがあります。

①課税時期（相続・贈与日）の最終価格

②課税時期（相続・贈与のあった月）の毎日の最終価格の平均額

③課税時期（相続・贈与があった前月）の毎日の最終価格の平均額

④課税時期（相続・贈与があった前々月）の毎日の最終価格の平均額

これらの4つの価額のうち、最も低い価額で評価します。

上場株式は取引所で毎日のように取引されるため、その価格は日々めまぐるしく変動します。今まで低かった株価が急にはね上がることもあります。

そこで、このような相場の運不運をなるべくなくすために、相続・贈与日の最終価格と過去3か月の最終価格の月平均を調べて、最も低い価格を選べるよう幅を持たせているわけです。

こうして見つけた1株あたりの価格に株式の数を掛けたものが評価額となります。

4種類の取引価格のうち①は翌日の新聞の株式欄に掲載されていますし、②～④は証券会社、証券取引所に問い合わせると教えてくれます。また、税務署に聞いてもわかります。

役立ち情報◆公開途上の株式は公開価格で評価　気配相場等のある株式とは、上場株式のようにしょっちゅう取引されていないが、証券会社を通じて売買は行われている株式。上場株式と

気配相場等のある株式は証券会社の店頭で売買

気配相場等のある株式とは、日本証券業協会によって、登録銘柄、店頭管理銘柄として指定されたもの、あるいは公開途上にある株式のことです。

これらの株式は取引所に上場されてはいませんが、証券会社の店頭で売買されており、一応取引価格も新聞に載っています。

気配相場等のある株式は、相続開始日の取引価格か、相続が開始された月をふくめた過去３か月の取引価格の月平均の中で、最も低い価格で評価します。

株式の種類と評価方法

種類		評価方法
上場株式		①課税時期の最終価格 ②課税時期の属する月の毎日の最終価格の平均額 ③課税時期の属する月の前月の毎日の最終価格の平均額 ④課税時期の属する月の前々月の毎日の最終価格の平均額 ●負担つき贈与の場合は①の課税時期の最終価格で評価する
気配相場等のある株式	登録銘柄・店頭管理銘柄	①課税時期の取引価格 ②課税時期の属する月の毎日の取引価格の平均額 ③課税時期の属する月の前月の毎日の取引価格の平均額 ④課税時期の属する月の前々月の毎日の取引価格の平均額
	公開途上にある株式	①競争入札により決定される公開価格

並列された価額のうちの最も低いもので評価する

取引相場のない株式との中間的な存在で、例えば日本証券業協会の登録銘柄、店頭管理銘柄の他に公開途上にある株式など。公開途上の株式は公開価格で評価。

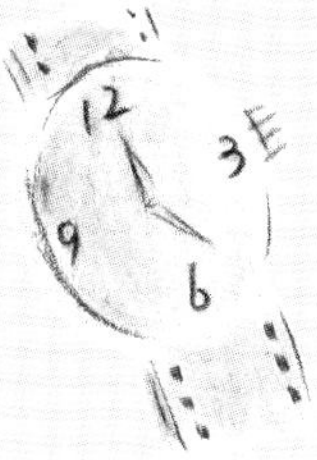

非上場株式は株主の地位と
会社の規模で評価が変わる

非上場のため取引相場のない株式は評価の方法も複雑で、会社規模などにより違ってくる

▶中小の同族会社のほとんどが
▶取引相場のない株式である

上場株式と気配相場のある株式以外は、すべて「取引相場のない株式」です。

しかし、上場株式および気配相場のある株式は全部で約2000銘柄しかなく、日本には百数十万社にものぼる株式会社が存在しますが、そのほとんどが閉鎖的な同族会社で、その株式は証券取引所にも上場されず、気配相場もないのです。

といっても、このような取引相場のない株式は、個人商店と変わりない零細規模の会社が発行するものから、大規模会社の株式で上場しようとすればすぐにでもできるものまで実にさまざま。このような株式は通常、会社の社長一族がそのほとんどを所有しており、株式を所有することで、会社の財産を支配する力が強くなっているといっても過言ではありません。

▶ 取引相場のない株式の
評価方法は4つある

取引相場のない株式は、まず株式を評価するにあたって次の2つの観点で区分する必要があります。

まず1つには、その株の所有者が支配株主か、あるいは力のない零細株主かを区分します。つまり株主の地位や立場によって株式の評価に違いが出てくるというわけです。

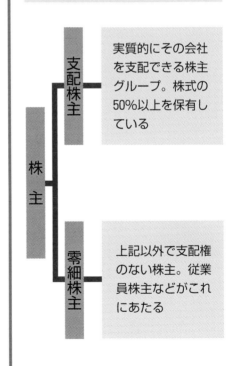

非上場株式の区分の仕方

①株主の持分はどうか？

株主		
	支配株主	実質的にその会社を支配できる株主グループ。株式の50%以上を保有している
	零細株主	上記以外で支配権のない株主。従業員株主などがこれにあたる

　役立ち情報◆自社株の正しい評価には専門家の力を　非上場会社の取引相場のない株式は評価しづらく、評価の方法が複雑である。上場株や店頭株と違って、株式を公開していないので、

　2つ目は会社の規模に応じて株式を区分しなければなりません。取引相場のない非上場の会社といっても、上場会社に劣らないような大きな規模の会社もありますし、社長1人で従業員もいないような個人事業の会社もあり、規模から見ればかなりの格差があります。そのため会社を大、中、小に区分する必要があるのです。

　以上2つの区分をきちんと判定した上で、次の4つの具体的な評価方法をあてはめて実際に評価していきます。

①類似業種比準価額方式

②純資産価額方式

③①と②の併用方式

④配当還元価額方式

　原則として、支配株主の場合、大会社の株式は①で、小会社の株式は②で、中会社の株式はその中間ということで③で評価します。所有株式にそれほど価値のない零細株主の場合は、会社の規模の大小にかかわらず、④で評価することになります。この4つの評価方法の具体的な計算方法は、次の項で述べることにします。

②評価会社の規模はどうか？

1 従業員数が70人以上の会社は大会社とする。
2 従業員数が70人未満の会社は次による。

卸売業の場合

総資産額および従業員数 ＼ 取引金額	2億円未満	2億円以上3億5000万円未満	3億5000万円以上7億円未満	7億円以上30億円未満	30億円以上
7000万円未満または5人以下	小会社				
7000万円以上5人以下を除く		中会社「小」			
2億円以上20人以下を除く			中会社「中」		
4億円以上35人以下を除く				中会社「大」	
20億円以上35人以下を除く					大会社

小売・サービス業の場合

総資産額および従業員数 ＼ 取引金額	6000万円未満	6000万円以上2億5000万円未満	2億5000万円以上5億円未満	5億円以上20億円未満	20億円以上
4000万円未満または5人以下	小会社				
4000万円以上5人以下を除く		中会社「小」			
2億5千万円以上20人以下を除く			中会社「中」		
5億円以上35人以下を除く				中会社「大」	
15億円以上35人以下を除く					大会社

卸売業、小売・サービス業以外の業種

総資産額および従業員数 ＼ 取引金額	8000万円未満	8000万円以上2億円未満	2億円以上4億円未満	4億円以上15億円未満	15億円以上
5000万円未満または5人以下	小会社				
5000万円以上5人以下を除く		中会社「小」			
2億5千万円以上20人以下を除く			中会社「中」		
5億円以上35人以下を除く				中会社「大」	
15億円以上35人以下を除く					大会社

●財産の価額評価

取引の時価というものがないからだ。ただし、その会社を継承し、発展させていくためにも、自社株を正しく評価することはとても大切。正確な評価を出すときは専門家に相談を。

類似業種比準価額方式は大会社、純資産価額方式は小会社

中規模の会社には大会社と小会社の評価方式を併用。その併用割合を「Lの割合」という

▶ 類似業種比準価額方式とは ◀

大会社の株式は類似業種比準価額方式で評価します。これは、その会社と事業内容が似ている上場会社とを比べて株式の価額を計算する評価方法です。

非上場会社の中には、取引相場のない株式を発行しているとはいえ、資産規模あるいは取引規模から見ても、上場会社と変わらないものもあります。そこで、このような大会社の株式の評価は、上場会社の株式をもとにして行うわけです。

具体的な計算方法は右ページの表を見てください。

まず、これから評価しようとしている会社が、国税庁通達の中のどの業種にあてはまるかを調べます。そして、次にその業種の株価、配当金などの数値を確認します。

右ページの計算法のA、B、C、Dにあてはまる数値がわかったら、今度は評価する会社の数値を調べなければなりません。それには、前期、前々期の決算書、法人税申告書を用意する必要があります。

こうしてわかった数値全部を類似業種比準価額方式の算式にあてはめ計算します。

▶ 純資産価額方式とは ◀

純資産価額方式というのは、評価する会社の所有している資産を基準にして評価額を算出する方法です。通常、小会社に用い

られます。

会社の資産合計額は、帳簿上の数字ではなく、相続税評価方法で計算することになっています。つまり、評価会社が課税時期に所有している資産をそれぞれの方法で評価して合計額を出し、それから負債の合計額を差し引いたものを、株価を算出するための基準にするわけです。

相続税評価を用いる理由は、帳簿上の数字は資産を取得したときの価額になっていますが土地などは価額変動が激しいので、それでは資産の価値が公正に評価されないからです。取得時に比べて資産価値がいちじるしく上昇したものを所有していると、そのふくみ益（会計帳簿に計上されていない利益）は株価にストレートに反映されるのです。

純資産価額方式による計算方法は右表のようになります。ただし、同族グループの持ち株割合が50％未満の場合は、評価額はその80％となります。

中会社は類似業種比準価額方式と純資産価額方式を併用します。これは類似業種比準価額・純資産価額のそれぞれに会社区分に応じた比率を掛け、それらを合計した金額を評価額とするやり方です。

▶ 配当還元価額方式とは ◀

株主といっても、その会社に対して支配権を持たない零細株主の場合は、配当還元

役立ち情報◆「Lの割合」とは　株式の評価方法は大会社は類似業種比準価額方式、小会社には純資産価額方式を用いるが、中会社の場合はこれら2つの評価方法を併用することにな

価額方式で株式を評価します。

　配当還元価額方式というのは、株式の配当金額を資本還元することによって評価額を算出する方法です。計算方法は下表のようになります。

　この計算に使う資本還元率は10％ですが、実際の配当がもっと低かったとしても、５％の配当があったものとして扱われるため、評価額は最低でも券面額の半分にはなります。

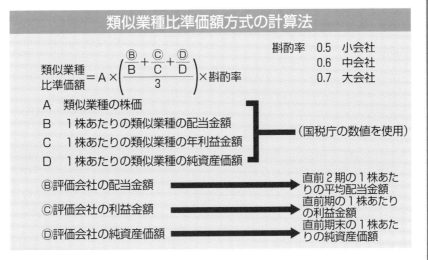

非上場株式の評価方式と計算法

類似業種比準価額方式の計算法

$$\text{類似業種比準価額} = A \times \left(\frac{\frac{Ⓑ}{B} + \frac{Ⓒ}{C} + \frac{Ⓓ}{D}}{3} \right) \times 斟酌率$$

斟酌率　0.5　小会社
　　　　0.6　中会社
　　　　0.7　大会社

A　類似業種の株価
B　１株あたりの類似業種の配当金額
C　１株あたりの類似業種の年利益金額
D　１株あたりの類似業種の純資産価額
（国税庁の数値を使用）

Ⓑ評価会社の配当金額　→　直前２期の１株あたりの平均配当金額
Ⓒ評価会社の利益金額　→　直前期の１株あたりの利益金額
Ⓓ評価会社の純資産価額　→　直前期末の１株あたりの純資産価額

純資産価額方式の計算法

$$\frac{1株あたりの}{純資産価額} = \frac{資産合計 - 負債合計 - 評価益に対する税金額}{\underset{（相続税評価額）}{}}$$

$$\frac{1株あたりの}{純資産価額} = \frac{資産合計 - 負債合計 - 評価益に対する税金額}{発行済み株式数}$$

配当還元価額方式の計算法

$$\frac{1株あたり}{の評価額} = \frac{直前２期の平均配当金額}{10\%} \times \frac{1株あたりの資本金額}{50円}$$

る。どちらの評価方法に重点を置くかという併用割合のことを「Ｌの割合」という。通常は中会社でも大きいほうに属する会社は類似業種比準価額のほうにより大きな比重が置かれる。

定期預貯金は利子まで見込み、ゴルフ会員権は種類で評価

ゴルフ会員権は取引相場のあるものが多く、その価格の70%で評価されるのが一般的

定期預金には利息をプラスして評価する

預貯金は、預け入れてある残高が財産価額であることがはっきりしているので、これを評価するとはどういうことなのかと不思議に思われるかもしれませんが、ひと口に預貯金といっても、利息の少ない普通預金・通常貯金と貯蓄性の高い定期預金・定期郵便貯金とに大きく分かれます。そのため両者を分けて評価するわけです。

普通預金などの利息の少ないものは、相続日の残高が課税額、つまり相続税評価額となります。ただし、定期預金などは預け入れ額に、相続日時点で解約した場合の利息（既経過利子）を加えて評価しなければなりません。

この場合注意しなければならないのは、利息を計算するときの利率は、定期預金の約定利率ではなく、解約利率だということです。定期預金は満期前に解約すると、利率が低いので利息も安くなります。

預金残高に利息を足したものから利息にかかる20.315％（2037年まで）の源泉徴収分を差し引いたものが定期預金の評価額となります。

ゴルフ会員権はその形態によって3つの評価方法に区分

ゴルフの会員権はデフレの時代になり、価格は下降気味ですが、良質の会員権ならば値上がり益も期待できることから、財テク商品として人気があることには変わりありません。評価する場合、その形態によって評価方法は次のように区分されます。

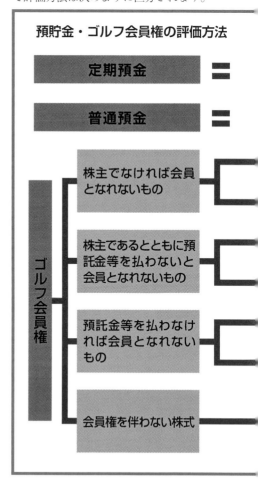

預貯金・ゴルフ会員権の評価方法

- 定期預金 ＝
- 普通預金 ＝
- ゴルフ会員権
  - 株主でなければ会員となれないもの
  - 株主であるとともに預託金等を払わないと会員となれないもの
  - 預託金等を払わなければ会員となれないもの
  - 会員権を伴わない株式

役立ち情報◆リゾート会員権の評価方法 リゾート会員権もゴルフの会員権同様評価される。評価方法は基本的にはゴルフの会員権と同じだが、取引市場もまだ確立しているとはいえない

①株主でなければ会員となれないもの
②株主であるとともに預託金等を支払わなければ会員になれないもの
③預託金等を支払わなければ会員となれないもの

　以上3つの項目の中でさらに取引相場があるものと、ないものに分かれます。具体的な評価方法は下図に示してあります。

　②の場合は取引価格から預託金を差し引いた価格に70％を掛けたものに、預託金を足して評価額とします。

　この場合の預託金の額は、相続発生日に返還してもらえる金額です。

　預託金が相続発生からしばらく時間がたってから返還される場合は、相続発生日から年率8％の複利現価の額で評価することとします。

　ゴルフの会員権は通常、取引相場のあるものがほとんどなので、だいたい取引価格の70％として計算すればよいでしょう。

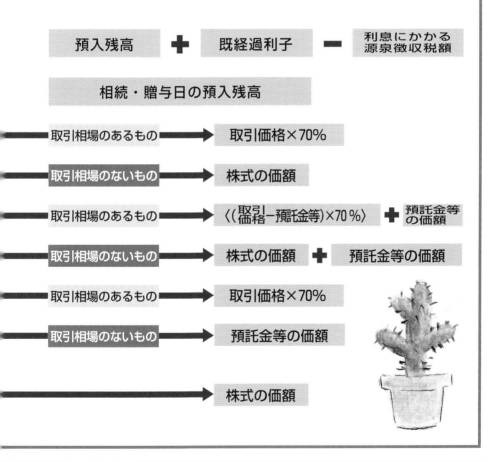

預入残高　**＋**　既経過利子　**ー**　利息にかかる源泉徴収税額

相続・贈与日の預入残高

取引相場のあるもの　➡　取引価格×70％

取引相場のないもの　➡　株式の価額

取引相場のあるもの　➡　〈（取引価格−預託金等）×70％〉　**＋**　預託金等の価額

取引相場のないもの　➡　株式の価額　**＋**　預託金等の価額

取引相場のあるもの　➡　取引価格×70％

取引相場のないもの　➡　預託金等の価額

➡　株式の価額

●財産の価額評価

ので、主に会員権が売却されるときに返還される預託金を評価の中心とする。相続発生日からすぐに受けられるものは、その金額が評価額になる。

家具、食器、自動車や書画・骨董は売買実例を参考に評価

著作権や工業所有権など、形のないものも無体財産権として相続税の対象となる

▶ 1個または1組の値段が 5万円以下はまとめて評価

車やテレビ、応接セット、食器類などの家財道具なども立派な相続財産です。

これらは「売買実例価額」、「精通者意見価格」などを参酌して評価する、とされています。

つまり、市場における実際の取引価格やその財産に関する専門家の鑑定結果などの価格を参考に評価します。ただし、これらの価格がわからない場合には、相続が発生した時の小売価額から減価の額を差し引いた金額で評価します。

また、これらの動産は1個または1組ごとに評価するのが原則ですが、1個または1組が5万円以下のものに関しては「家財道具一式95万円」というようにまとめて

もよいことになっています。

電話加入権は、かつては個別に評価していましたが、現在では、家庭用財産とまと

動産・無体財産権の評価方法

一般動産等	自 動 車
	家 財 道 具
	書画・骨董品
	商品・製品
	原材料
無体財産権	電話加入権
	特許権および その実施権
	著作権および 著作隣接権

役立ち情報◆無体財産権も相続財産となる　工業所有権、著作権などの形のない財産のことを、無体財産権という。これらも立派な相続財産なので、評価をする必要がある。個別に評価

めて評価して差支えありません。

▶▶▶ **書画・骨董品は
専門家に鑑定を依頼** ◀◀◀

　書画や骨董の鑑定をプロに依頼するというのは、それだけ評価の難しい財産だからです。

　法律でもこれらに関しては、「売買実例価額、精通者意見価格等による」と規定しているに過ぎません。自分で鑑定を頼む場合は、国税局から鑑定人を紹介してもらうのがよいでしょう。

　これらの所有者が、たまたま書画・骨董品販売業者ということもあります。この場合は、棚卸価額で評価することになっています。

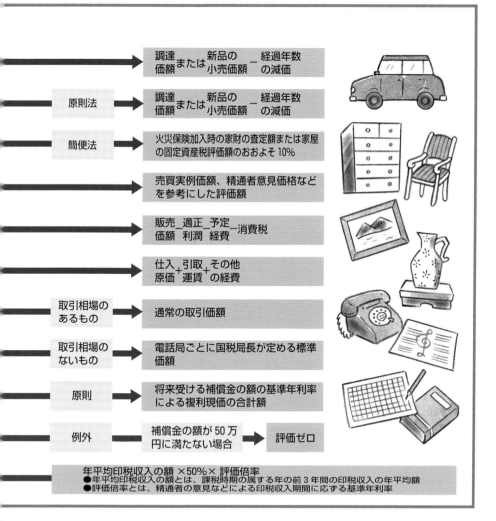

原則法	調達 価額 または 新品の 小売価額 − 経過年数 の減価
	調達 価額 または 新品の 小売価額 − 経過年数 の減価
簡便法	火災保険加入時の家財の査定額または家屋 の固定資産税評価額のおおよそ10%
	売買実例価額、精通者意見価格など を参考にした評価額
	販売 − 適正 − 予定 − 消費税 価額 利潤 経費
	仕入 ＋ 引取 ＋ その他 原価 運賃 の経費
取引相場の あるもの	通常の取引価額
取引相場の ないもの	電話局ごとに国税局長が定める標準 価額
原則	将来受ける補償金の額の基準年利率 による複利現価の合計額
例外	補償金の額が50万 円に満たない場合 → 評価ゼロ

年平均印税収入の額 ×50%× 評価倍率
●年平均印税収入の額とは、課税時期の属する年の前3年間の印税収入の年平均額
●評価倍率とは、精通者の意見などによる印税収入期間に応ずる基準年利率

方法が決まっているので、税務署に問い合わせて確認すること。

公社債や受益証券類は種類によって評価方法が変わる

公社債は利付公社債、割引公社債、転換社債に区分され、それぞれ評価方法は違っている

公社債は種類に応じて3つに区分する

公社債は国や地方公共団体あるいは事業会社などが、一般投資家から資金を調達するために発行する有価証券です。

この公社債を財産とし評価する場合、まず公社債の種類に応じて①利付公社債②割引公社債③転換社債の3つに区分し、それぞれ異なった評価方法を適用します。

利付公社債の評価方法

利付公社債は、券面に利札（クーポン）がついていて、通常年2回利息が支払われます。ただし、登録債のように実際には券面のないものもありますので、注意してください。

評価の方法は、前回の利払い日から相続日までの利息（既経過利息）を、その公社債の発行価額または市場価額に加え、いずれか低いほうの金額を評価額とします。

割引公社債の評価方法

割引公社債とは、券面額より割り引いた価額で発行される債券です。利付公社債のようなクーポンはつきませんが、券面の額より低い価額で発行することにより、その差額（償還差益）が利息分となるので、利息前払方式と呼ばれています。

割引公社債の発行価額に既経過償還差益（償還差益による実質的な利息分）を足したものが評価額となります。

償還差益は利息とはみなされないため、割引公社債には源泉徴収分の控除はありません。

転換社債の評価方法

一定期間が過ぎると条件つきでその会社の株式に転換できる公社債を転換社債型新株予約権付社債といいます。

評価の方法は原則的に利付公社債と同じですが、その会社の株価が転換価格を超えるときは、株式の市場価額で評価額を算出することになります。

貸付信託などは利息分を加えて評価

貸付信託受益証券、証券投資信託受益証券とは、いずれも信託財産あるいは元本の運用から生じる利益の配分を受ける権利を表した証券です。信託の性質が違うと、評価方法が異なります。

貸付信託受益証券は、元本の額に、課税時期（相続日）までの既経過収益からその収益にかかる源泉徴収分を差し引いた額を加え、そこからさらに売却手数料（相続日に売却したと仮定して）を控除して評価します。

証券投資信託の受益証券は、課税時期における基準価額で評価します。

役立ち情報◆公社債の市場価額は新聞や証券会社で　公社債は国や地方公共団体が発行する債券だが、中には上場されていたり、店頭気配銘柄となっているものがある。この場合は公社債

公社債の評価方法

種類	評　価　方　法
利付公社債	①金融商品取引所に上場されている利付公社債 （課税時期の最終価格 ＋ 源泉所得税相当額控除後の既経過利息の額）× $\dfrac{券面額}{100}$ （注1）上記算式中の「最終価格」は、日本証券業協会において売買参考統計値が公表される銘柄として選定された利付公社債である場合には、金融商品取引所が公表する「最終価格」と日本証券業協会が公表する「平均値」とのいずれか低いほうの金額となります。 （注2）上記算式中の「源泉所得税相当額」には、特別徴収されるべき道府県民税相当額を含みます（以下、②及び③も同様です。）。 ②日本証券業協会において売買参考統計値が公表される銘柄として選定された利付公社債（上場されているものを除く。） （課税時期の平均値 ＋ 源泉所得税相当額控除後の既経過利息の額）× $\dfrac{券面額}{100}$ ③その他の利付公社債 （発行価額 ＋ 源泉所得税相当額控除後の既経過利息の額）× $\dfrac{券面額}{100}$
割引公社債	①金融商品取引所に上場されている割引公社債 課税時期の最終価格 × $\dfrac{券面額}{100}$ （注1）上記算式中の「最終価格」は、日本証券業協会において売買参考統計値が公表される銘柄として選定されたものである場合には、金融商品取引所が公表する「最終価格」と日本証券業協会が公表する「平均値」とのいずれか低いほうの金額となります。 （注2）課税時期において割引発行の公社債の差益金額に係る「源泉所得税相当額」がある場合には、その金額を控除します。また「源泉所得税相当額」には、特別徴収されるべき道府県民税相当額を含みます（以下、②、③も同様です。）。 ②日本証券業協会において売買参考統計値が公表される銘柄として選定された割引公社債（上記①及び割引金融債を除く） 課税時期の平均値 × $\dfrac{券面額}{100}$ ③その他の割引発行されている公社債 $\left\{ 発行価額 ＋ （券面額 － 発行価額） × \dfrac{発行日から課税時期までの日数}{発行日から償還期限までの日数} \right\} × \dfrac{券面額}{100}$
転換社債	原則的に利付公社債と同じだが、株式価額が転換価格を超える場合は 転換社債の発行会社の株式の価額 × $\dfrac{100}{その転換社債の転換価格}$

公社債は、銘柄ごとに券面額100円あたりの単位で評価することになっている。発行価額、市場価額は券面100円あたりの金額

受益証券類の評価方法

貸付信託の受益証券
＝
元本の額 ＋ $\left(\substack{既経過\\収益の額} － \substack{その収益にかか\\る源泉徴収分} \right)$ － 売却手数料

証券投資信託の受益証券
＝
相続・贈与日の基準価額

としての評価額と市場価額を比較して、いずれか低いほうで評価される。これらの市場価額は新聞などに掲載されるが、証券会社などに問い合わせても教えてもらうことができる。

保険金は相続人が受取人なら 1人500万円の非課税枠

定期金の評価方法は「有期」「無期」「終身」で異なり、定期金に関する権利にも評価額がある

▶非課税扱いを受けられるのは 相続による取得に限られる

生命保険の契約は、契約者（多くの場合、保険料を負担する人）、被保険者（生死が問題になる人）、受取人（保険金を受け取る人）の三者で形成されます。通常は契約者と被保険者が同一で被相続人がなり、受取人は相続人という場合が多いものです。

被保険者の死亡によって保険金が支払われる場合、この保険金はみなし相続財産とされ、相続税の課税対象となります。

しかし、この保険金は残された遺族の生活を保障するために積み立てられたもの。そこで、相続税法ではこのような生命保険の性格を考慮し、被相続人が保険料を支払っていた生命保険で、その被相続人が死亡し法定相続人が保険金を受け取った場合に限り、一定金額を非課税にすると定めています。

非課税額は〈500万円×法定相続人の数〉。例えば法定相続人が妻と子供３人の場合は、500万円×４＝2000万円となります。

ただし、相続人が取得したものは相続による取得とみなされて、非課税扱いを受けられますが、相続人以外の人が取得した場合は遺贈とみなされ、全額が課税対象になります。

▶生命保険契約に関する権利 にも相続税がかけられる

被相続人の死によって受け取る生命保険金のほか、「生命保険契約に関する権利」にも相続税は課せられます。

生命保険契約に関する権利とは、被相続人が被保険者ではないけれど契約者（保険料負担者）であった場合に生まれてくる権利で、そのため、被相続人が死亡しても保険金はありませんが、その権利は相続人などに受け継がれることになり、それが相続財産として扱われることになるのです。

生命保険には定期保険（中途解約ではすでに払い込んだ保険料は戻らない）や養老保険がありますが、課税対象となるのは払込保険料の一部が解約返戻金として戻ってくる養老保険のほうで、評価額は、その契約を解約するとした場合に支払われることとなる解約返戻金の額によります。前もって保険料を全額払い込んでいる場合は、払込保険料相当額がそのまま評価額となります。なお、被相続人が保険料を全額負担していない場合は、右表最下段の式で算出して評価します。

▶定期金は支給形態によって 評価方法が異なってくる

生命保険や証券会社、日本郵政などの個人年金保険のように定期的に現金が給付さ

役立ち情報◆保険事故の発生していない生命保険にも相続税が… 生命保険では被保険者の死亡や傷害などによって保険金が支払われるわけだが、これを保険事故という。契約者・受取人

れるものを定期金といいます。

　この定期金の給付事由が発生しているものと発生していないものでは評価方法が異なります。

　給付事由がいくつか発生している場合には、次に掲げる金額のうちいずれか多い金額とします。

①解約返戻金

②定期金に代えて一時金の給付を受けることができる場合には、その一時金相当額

③予定利率等を基に算出した金額

　給付事由が発生していない場合には、原則として解約返戻金相当額となります。

　この評価方法は、2010年の税制改正で、大きく変わりました。もし、従前からの評価方法のつもりで契約している年金保険がある場合には、一度評価をし直してみる必要があるかもしれません。

生命保険契約に関する権利の評価方法

加算される もの	剰余金または割戻金をもって相殺された保険料がある場合はその金額を加える
	保険料の一部免除があった場合はその金額を加える
減算される もの	前納保険料があった場合はその金額を差し引く
修正する 場合	保険金の一部支払いがあった場合は、次の式により計算する
	払込保険料の合計額×$\dfrac{保険金額－受取保険金額}{保険金額}$

↓

解約返戻金

・・

被相続人が保険料を全額負担していない場合の計算法

生命保険契約に
関する権利の価額 $\dfrac{被相続人が負担した保険料の額}{被相続人の死亡時までに払い込まれた保険料の総額}$

が父親で、被保険者が母親という場合、父親が死亡しても保険事故は発生せず、保険契約はそのまま存続されるが、この場合、生命保険契約に関する権利が相続されたとみなされる。

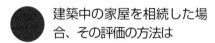

相続・贈与

● 建築中の家屋を相続した場合、その評価の方法は

Q 住居を建築中に父が死亡しました。建築途中の家屋は相続財産としてどのように評価されるのですか。

A 費用現価の70％で評価されます。相続が開始されたときまでに支出された建築材料費や工賃などを、そのときの価額で算出したものが費用現価ですが、建築会社に明細を算出してもらうことになります。

● 贈与された財産が災害に遭った場合、課税額はどうなるのか

Q 贈与でもらった家が火事で一部焼失しました。贈与税の課税額評価に軽減措置はないのでしょうか。

A 震災、風水害、落雷、噴火、火災といった災害で、贈与による財産が被害を受けたときには「災害被害者に対する租税の減免、徴収猶予等に関する法律」の適用を受けることができます。ただし、被害額が贈与税の課税価格を計算する基礎となった価額の1/10以上の場合に限られています。

災害に遭われたのが贈与税申告期限の前であったかあとであったかによって減免額の計算方法は違ってきますが、前であれば贈与税の申告書に、あとならば別の申告書に必要事項を記載して、火事がおさまった日から2か月以内に税務署に提出してください。

また、相続時精算課税によって贈与を受けた財産について、災害による被害を受けた場合にも、課税価格の見直しができる場合があります。

● 借家権、借地権に匹敵するような居住権は認められないか

Q 年老いた父親の世話をするために、きょうだいの中では女1人の私が、それまで住んでいたアパートを出て、10年もの間面倒を見てきたのですが、その父が死んだため、兄たちはこの家と土地を売ってそのお金を均等に分割しようといいます。10年を暮らした私に、借家権、借地権にあたるような権利はないのでしょうか。

A お父さんの家に同居するにあたり、あなたがお父さんに賃料を払っていたのなら別ですが、そうでなければ借家権、借地権は発生しません。

しかし、それまでのアパートを出て、10年もお父さんの世話をしたのですから、借家権、借地権に匹敵するような居住権は考慮されていいでしょう。それをお兄さんたちに主張する権利があなたにはあると思われます。

Q&A

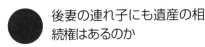

後妻の連れ子にも遺産の相続権はあるのか

Q 父は、私たちの母親である最初の妻を亡くしたあと2度目の妻を迎え、先だって死亡しました。後妻にも父の遺産の相続権があることは承知していますが、彼女には連れ子があり、その子にも相続の権利はあると主張しています。本当はどうなのでしょうか。

A あなたのお父さんと今のお母さんの連れ子との間には血縁関係はありませんから、当然相続関係もなく、遺産を取得することはできません。後妻さんの望むように連れ子にも相続権を生じさせたいと思ったら、お父さんの生前に養子縁組をして、血族関係を作っておくべきでした。

同様に、あなたたち先妻の子供さんと後妻さんとの間にも、養子縁組をしない

限り血族関係は生まれません。ですから、今のお母さんが亡くなっても、お父さんの遺産の1/2を引き継いだ彼女の財産の相続権はあなた方にはなく、連れ子の人が取得することになります。

法定相続人がいない人を世話していた人は遺産分与を受けられるか

Q 12年間一緒に住んで病気の看病をしてあげていたおばあさんが亡くなりました。彼女には遺産の相続人となる親類縁者が1人もいません。手続きをすれば私のものとなるのでしょうか。

A 法定相続人が誰もいない人の遺産は国のものになると定められています。しかし、故人と特別な関係にあって、遺産を引き継がせることが故人に対するその人の貢献に報いることであり、それが故人の気持ちにも反しないと認められたときは、その人への遺産の分与も考慮されます。

それにはまず、家庭裁判所によって選任された相続財産管理人が相続人の皆無を捜索確認し、故人の債務の弁済など、遺産に関する必要な処分をすべてすませます。そしてそれから家庭裁判所が、遺産分与の申立人に対し、その申し立ての理由を具体的証拠などによって厳しく審理した上で、特別縁故者として認定の審判が下れば、あなたは遺産の分与を受けられるでしょう。

ただし、「特別縁故者の財産分与の申し立て」は、相続人捜索が打ち切られてから3か月以内に申請しなければ無効になります。

column

負債（マイナス財産）の扱いにご注意

　財産を相続することになると、土地や家屋、現金などに目がいきがちですが、被相続人が生前に作った借金も自動的に相続されます。

　ひと口に借金といっても、住宅ローンやクレジットの未払い分、金融機関からの借入金などの他、死亡直前までの医療費や入院費など実にさまざまです。

　個人事業主だった場合には、買掛金や経費の未払い分などもあるかもしれません。

　また、被相続人が死亡した年の所得税や住民税、固定資産税（納付期限前のもの）などの税金も、負債として扱われます。

　さらに、忘れてならないのが被相続人の葬儀にかかった費用。葬儀一式を滞りなくすませるには、かなりの額が必要ですから、こちらも故人の残した立派な負債として認められています。

　このように相続財産の中に借金や税金がふくまれるのは、ありがた迷惑かもしれませんが、これらのマイナス財産は、その合計額を債務控除として相続財産から差し引くことができます。

　相続財産はそれらの評価方法がたいへん重要で、かなり面倒な作業ですが、マイナス財産に関しては単純明快、マイナスの評価をすればよいのです。つまり、相続財産から債務控除されますので、結果的に相続税が軽減されるわけです。

　具体的には、例えば所得税では相続人が相続開始から4か月以内に、被相続人が亡くなるまでの所得を申告し、納税することになっています。この他の税金も同様です。所得税はもちろん被相続人にかかるのですが、これが相続時に未納だったということで債務とみなされ、控除されるのです。

　葬儀費用は本来債務とはいえませんが、被相続人に付随するものとして債務控除の対象となっています。税務署には葬儀費用の支払明細書を提出することになっています。

　なお、葬儀費用の控除の中には香典返し、初七日、四十九日の法要などの費用はふくまれませんので注意が必要です。

　また、被相続人が生前に墓地や仏壇を購入し、その代金が未払いのままという場合、その未払い分に関しては控除されません。これは、墓地や仏壇がもともと非課税財産だからです。

　このように葬儀に関する費用の中にも控除されるものと控除されないものがありますので、事前によく調べておきたいものです。

第 **8** 章

生前からの
節税対策
早わかりガイド

相続問題の起こりそうな時期が近づいてきたからと、あわてて対策を練っても間に合わない。相続税の節税計画は早くから立てて実行に移し始めよう。その代表的なもの、節税効果の高いものをこの章ではご紹介する。

生前から心がけたい節税対策と納税資金

被相続人となる人は生前から、相続人たちに残す財産を分けやすくしておくことが大切だ

節税対策の基本は

一生をかけて築き上げた財産を、自分の死後、できるだけ多くそして円満に、残された人たちに引き継がせたいと思うのは、ごく当然な人情です。そのために生前から、被相続人や相続人たちの間でしっかりと立てておかなければならないのが相続対策です。その中でも最も重要なのが、節税対策、納税資金対策、相続人同士の争いを避ける対策の3つでしょう。

節税対策の具体案については、このあとの各ページでお話ししますが、基本的には、相続税の対象となる財産の評価額が低くなるように工夫しておくこと、課税の前に控除される基礎控除がなるべく多く適用されるようにしておくこと、税額控除のいろいろな特例をフルに活用できるように財産形態を変えておくこと、などがあげられます。

納税資金対策は節税対策と同じくらい重要

節税対策と同時に、常に考えておかねばならないのが納税資金対策です。例えば所有の不動産を、節税に役立つからとそれにふさわしく形態変換してしまうと、納税資金にあてるため売却しようと思ってもそれができなくなっていた、などということも起こり得るからです。

土地による物納を考えている人は、その土地が、国が管理処分に困るような物件ではないかどうかを、あらかじめチェックしておく必要もあるでしょう。物納を認められないこともあるからです。

納税資金の準備には、生命保険の活用が最適とされていますが、終身型の保険以外は被相続人の死亡より早く期限がきてしまうこともありますし、期限を過ぎると保障額が小さくなってしまうものもあるので、どの種類の生命保険を選ぶかの配慮も必要になってきます。

残す財産は分割しやすくしておく

相続人同士の争いを避けるための対策としては、財産を分けやすくしておくことが第一です。

節税対策

● 課税財産の評価額が低くなるように工夫する

● 基礎控除がなるべく多く適用されるように工夫する

● 税額控除の特例を活用できるように財産形態を変えておく

贈与

2000万まで非課税

配偶者

役立ち情報◆新しい特例措置を見逃さないで　相続税の対象となる財産の評価額は、社会情勢の変化とともに変わってくる。1度だけで安心せずに、定期的な再評価を繰り返したいもの。

　例えば主な相続財産が自宅しかなく、そこに母と弟が居住している場合、売るわけにはいかないので、通常は法定相続分による共有という形で相続することになりがちですが、兄にとっては自分が利用できない土地・建物では意味がなく、相続人間の分割協議もスムーズには進まなくなります。

　こういう場合は、**代償分割**といって、母や弟が兄の相続分を代わりに現金で支払ったり、現金以外の財産で渡したりする方法がありますが、それらの現金や財産がなかったら、この分割方法も不可能となりますから、被相続人は生前から、そのことへの対策も考えておく必要があるでしょう。

　また例えば被相続人の生前に、その自宅を節税対策のため自分たちの住居も兼ねた賃貸アパートに建て替えたとすると、相続が発生したとき、これが複数の相続人たちの共有という形に落ち着きやすく、納税資金のために売却しようと思ったら共有者全員の合意が必要になりますから、１人でも反対者がいたら換金はできなくなります。

　こういう場合のためには、最初からその建物を分割し、それぞれ独立した建物として区分登記することによりトラブルを避けることができるでしょう。

　遺産分割をめぐるトラブル防止には、**遺言書**を作成しておくのが効果的です。遺産分割において遺言が最優先されるからです。

　遺言が遺されていない場合には、相続人たちは話し合いによって遺産の分割を決めます。遺産分割の協議が相続税の申告期限までに成立していないと、相続税の申告の際に「配偶者の税額軽減」の適用を受けることができず、納税額が多くなります。もちろん修正申告はできますが、当初は軽減を受けない金額での納税が必要となり、多くの納税資金の確保が必要となります。

　また、遺産分割協議が相続開始後10年以内に成立していない場合には、特別受益や寄与分を主張できなくなります。

　こういったことからも、遺産分割が早めに整うような財産の残し方が重要かもしれません。

納税資金対策

●納税資金にあてる必要のある不動産などは売却しやすい形態にしておく
●生命保険を活用する

相続人同士の争いを避ける対策

●財産は分割しやすい形態にしておく
●遺言書を作成し、各人に相続させる財産は具体的に指定しておく

●生前からの節税対策

また、税金に関する法律には、しばしば新しい通達による特例措置などの変更がある。それに従って節税対策も変わってくるので、新通達を見逃さないようにすることも大事だ。

生前贈与は基礎控除を
上手に利用して節税を

贈与は特例を除き110万円までなら無税、相手が配偶者なら2000万円まで無税だから2110万円分の節税

▌贈与税の高率課税を忘れない

　相続税を少なくすませる一番の早道は、課税対象となる財産を生前に減らしておくことです。かといって子や孫にむやみに譲り渡すとそれには贈与税がかかってきます。

　もともと贈与税というのは、そのような相続税逃れを防止するために作られた一面を持っていますから、課税率も相続税よりぐんと高く、相続税の場合1000万円以下は10％、1000万円超3000万円以下は15％であるのに対し、贈与税が10％ですむのは200万円以下で、1000万円超1500万円以下には、なんと45％が課税（直系尊属からの贈与は40％）されてしまうのです。それなら相続税を払うほうが安上がりということになるでしょう。

　それに相続税は、課税対象となる財産の所有者が死亡した時点で発生するものですが、贈与税は生前に発生しますから、納税時期がずっと早まることになり、その間にその税金分のお金が生み出す金利を考えたら、やっぱり相続税を払うほうが得だったということだって起こり得ます。

　常に所有財産の評価額をしっかりと把握し、それに対する相続税負担額を計算して、贈与税との対比を3年に1度ぐらいは試算する努力も必要でしょう。

　しかし贈与は相続と違って、長期にわたり少しずつ行うことが可能という利点を持っていますし、少額を何回にも分けて贈与すれば課税率も相続税とあまり変わらなくなってきます。

▌1人に対し年間110万円まで無税

　それに、贈与税にも相続税と同様、基礎控除の枠があり、金額は大きくはありませんが、**贈与する相手1人につき年間110万円までなら無税**なのです。

　たった110万円ぽっちでは、と思うかもしれませんが、贈与する相手を10人にして、それを10年間続ければ1億1000万円の財産を税金なしで減らすことができるのです。

　それでも少な過ぎると思うなら、最低税率の10％が適用になる200万円を贈与してもよいでしょう。その200万円に基礎控除の110万円を加えれば310万円の贈与ができるわけです。

　ただし、ここで気をつけなければいけないのは、最初の年に1000万円あげます、もらいます、と贈与する人と贈与を受ける人とで契約ができていて、それを10年間に分けて贈与しても、それはあくまで最初の年に全額を贈与したことになります。

　この場合には、最初の年に1000万円の贈与を行い、お金を分割の方法で贈与したことになり、基礎控除額110万円は最初の年の1回しか使えず、また贈与税も初年度に納める必要が生じてしまうので、注意が

　役立ち情報◆値上がりする財産は贈与へ　相続税も贈与税も、ともにその時点での財産評価額で課税される。その意味では、将来値上がりすると思われる財産は相続財産として残さずに贈

必要です。

相続開始前7年以内の贈与は

　そしてもう1つ気をつけなくてはならないのが、相続開始前7年以内に受けた贈与は贈与と認められず、相続税の計算に組み込まれてしまうことです。ですから、相続の時期が迫ってきたからとあわてて毎年110万円の贈与を始めても、7年目にその人が亡くなったら、計画の意味はなくなるわけです。これも相続税逃れの防止策の1つなのです。

　ただし、この規定は相続や遺贈で財産を取得した人の場合に限られますから、孫とか甥とか姪など通常は相続人に加えられることのない人々への贈与なら心配ないといえるでしょう。

配偶者控除を活用しよう

　配偶者への贈与は2000万円まで無税、というこの特例によって得た財産は、たとえそれが相続開始前7年以内の贈与であっても、相続税の計算に組み込まれることはないのです。それに基礎控除の110万円を加えると合計2110万円の控除となるわけです。

　ただしこの配偶者控除には、婚姻期間が20年以上の夫婦であること、贈与する財産は居住用の不動産またはそれを取得するための資金であること、同一夫婦間では1回限りであること、などの条件がつけられています（172ページ参照）。

　それに、相続開始の年の贈与にだけはこの特例は適用されないので、贈与するならなるべく年末に近いほうがよいでしょう。

　そしてもう1つ、基礎控除以外を活用して節税する方法には、相続時精算課税制度という相続税と贈与税の一体方式がありますが、それについては18ページと次のページをご覧ください。

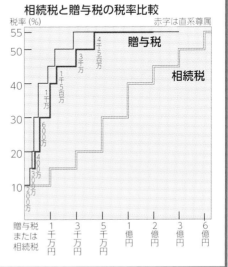

相続税の速算表　　A×B－C＝税額

各法定相続人の取得金額（A）	税率（B）	控除額（C）
1000万円以下の金額	10%	—
3000万円以下の金額	15%	50万円
5000万円以下の金額	20%	200万円
1億円以下の金額	30%	700万円
2億円以下の金額	40%	1700万円
3億円以下の金額	45%	2700万円
6億円以下の金額	50%	4200万円
6億円超の金額	55%	7200万円

贈与税の速算表　　A×B－C＝税額

贈与税の税率構造（A）	税率（B）	控除額（C）	直系尊属（B'）	控除額（C'）
200万円以下の金額	10%		10%	
300万円以下の金額	15%	10万円	15%	10万円
400万円以下の金額	20%	25万円	15%	10万円
600万円以下の金額	30%	65万円	20%	30万円
1000万円以下の金額	40%	125万円	30%	90万円
1500万円以下の金額	45%	175万円	40%	190万円
3000万円以下の金額	50%	250万円	45%	265万円
4500万円以下の金額	55%	400万円	50%	415万円
4500万円超の金額	55%	400万円	55%	640万円

相続税と贈与税の税率比較

与へ回したほうがよいだろう。物価上昇につれて相対的に値打ちの下がる現金や預貯金よりも、人気の高いゴルフ会員権や上場株式などのほうが贈与には向いているといえる。

相続時精算課税制度の
上手な利用の仕方

生前贈与を円滑に進めるための相続時精算課税制度にはメリットとデメリットがある

相続時精算課税の有効利用

相続時精算課税は、高齢化の進展に伴い、相続による資産の移転時期が大幅に遅れているため、この資産の早期移転を促す生前贈与を、より円滑に進める狙いで導入されました。

一度この制度を選択してしまうと暦年課税に戻すことができないことや、相続時精算課税を選択して贈与を受けた財産は、相続の際には贈与を受けたときの時価で評価をして相続税の計算をすることから、贈与を受けたときから時価が下落した場合には、相続税が割高になってしまうといったリスクはあるものの、財産分与に親の意思を確実に反映することができます。

また、収益性の高い財産を早期に子に贈与することで、将来の相続税の課税財産を縮小することもできます。また、110万円の基礎控除が創設され、この基礎控除分は相続時に加算されることはありません。このことも相続時の課税財産を縮小することにつながります。

相続時精算課税は、メリット・デメリットをよく考えて選択すべき制度といえます。

取引相場のない株式にかかわる納税猶予制度

事業承継相続人（後継者）が、相続等により、経済産業大臣の認定を受ける非上場会社の議決権株式等を取得し、その会社を経営していく場合には、その後継者が納付すべき相続税額のうち、その議決権株式等（一定の部分に限る）にかかわる課税価格の80％に対応する相続税の納税が猶予されます。

この制度の適用を受けるためには、さまざまな要件を満たす必要があります。経済産業大臣の認定を受けるなどの手続きもあり、納税が猶予されている相続税額に相当する担保の提供も必要です。

また、後継者が申告期限後5年以内にその会社の代表でなくなった場合などの一定の場合に該当すると、この制度による相続税の納税が猶予されなくなり、猶予を受けていた相続税と猶予を受けていた期間に対応する利子税を納付する必要が生じます。

後継者が死亡した場合などには、猶予を受けていた相続税の納税は免除されます。

この制度は制限が多く、2018年に大幅に改正になりました。詳しくは224ページで解説しています。

借入金負担付贈与は
贈る財産の種類に注意

借入金負担付贈与というのも、贈与する財産によっては相続税節税に役立ちます。

借入金負担付というのは、何か財産を贈与するときに、贈与者がその財産を手に入

役立ち情報◆海外居住者への贈与のメリット　海外に所有している不動産を贈与する場合、受贈者の住所地が日本にあれば日本の贈与税が課せられ、外国にあれば贈与税に相当するその国

れるためにした借入金の一部を贈与財産と一緒に受贈者に贈るというもので、受贈者は財産を取得すると同時に負債も引き継ぎ、それを返済していかねばなりません。

しかし、例えば時価1億円分のゴルフ会員権と一緒に7000万円の借入金も受贈した場合、贈与税計算の折に、ゴルフ会員権は時価の70％で評価されるのが通常ですから、借入金の7000万円を差し引くと財産額はゼロになり、受贈者は贈与税を払う必要がなくなります。

ただし、贈与者のほうには、借入金相当額で受贈者に贈与財産を売却したとみなされ、譲渡所得税が課せられることを頭に入れておきましょう。また、借入金を返済する能力が受贈者にない場合には、負担付贈与は認められないこともあります。

かつては、土地・建物といった不動産にそのローンをつけて贈与するケースが多く見られましたが、法律の改正で、土地・建物や上場株式、気配株式などは時価、つまり通常の取引価格で評価されるようになったため、これらの財産には、借入金負担付贈与による節税効果はなくなっています。注意しましょう。

農地の贈与税には納税猶予制度がある

農業を営んでいる人が、年を取るなどしてその経営を子供にゆだねようとした場合、法律通りにいけば、所有する農地には莫大な贈与税がかかってきます。納税のために、生活の基盤となっている土地を売らなくてはならないということも起こり得るでしょう。

それらを考慮して作られたのが「**農地等の贈与に対する納税猶予の特例**」で、農地の場合は一括贈与に限り、生前に贈与しても贈与税はかけられません。この特例の適用を受けるには、下表の通りいくつかの条件がありますが、それを満たしていれば、贈与日の翌年の3月15日までに申告書を提出します。

ただし、贈与者の死亡によって相続が起こると、農地は相続財産にふくまれ、相続税の対象となります。しかしその際、一定の要件を満たしていれば、農業を継続していく限り、終身にわたり相続税納税猶予制度の適用を受けることもできます。

農地等の贈与の納税猶予の特例を受ける条件

①贈与財産が農地、採草放牧地ならびに準農地であること

②贈与者は贈与日まで3年以上継続して農業経営を行っていた個人であること

③受贈者は贈与者の推定相続人の1人であること

④受贈者は贈与日に18歳以上であること

⑤受贈者は贈与日まで3年以上継続して農業に従事しており、取得日後すみやかにその贈与財産にかかわる農業を営むこと

⑥贈与財産は贈与者の農業の用に供していた農地の全部と採草放牧地及び準農地のうち2/3以上の面積の土地であること（ただし3大都市圏の特定市の市街化区域内農地については生産緑地として指定されない限り納税猶予は適用されない）

⑦農業委員会の証明時に担い手になっていること※

※担い手とは①認定農業者、②認定新規就農者、③基本構想水準到達者（効率的かつ安定的な農業経営者になっている者）のいずれかの者。

の税が課せられるが、相当する税がなければ無税ですむし、あっても税率が日本より低ければ節税になる。贈与に適した海外居住者がいれば、そこに不動産を取得するのも一法だろう。

生前からの節税対策

中小企業を承継する際の相続税・贈与税の特例措置！

中小企業の非上場株式等の相続税・贈与税の納税猶予と免除を全面的にサポートする改正！

中小企業を応援するために作られた事業承継税制！

中小企業が事業を承継する上で、税金面の負担は重くのしかかる場合が多いのが現実です。上場されていない自社の株式を、事業承継を目的として、先代の経営者から後継者へと相続・遺言・贈与で引き継がせる場合に、それによって発生する相続税や贈与税を納めるために、その事業から撤退するなどの例も多く見られました。

このような中小企業のリスクをなくすことを目的に「非上場株式等の相続税・贈与税の納税猶予および免除の特例」という制度が2008年に創設されたのです。

ただし、この特例は222ページでも触れているように受けるための要件が大変厳しく、納税猶予が途中で打ち切りになった場合の納付のリスクも大きいため、適用件数はなかなか伸びていませんでした。

10年間の特例措置で中小企業の事業承継を支援

事業の承継を税制面から支援するために作った制度なのに全然利用されていない。このような現状を打開するべく、2018年に10年間の期間限定で抜本的に拡充されることになったのです。

まず、従来の納税猶予の対象となる株式の制限（発行済みの株式の3分の2）を撤廃した上で、納税猶予割合が80%から100%に拡大されることになりました。これにより相続税の場合は従来税額の約半分（3分の2の80%＝53.3%）しか納税猶予の対象となっていなかったものが、100%納税猶予の対象となったのです。

また、事業承継制度の活用のハードルを上げていた雇用確保要件（5年間平均で雇用の8割を維持）についても、従来はできなかった場合、その時点で納税猶予は打ち切りとなり、利子を含めた全額の納付となっていました。これは満たせない理由について認定経営革新等支援機関の意見を記載した書面を提出することで、納税猶予が継続することになりました。

もう1つ見逃せないのが適用の対象を増やす目的で新設された措置です。従来、先代経営者から後継者は1人のみに限られていました。これを納税猶予を受けることができる後継者を最大3名に増やしたのです。加えて申告期限後5年の間に、先代経営者以外の人から承継する自社株も納税猶予の対象とすることになったのです。

そして、申告期限から5年を経過した後に、経営状態の悪化などを理由に自社株を手放す場合、従来は理由を問わず、途中で手放した場合にはそれに対応する税額が全額納付の対象になっていました。これも納税額の一部が免除される優遇措置が取られました。

役立ち情報◆特定事業用資産の減額の適用 特定事業用資産の減額の適用を受けることができる財産は他にもある。特定森林経営計画対象山林を取得した個人で、その被相続人の親族であ

税制適用の入り口要件を抜本緩和

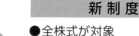

旧制度	新制度
●総株式の最大3分の2が対象	●全株式が対象
●猶予の割合80%	●猶予の割合100%
●承継後5年間平均8割雇用の維持が必要	●雇用の要件を撤廃※

※5年後に平均8割の雇用維持が満たせず、経営悪化している場合などに、認定経営革新等支援機関のサポートが必要になる。

承継対象者の拡充

「複数人→1人」および「1人→最大3人（代表者）」がOK!※

※旧制度では「1人の先代経営者から1人の後継者」だけだったが上記の両方の場合も新たに事業承継の対象に！

承継後の負担の減免制度

税負担に対する将来のリスクを軽減するために、会社を譲渡（M&A）・解散した場合には、税額を再計算する。

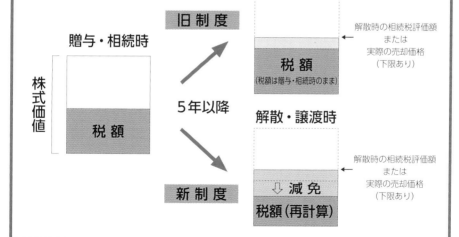

りかつ相続開始のときから申告期限まで引き続き森林経営計画に基づき施業を行っている人が相続・遺贈または相続時精算課税による贈与により取得したものが適用される。

小規模宅地等評価の特例で 80％も減額される

相続した土地が複数あるなら小規模宅地等評価の特例を適用するのは評価額の高いほうに

土地は節税対策の 王座をおりたか？

地価の値上がりが続いていた時代、ことにその急騰が騒がれていた時期には、現金があるならそのお金で土地を買うのが何よりの節税策とされていました。

1億円の現金や預貯金は、相続するときに財産としてそのまま1億円の評価を受けますが、それを土地に換えておくと、相続税の対象としての土地は、実際の取引価格よりは20～30％も低く設定された路線価で評価されますから、それだけでもう20～30％の節税になっていたのでした。

そのため、相続税逃れにみんなが土地を買いあさるようになり、それがまた地価を高騰させるという悪循環。1988年に大蔵省（当時）が租税特別措置法の特例を設置し、相続開始前3年以内に取得した土地は、路線価でなく取得価額で評価することに決めたのも、取引時価の急騰に路線価の改定が追いつかなかったからでした。

しかし、バブル経済が崩壊して地価の急落が始まると、今度は逆に路線価よりも取引上の時価のほうが低くなってしまい、節税どころかその土地の売却資金でも納付すべき税額に満たないという状況が続いています。

小規模宅地等とは？

しかし、だからといって土地が相続税の節税対策に全く役立たなくなったというわけではありません。さまざまな優遇措置を活用することで、まだまだ土地は節税を考える人々の有力な味方になってくれます。

その1つが「小規模宅地等の課税価格算入額の特例」の上手な活用でしょう。196ページで述べた通り、小規模宅地等とは、被相続人が事業や居住のために使っていた土地のことで、それを相続した場合、事業用でその土地の400㎡または居住用で330㎡までの部分については、宅地としての価額の20％で評価しようというのがこの特

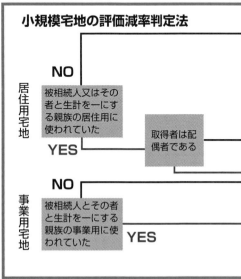

小規模宅地の評価減率判定法

居住用宅地
NO
被相続人又はその者と生計を一にする親族の居住用に使われていた
YES
取得者は配偶者である

事業用宅地
NO
被相続人とその者と生計を一にする親族の事業用に使われていた
YES

（注1）相続開始前3年を超えて事業的規模により貸し付けを

役立ち情報◆居住用宅地の特例が見直された 2014年の税制改正により、介護保険施設等に入所したことにより被相続人の居住の用に供されなくなった家屋の敷地の用に供されていた宅

例。なんと80％も相続税評価額が減額されるのです。

ただし、小規模宅地等といっても、この80％減額が適用されるのは①特定事業用宅地等、②特定居住用宅地等、③特定同族会社事業用宅地等に該当するもののみで、④貸付事業用宅地等には50％の減額が適用されます。

もう少し詳しくいえば、特定事業用宅地等とは、被相続人の事業用宅地だったもので、それを取得した被相続人の親族が、申告期限までにその事業を引き継ぎ、申告期限までその宅地を所有し、引き続き事業を営んでいるもののことで、特定居住用宅地等とは、被相続人の居住用宅地だったもので、配偶者や被相続人と同居または生計を一にしていた親族が申告期限までに取得し、自己の居住の用に供した宅地のことです。

貸付事業用宅地等とは、被相続人が不動産貸付業等に使っていた土地等で、それを取得した相続人が申告期限までその土地を所有し、その不動産貸付業等を継続している場合には50％の減額となります。

まず遺産分割の確定を

この特例は、特定事業用宅地と特定居住用宅地を取得した場合には、それぞれの限度面積を上限として適用を受けられますが、貸付事業用宅地にも適用を受けようとすると、限度面積の計算が変わってきます。複数の土地を取得した場合には、どの土地に適用するか評価額や限度面積を勘案して、節税効果の高い方法を選択しましょう。

また、この特例の適用を受けるためには、相続税申告期限までにその宅地を相続人が取得していなければなりません。各相続人間の分割協議が成立し、分割の割合と方法が確定していなければならないのです。スムーズな遺産分割が、そのためにも大切になってくるわけです。

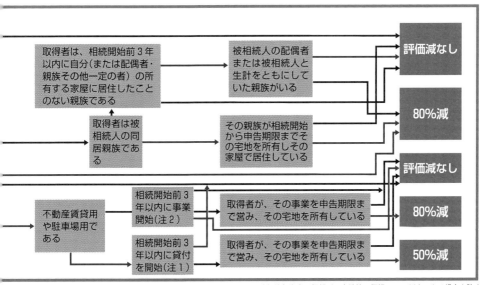

行っている人を除く　（注2）宅地等の上で事業の用に供されている減価償却資産の価額が、宅地等の価額の15％以上である場合を除く

地等については、相続の開始の直前において被相続人の居住の用に供されていたものとして小規模宅地等の評価の特例が適用されることになった。

●生前からの節税対策

貸宅地にすると土地の評価額が下がり、節税効果が高い

借地権と底地の交換や等価交換方式の活用なども、所有の土地を節税に役立てるよい方法

土地の評価額を下げるには

土地神話は崩壊しましたが、さら地のままで置いておけば相続のときに基礎控除額だけしか税の軽減のない土地も、その土地を人に貸すとか、そこに建物を建てて賃貸すると、大きな評価減を実現できます。建物を建てる資金を借入金でまかなうと、その負債額を土地評価額から差し引くこともできるのです。

では、土地そのものを貸す場合と、借金するかどうかはともかく建物を建てて賃貸する場合とでは、相続税にどのような違いが出てくるでしょうか。

貸宅地の場合は？

まず土地そのものを貸している場合、通常はそこに借りる側の借地権が設定されていますから、その宅地の通常価額から〈その宅地の通常価額×借地権割合〉を差し引いたものが課税対象額となってきます。これによってかなりの評価減を期待できることは確かです。ことに都心部ではこの借地権の占める割合が大きいので、節税効果はさらに大きいでしょう。

しかし、借地権が設定されているということは、その土地が所有者の自由にならなくなっているということでもあり、たとえ相続人が納税資金にするため売却しようとしても、物納に利用しようとしても、たやすくはそれができません。つまり貸宅地にすることは、節税には役立っても、他にいろいろ厄介な問題を派生させる結果となりがちなのです。

借地権と底地の交換とは？

この難題の解決策の1つとしてよく利用されるのが、借地権と底地の交換です。

「底地」というのは借地権が設定されている地主の土地のことですが、たとえば500㎡の底地に60％の借地権が設定されている場合、これを借地人60％、地主40％の割合で交換すると、借地人は借地権の40％を、地主は底地の60％を相手に譲渡したことになり、借地人が300㎡、地主が200㎡の完全所有権を持つことになります。つまり200㎡までなら地主は自由に処分することができるわけです。

このような交換には、資産を相互に譲渡したという意味で、通常なら所得税が課せられるものなのですが、一定の条件さえ満たされていればその課税はなく、住民税も課せられません。

貸家建付地の場合は？

ところで、もう1つの土地活用法、土地に地主が建物を建ててそれを賃貸していた場合ですが、その土地には貸家建付地の評価が適用され、その宅地の評価額から〈その宅地の評価額×借地権割合×借家権割

役立ち情報◆「定期借地権」は土地所有者にいろいろ有利　借地権の中には50年以上、30年以上、10年以上50年未満など一定の期間を限って設定される定期借地権もある。土地の所有者にと

合〉を差し引いたものが課税対象額となります。

借家権割合の加わった分だけ評価額は高くなりますが、それでも9％から27％の評価減が実現できます。

土地については、貸付事業用宅地であるので、他の要件を満たしていれば、200㎡まで50％の評価額が減額される小規模宅地等の課税価格の計算の特例の適用を受けることができますので、評価額がさらに下がることになります。

等価交換方式とは？

自分の土地にアパートやマンションを建てたくてもその資金がない場合など、「等価交換方式」を利用するのも大きな節税につながります。

この方式は、地主が土地を現物出資し、ディベロッパー（住宅開発業者）が建築費を出資して建物を建て、双方の出資比率に応じて、その建物を所有するというやり方です。

土地の一部がディベロッパーの手に渡ってしまいますが、一定の条件さえ満たしていれば税金（譲渡税）を支払わずに、しかも借金なしで建物を所有できることは、その損失を超える大きなメリットといえるでしょう。

建った建物は貸家として、通常、固定資産税評価額の70％で評価されますし、土地は貸家建付地として、さら地の評価額から借家権分を控除することができます。

それに、建物を賃貸することにより、事業用宅地として土地の200㎡までが、貸家建付地価額の50％で評価されるのも見逃せぬメリットでしょう。

ただし、せっかく節税のためにマンションを建てても経営がうまくいかなければ意味はありません。賃貸による採算を十分に考慮した上での実行を忘れないようにしてください。

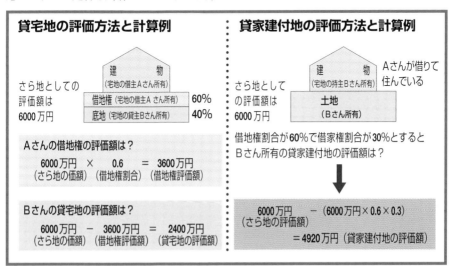

貸宅地の評価方法と計算例

さら地としての評価額は6000万円

建物（宅地の借主Aさん所有）
借地権（宅地の借主Aさん所有）　60％
底地（宅地の貸主Bさん所有）　40％

Aさんの借地権の評価額は？

6000万円　×　0.6　＝　3600万円
（さら地の価額）（借地権割合）（借地権評価額）

Bさんの貸宅地の評価額は？

6000万円　－　3600万円　＝　2400万円
（さら地の価額）（借地権評価額）（貸宅地の評価額）

貸家建付地の評価方法と計算例

さら地としての評価額は6000万円

建物（宅地の持主Bさん所有）　Aさんが借りて住んでいる
土地（Bさん所有）

借地権割合が60％で借家権割合が30％とするとBさん所有の貸家建付地の評価額は？

6000万円　－　（6000万円×0.6×0.3）
（さら地の評価額）

＝4920万円（貸家建付地の評価額）

●生前からの節税対策

っては、1度に大きな現金（保証金）が得られる、安定した地代収入と保証金の運用益が得られる、その土地が住宅用に使われた場合は固定資産税などが軽減されるなど、メリットは少なくない。

生命保険金の相続は1人500万円が非課税になる

被保険者、保険料の負担者、保険金の受取人をそれぞれ誰にするかで節税効果は変わる

保険金は納税資金に絶好

相続が発生してから10か月以内に納付しなければならない相続税。こんなとき、死亡した被相続人が生命保険に入っていると、受け取った保険金を納税資金に役立てることができてたいへん助かります。

定期的に保険料を支払うということは、のちに相続税の対象となる財産を生前にその分だけ減らせるということですし、万が一の場合には、支払った保険料の総額をはるかに超える保険金が納税用に役立つ現金となって返ってくるのですから、実質的に見てこれはたいへん上手な生前からの納税・節税対策ということができるでしょう。

80ページで述べたとおり、生命保険金はみなし相続財産として相続税の対象になりますが、遺贈の場合を除いて、500万円×法定相続人の数だけ非課税扱いになりますから、この節税メリットも見逃すことはできません。

この場合、保険金の受取人が誰であるかは関係なく、しかも法定相続人の数の中に、相続を放棄した人も加えることができるのです。

注意したいのは、生命保険にはいろいろな種類がありますが、被保険者の生涯にわたり死亡保障が続く終身型の保険以外は、被相続人の死亡の前（つまり相続開始の前）に期限（通常は最長80歳まで）がき

てしまうことも起こり得て、そうなれば前述の非課税扱いを受けられなくなってしまうこと。期限を過ぎると保障額が少なくなってしまうものもあるので、保険料は高くても終身型の保険にしておくことです。

それにもう1つ心得ておきたいのは、相続税の全額を生命保険金で支払おうとしたら、かなりの額の保険に入らねばならないことと、逆に、高額の保険に入れば入るほど相続税額も高くなるということです。生命保険金だけで相続税を払うには、どれぐらいの保険金が必要になるか、右ページの表を一応の目安にご覧ください。

保険料負担者が常に被相続人とは限らない

納税資金対策だけでなく、もっと積極的な生前からの節税対策として、生命保険を活用する方法もいくつかあります。

その1つが、1人につき年間110万円までなら非課税となる贈与のメリットを生かしたもので、被保険者を被相続人とし、保険金受取人を相続人（例えば子供）とするところまでは通常通りですが、保険料の負担者を被相続人ではなく相続人として契約するのです。

そして、相続人が実際に支払わねばならない保険料への充当金は、贈与という形で被相続人から相続人へ贈るというわけ。年間110万円までなら無税です。

役立ち情報◆保険料の生前贈与の注意点 保険料の生前贈与には、贈与事実を明白にできる証拠を残しておくことが必要。例えば贈与契約書を作成するとか、金銭は被相続人の預金口座か

このやり方だと、被相続人が死亡した場合、相続人が受け取る保険金は、相続財産ではなく一時所得として所得税がかかってきますが、税率が相続税より低いため、結果は大きな節税となります。

こうすれば、生前贈与によって財産を減らせると同時に、高率の相続税負担からも逃れられるでしょう。

ただし、保険料を生前贈与する場合には、贈与契約書などの作成によって、生命保険料の贈与があったことを立証する資料を残しておく必要があることを忘れないでください。

生命保険の契約形式を生かした節税法としては、その他に、被保険者を相続人（例えば子供など）にして、保険料負担者と保険金受取人を被相続人にするやり方もあります。

これだと、212ページで述べたように被相続人の持っていた生命保険契約に関する権利が相続税の課税対象となります。

被保険者が亡くなったわけではないので保険金は入ってきませんが、その保険を解約した場合に戻ってくる解約返戻金が相続税の対象となるため、実際に解約すれば、解約返戻金に課される相続税額よりも多くの返戻金を受け取れる可能性が高いので、メリットがあると考えられます。

生命保険については、相続税の節税になることもそうですが、被相続人が相続させる人を決定することができる、ということが大きなポイントと言えるでしょう。

遺産額と、その相続税額を全額支払うのに必要な生命保険金額
（各人が法定相続分で相続した場合／単位は万円）

相続人＼遺産額	1億円	2億円	3億円	4億円	5億円	10億円
配偶者と子1人	385	1670	3460	5460	7605	1億9750
配偶者と子2人	315	1350	2860	4610	6555	1億7810
配偶者と子3人	262.49	1217.48	2540	4154.97	5962.48	1億6635

契約の仕方で変わる生命保険への課税関係

契約者	被保険者	受取人	税金の種類	課税対象額
被相続人	被相続人	相続人	相続税	相続税課税対象額＝受取保険金－非課税金額
		相続人以外の人	相続税	相続税課税対象額＝受取保険金
相続人	被相続人	相続人	所得税	所得税課税対象額＝（受取保険金－払込保険料－50万円）$\times \frac{1}{2}$
被相続人	相続人	被相続人	相続税	解約返戻金の額

ら相続人の預金口座に自動振込にするとか、保険料を受贈者の口座から自動引き落としにするとか。もしそれが年間110万円を超えたときには贈与税の申告を忘れないこと。

非上場なら自社株評価額を
下げる長期の節税計画を

従業員に株を売却するのも株式評価額を下げる方法だが、社外への株式流出に対策を

後継者へ上手に持株の移転を

評価額

自社株

同族会社の経営者は、自社株の評価額をなるべく低くしてから持株を後継者に移転するよう心がけよう

同族会社の経営者が死亡して相続が起こったとき、一番問題になるのが自社株の評価です。同族会社というと、株の大半を経営者と家族が所有しているのが一般的ですが、その株式が証券取引所で売買の対象となっていない非上場株式の場合、会社の業績がよかったり、ふくみ益の多い不動産を持っていたりすると、課税の際の株式評価額が、額面の数十倍になることもよくあります。

会社の後継者である相続人に納税資金の準備があればよいのですが、そうでないと、非上場株式は取引市場がないために換金がしにくく、もし換金できたとしても、経営者としての支配権を持続するために限界以上は持株を手離せませんから、結局納税資金をどこかから調達しなければならな

くなってしまいます。

そこで、生前から経営者は長期的計画を立て、自社株の評価額をなるべく低くしてから持株を後継者に移転（譲渡や贈与）し、自分の保有数を減らしておく必要が出てきます。では、自社株評価額を下げるのにはどんな方法があるでしょうか。

類似業種比準価額方式の場合

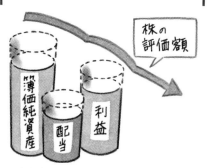

株の評価額

簿価純資産

配当

利益

類似業種比準価額方式で評価される場合、自社株の評価額を下げるには「配当」「利益」「簿価純資産」を減らすことだ

非上場株式の評価の仕方には、類似業種比準価額方式と純資産価額方式、この2つの併用方式、それに配当還元価額方式があることは203ページでもお話ししました。

普通、大会社は類似業種比準価額方式、小会社は純資産価額方式、中会社は両者の併用で評価が行われますが、一般的には類似業種比準価額方式のほうが純資産価額方式より評価額が低くなるので、会社の規模を大きくしたほうが自社株の評価は低くな

役立ち情報◆自社株評価減額制度　非上場株式については、多くの要件はあるものの、後継者にその株式を贈与あるいは相続した場合には、納税猶予の制度が設けられている。また2018

ることも一応頭に入れておいてください。

そこで本題に戻りますが、類似業種比準価額方式で評価される場合、株式の評価額を下げようと思ったら、比準のための3要素である配当・利益・簿価純資産のうちのいずれかを減らすことによって狙いは実現できます。

もっと具体的にいえば、「配当」を減らすには配当率を下げる、特別配当を活用するなどの方法がありますし、「利益」を減らすには会社を分割して利益を分散させる、役員報酬を高くする、「簿価純資産」を減らすには借入金で不動産を購入する、会社を分割して資産を分散させるなどが考えられるでしょう。

純資産価額方式の場合

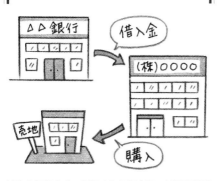

純資産価額方式で評価される場合は、純資産価額を減らすことが自社株の評価減につながる

一方、純資産価額方式で評価される場合は、純資産価額を減らすことが第一ですから、土地の取引価額が評価額よりも高い場合は借入金で土地を購入するのもよい方法です。会社所有の土地・建物には評価額が適用されますから、例えば1億円の借金で買った土地が5000万円程度の資産評価と

なる場合には、差額の5000万円が純資産価額からマイナスされることになるわけです。

会社が保険料負担者になって、後継者を被保険者にした保険契約を結び、保険料を借入金で払うというのも、純資産価額を減らす方法の1つです。

従業員持株会を作る

従業員持株会を作って従業員に株を売却するのも、自社株の評価額を下げるのに役立つ

従業員に株を売却するのも株式評価額を下げるのに役立ちます。従業員には配当還元価額という、低い値段で株式を売ることができ、課税の際の評価額も低くなるからです。

従業員に株を持たせることは、彼らの経営参加意識を向上させる点でも有意義ですが、そうすることによって株式が社外へ流出し、経営者の支配権に影響が出る恐れもあり得ます。

それの防止には、あらかじめ従業員持株会を設けて、退職者があるときには会社がその株を買い戻す規定にしておくとよいでしょう。持株会の持株比率は10%程度に抑えて、経営者の支配権を侵されないようにすることも必要です。

年の税制改正において、その要件について見直しが行われ、この制度の適用がさらに受けやすくなっている（224ページ参照）。

●生前からの節税対策

贈与には現金が得か株式が得か

Q 贈与で節税を考えるなら現金よりも上場株式のほうが有利だと聞きましたが。

A 上場株式を贈与した場合、課税のための評価額は①贈与した月の毎日の終値の平均値、②その前月の毎日の終値の平均値、③その前々月の毎日の終値の平均値、④贈与した日の終値のうち、最も低い終値が対象となります。その額が贈与時点の株価よりも安ければ贈

与税も少なくてすむわけ。この2〜3か月間上昇基調の株式なら、現金で贈与するよりも有利ということになります。

孫への生前贈与が節税に役立つ場合とは

Q 孫に贈与をすると税金を得すると聞きました。どういうことですか。

A 112ページでお話しした通り、遺言によって贈与（遺贈）する場合は、配偶者や子供、父母以外の人には

20％多く課税されますから、お孫さんへの遺贈は必ずしも得策とはいえません。

しかし、遺贈ではなく生前に贈与するのなら、場合によっては得をすることもあります。被相続人から相続人に贈与された財産は、それが相続開始前7年以内のものだと相続税の対象になることになっていますが、相続や遺贈によって財産を取得した人以外への贈与は、たとえ相続開始前7年以内のものであっても相続税の対象にはなりません。ですから、孫や息子の嫁など相続が発生しても財産を取得することのない人への生前贈与であれば贈与税の負担だけで済みます。

また、教育資金の一括贈与の非課税措置を利用した贈与については、贈与の時点で課税関係が終了しますので、贈与税は非課税ですし、一定の要件を満たせば相続税の心配も不要ですので、節税に一役買ってくれることでしょう。

自分名義の土地に建てた建物の収益を子供に与える有利な方法は

Q 私の所有地にマンションを建て、そこからあがる収益を息子に贈与したいのですが、建物の名義を息子にすると、相続が発生したときに土地はさら地で評価され、節税上不利になると聞きました。よい方法はありませんか。

Q&A

A 親の土地を子供が利用する場合、権利金はもちろん地代の支払いもないのが普通です。民法でいう使用貸借契約になっているからで、贈与税を課税されることもありません。そこへ子供名義の家を建てれば、その収益を子供が受け取っても何の問題もないでしょう。

しかし、おっしゃる通り、あなたが亡くなって相続が発生したとき、その土地には息子さんの借地権はありませんからさら地として評価され、相続税は当然高くなります。

このデメリットを解決する方法としては、マンションをあなたの名義で建てて、入居者との賃貸借契約をあなたが結ぶことです。

そしてそのあとで建物を息子さんに贈与すれば、建物には貸家の評価による贈与税がかけられて安くすみ、土地のほうも、贈与の時点では賃貸借契約の存在している建物の敷地だったわけですから、相続が発生しても、さら地ではなく貸家建付地として評価されて、税額を低く抑えることができるでしょう。

注意しなければならないのは、贈与後に入居した新しい借家人との間の賃貸借契約は息子さんが結ぶことになり、あなたと新しい借家人との間には権利関係がないため、その部分にかかる敷地については再び親と子供の使用貸借契約が発生

して、さら地評価を受けなければならないようになることです。

息子さんへの贈与の前に、あなたが不動産管理会社とマンション全体の賃貸借契約を結べば、借家人に出入りがあっても息子さんには関係なく、権利問題にまで波及することはなくなるでしょう。

● 認知されていない子供にも相続権はあるのか

Q 私の母はある男性の愛人でしたが、父は私を自分の子であると認知しないままに先日亡くなりました。私には父の遺産の相続権はないのでしょうか。

A 現在の法律では、あなたに相続権はありません。しかし認知を求める訴訟を起こすことはできます。訴訟の相手はお父さんとなるのですが、死亡されたので相手は検察官。訴訟は父の死亡後3年以内に起こさなければなりません。裁判所が「認知する」という判決を下せば、あなたにも相続権が生まれます。

column

●◆
こんなときに遺言書はぜひ必要だ

遺産をめぐっての相続争いを避けたいと思ったら、被相続人が生前に遺言書を作成して、残す財産をどのように処分してほしいか、自分の意思をはっきりと具体的に示しておくことが一番大事です。

ことに、以下に述べるような事情のある被相続人は、必ず遺言書を作成しておくべきでしょう。

●個人事業者、同族会社の経営者、農業経営者などで、自分が死んだあとその事業を継いでもらうため、法定相続分と異なる遺産を与えたいと思う人がいる場合は、遺言書にそれを指定しておくことが大切です。もしその人が娘婿であるといったように、法定相続人となる資格のない人である場合などは、特に遺言書は重要です。

●内縁の妻や愛人に対し、彼女たちのこれまでの労に報い財産を分け与えたいと思ったら、遺言書にそれを指定しておかねばなりません。もしも彼女たちとの間に未認知の子供がいれば、遺言の中で認知することにより、その子は非嫡出子として法定相続人の1人に加えられます。ただし、認知のためには届け出が必要なので、遺言書の中に必ず遺言執行者を指定しておくことを忘れないように。

●被相続人に子供がいない場合、残された配偶者の法定相続分は、故人の父や母が生きていれば2/3、父母がすでに亡くなっていて、故人の兄弟姉妹がいれば3/4となりますが、その義理の父母や兄弟姉妹に法定相続分を支払おうと思ったら、配偶者は自分の住んでいる家を売り、ときには家業を廃業せねばならないという事態も起こり得ます（2020年の4月からは配偶者居住権が新設されました。14ページ参照）。こんなときのために、妻の立場を考えた遺言書は大きな力を発揮するでしょう。先妻と後妻の両方に子供がいる場合も、トラブル防止には遺言書が大きくものをいいます。

●法定相続人ではないけれど、たいへんお世話になった人や、自分の子供の配偶者へも財産を分けたいときなど、遺言書にそれを指定することができます。公共機関や公益法人などに寄付をしたいときも同様です。

●逆に、法定相続人ではあるけれど財産を分け与えたくないという人がいる場合も、相続廃除を指定することができますが、法律的な効果を持つためには、遺言執行者が家庭裁判所に廃除の請求をし、それが認められなければなりません。

第 **9** 章

専門家への
依頼と
その窓口

相続税にしろ贈与税に
しろ申告は正しく、し
かもその中で上手な節
税を考えなければなら
ない。この双方をうま
く処理してくれるのが
税理士。その他にも、
相続問題が起きたと
きによき協力者となっ
てくれる専門家たち
はたくさんいる。

専門家〈税理士・弁護士〉に相談して上手な相続を

税理士、弁護士、公証人など、賢い遺産相続の力になってくれる専門家はたくさんいる

分野ごとに相続問題の専門家がいる

所得税の申告ならば、これは毎年のことなので、経験を重ねるうちに自分で処理できるようになっている人も多いでしょうが、相続税となると体験するのは一生に1度かせいぜい2度。いざとなってその処理にとまどう人は少なくないはずです。

もちろん、相続税や贈与税の申告は素人でもできないことではありません。しかし最も効果的なやり方で、正しい申告による節税をはかろうと思ったら、それの専門家である税理士に相談・依頼するのが一番の得策です。

税理士の他にも、相続問題が起きたときにお世話にならなければならない人はたくさんいます。分野別にそれをご説明しましょう。

節税のための最高の協力者は税理士

いま自分が所有している財産のうち、またはその所有者が死亡したために相続人たちが引き継ぐこととなった財産のうち、相続税の対象となるのはどれとどれか？ その評価額はいったいいくらぐらいなのか？ それを知りたいときに相談に乗ってもらえるのが税理士です。

財産の評価額というのは、例えば地価の高騰や下落など、そのときどきの社会情勢に応じて刻々と変化しています。遺産として残す財産の評価は、1度それをやったからといって安心していてはいけません。少なくとも3年に1度ぐらいは税理士に再評価を依頼し、現時点での評価額をしっかりと把握しておくべきでしょう。

把握された評価額を、節税のために低くしたいというとき、相談に乗ってくれるのも税理士です。法律にはさまざまな特例が用意されていますから、その特例を上手に活用するために財産の形態や内容を変えるなど、評価額を極力低く抑えるやり方を、税理士はいろいろと知っています。

贈与により財産の一部を移転することで財産額を減らすときも、贈与税を低くしたりゼロにしたりする上手なやり方を、税理士は教えてくれるでしょう。

財産の所有者が死亡して相続が起こったときに相続人が支払わねばならない相続税の納税資金をどのようにして準備しておけばよいか。それも税理士は考えてくれます。

税理士は上手な節税のための最高の協力者になってくれる

役立ち情報◆法務局で遺言書を保管してくれる　自筆証書による遺言書は自宅で保管されることが多く、遺言書を作っておいても紛失したり、捨てられてしまったり、書き換えられたりす

相続人たちが引き継いだ財産を、なるべく納税額が少なくてすむように、上手に分割する方法を考えてくれるのも、税理士の仕事です。

相続が開始されてから10か月以内に提出しなければならない納税申告書。その作成や手続きに最も精通しているのももちろん税理士です。現金による納税が不可能で、物納や延納によるしかない場合にも、税理士はいろいろと相談に乗ってくれますから、必要な場合には、まず各地方の税理士会に問い合わせて、お近くの税理士事務所を紹介してもらってください。

遺産分割のトラブル回避や解決には弁護士を

自分が死んだあとの財産を残された人たちが分け合うときに、トラブルが起こらないようにしたいと思ったら遺言書を残すことです。しかし遺言書には法律で定められた一定の方式がありますから、それに従って作成されていないと無効になってしまいます。正しい遺言書を作成するために、その手伝いをしてくれるのが弁護士です。

遺言の方式には普通、自筆証書遺言、公正証書遺言、秘密証書遺言の３つがあり、公正証書遺言と秘密証書遺言には２人以上の証人が必要ですが、弁護士はその１人になりますし、ほかの証人を紹介してもらうこともできます。

もちろん、一定の方式を逸脱しない限り、遺言書は自分で作成してもかまいません。ただし公正証書遺言の場合は、証人２人以上とともに公証役場へいき、そこで遺言を作成します。日本公証人連合会のも

と、公証役場は全国各地にあります。

自分が遺言したとおりに財産の分割を行おうと思ったら、遺言書の中に遺言執行者を指定しておくと執行が確実になります。執行者に依頼したい人が見つからない場合は、弁護士にお願いすることができます。

弁護士は遺産分割のトラブル予防や解決のよきアドバイザー

遺言書がない場合、相続財産をめぐって遺族にトラブルが発生したときも、力になってくれるのは弁護士。依頼した側の事情と法律とを勘案しながら、適切な解決策を考えてくれます。

弁護士会も全国にありますから、心あたりの人がいない場合は問い合わせてみてください。

なお相続財産をめぐるトラブルは、家庭裁判所に調停を申し立てて、第三者を介した話し合いにより解決をはかるという方法もあります。

遺産分割がすんだら、それぞれに財産を受け継いだ相続人は、不動産などの場合、相続登記の手続きをすませて名義変更しなければなりません。その書類の作成や手続きの代理をしてくれるのが司法書士です。

また、司法書士は、家庭裁判所への調停申立書類の作成や必要書類を取り寄せることなどもやってくれます。司法書士会も全国にあります。

専門家への依頼

るおそれがあり、また遺族に発見されないなどの問題があったが、2020年７月10日から法務局で預かって保管してくれる制度が始まった。詳しくは64ページ参照。

一体方式選択時の相続税との関連についてのアドバイス

税理士は節税の心強い味方だが、ここでは相続時精算課税制度の考え方をアドバイス

一体方式か非一体方式かはケースバイケースで選ぼう

　税理士は上手な節税のための最高の協力者であることは前項でも述べました。相続税、贈与税でお困りのときはいろいろと相談に乗ってくれます。

　ここでは贈与税の課税方式（相続時精算課税制度）について、監修の桒原亜矢子先生に聞いてみました。

　贈与税の課税方式には、相続税と一体方式である「相続時精算課税制度」と非一体方式である「暦年課税制度」があることについては、18ページでお話ししましたが、

どちらの制度を選んだ方が有利になるかは、いろいろな条件によって変わってきます。

遺産総額が相続税の基礎控除額以下の場合

　被相続人（親）の遺産が相続税の基礎控除額（3000万円＋〈600万円×法定相続人の数〉）以下と見込まれる場合は贈与をしてもしなくても相続税はかかりません。であれば、まとまった金額（2500万円以下）を贈与しても贈与税の負担がない相続時精算課税制度を利用すれば、早い時期に財産の移転をすることが可能となります。また、基礎控除額110万円もあり、この額までは

課税される遺産総額別の相続税額の割合（配偶者なしの場合）

		5000万円	7500万円	1億	1億5000万円	2億円
子1人	子(1人分)	（円）160万	580万	1220万	2860万	4860万
	合計	160万	580万	1220万	2860万	4860万
	税の割合	3.20%	7.73%	12.20%	19.07%	24.30%
子2人	子(1人分)	40万	197万5000	385万	920万	1670万
	合計	80万	395万	770万	1840万	3340万
	税の割合	1.60%	5.27%	7.70%	12.27%	16.70%
子3人	子(1人分)	6万6667	90万	210万	480万	820万
	合計	20万	270万	630万	1440万	2460万
	税の割合	0.40%	3.60%	6.30%	9.60%	12.30%

役立ち情報◆税理士の報酬について　税理士の報酬については従前に採用されていた税理士会の報酬基準があったが、現在では廃止されている。相続にかかる手続きや事務はいろいろあ

課税されません。仮に、3000万の現金を6年間で贈与したケースで考えると、1年目500万円－110万円（基礎控除）－390万円（特別控除）＝0円となり、贈与税の負担はありません。2年目から6年目までも同様に贈与税の負担はありません。その上、特別控除額がまだ160万円残っています。

また、基礎控除額相当分は相続税の計算に含まれませんので、相続財産を減らす効果もあります。

ただし、不動産を贈与すると不動産取得税が課税されますし、登録免許税の税率も相続の時よりも高くなりますので、注意が必要です。

それでも、早い時期に贈与税の負担を抑えて財産の移転ができることや、親が財産を引継ぐ子を確実に決定できるのは大きなメリットだと思いますので、この制度の選択について、一度検討してみる価値は大い

にあると思います。

相続時精算課税制度を選択した場合の注意点

相続時精算課税制度は一度選択してしまうと、暦年課税制度に戻ることはできません。また、精算課税制度を選択するには、贈与する側にも贈与される側にも年齢等の制限があることや、最初にこの適用を受ける際には戸籍謄本等の添付が必要であることなどの適用要件がありますので、それらを必ず確認してください。

相続時精算課税を最初に受ける時は期限内に申告をしないと適用を受けることができません。贈与を受けた財産の価額が基礎控除以下で、贈与税の申告が必要なくても「相続時精算課税選択届出書」等の提出が必須となりますので、忘れずに手続きをしてください。

2億5000万円	3億円	4億円	5億円	10億円
6930万	9180万	1億4000万	1億9000万	4億5820万
6930万	9180万	1億4000万	1億9000万	4億5820万
27.72%	30.60%	35.00%	38.00%	45.82%
2460万	3460万	5460万	7605万	1億9750万
4920万	6920万	1億0920万	1億5210万	3億9500万
19.68%	23.07%	27.30%	30.42%	39.50%
1320万	1820万	2993万3333	4326万6667	1億1666万6667
3960万	5460万	8980万	1億2980万	3億5000万
15.84%	18.20%	22.45%	25.96%	35.00%

る。依頼内容によって報酬は大きく違ってくるので、事前に税理士に相談することが大切。

税の相談はタックスアンサー・電話相談センター

タックスアンサー

税金について情報提供を行っているタックスアンサーは、電話とファクシミリによる情報提供を終了し、現在はインターネットでのみ行っています。よくある質問に対する回答を税金の種類ごとに調べることができます。相続税、贈与税、財産の評価の項目部分を選択してください。それぞれのコード番号で知りたい情報を得ることができます。

（情報は令和6年5月末日現在のものです）

国税庁ホームページを検索してください。
https://www.nta.go.jp

税務署の電話相談センター

電話による相談は「電話相談センター」で受け付けていますので、最寄りの税務署に電話してください。音声案内に従って「1番」を選択すると「電話相談センター」につながります。

税務署の電話番号がわからない場合は下記の国税局でおたずねください。また国税庁のホームページからも調べることができます。

札幌国税局	011-231-5011	北海道の全域
仙台国税局	022-263-1111	青森県、岩手県、宮城県、秋田県、山形県、福島県の全域
関東信越国税局	048-600-3111	茨城県、栃木県、群馬県、埼玉県、新潟県、長野県の全域
東京国税局	03-3542-2111	千葉県、東京都、神奈川県、山梨県の全域
金沢国税局	076-231-2131	富山県、石川県、福井県の全域
名古屋国税局	052-951-3511	岐阜県、静岡県、愛知県、三重県の全域
大阪国税局	06-6941-5331	滋賀県、京都府、大阪府、兵庫県、奈良県、和歌山県の全域
広島国税局	082-221-9211	鳥取県、島根県、岡山県、広島県、山口県の全域
高松国税局	087-831-3111	徳島県、香川県、愛媛県、高知県の全域
福岡国税局	092-411-0031	福岡県、佐賀県、長崎県の全域
熊本国税局	096-354-6171	熊本県、大分県、宮崎県、鹿児島県の全域
沖縄国税事務所	098-867-3601	沖縄県の全域

●タックスアンサーコード一覧

国税庁のホームページを検索、こちらの番号を打ち込むとすぐに回答を見ることができます。

相続税コード番号

相続と税金

4102	相続税がかかる場合
4103	相続時精算課税の選択
4105	相続税がかかる財産
4108	相続税がかからない財産
4111	交通事故の損害賠償金
4114	相続税の課税対象になる死亡保険金
4117	相続税の課税対象になる死亡退職金
4120	弔慰金を受け取ったときの取扱い
4123	相続税等の課税対象になる年金受給権
4124	相続した事業の用や居住の用の宅地等の価額の特例（小規模宅地等の特例）
4126	相続財産から控除できる債務
4129	相続財産から控除できる葬式費用

相続税の計算と税額控除

相続税の申告と納税

相続時精算課税

贈与税コード番号

贈与と税金

●専門家への依頼

INDEX

245

監修者紹介

桒原亜矢子（くわばら・あやこ）

神奈川県湯河原町生れ。大学卒業後、3か所の
会計事務所勤務を経て、2016年千代田区にて
桒原亜矢子税理士事務所を開業。

編 集 協 力	オネストワン
	（田中正一・田中一平・内田未央）
	株式会社Pacio

カバーデザイン	オーパノスタジオ
カバーイラスト	尾形一朗
本文レイアウト	石田浩子、大村タイシデザイン室
	曽我伸幸、オリーブグリーン（馬嶋正司）
本文イラスト	橋本美貴子、オオシマヤスコ、New Oil

企 画 ・ 編 集	成美堂出版編集部（原田洋介・芳賀篤史）

本書に関する正誤等の最新情報は、下記のURLをご覧ください。
https://www.seibidoshuppan.co.jp/info/sozoku-wakaru2406

上記アドレスに掲載されていない箇所で、正誤についてお気づきの場合は、書名・発行日・質問事項・氏名・住所・FAX番号を明記の上、**成美堂出版**まで**郵送またはFAX**でお問い合わせください。

※電話でのお問い合わせはお受けできません。

※本書の正誤に関するご質問以外にはお答えできません。また法律相談などは行っておりません。

※ご質問の到着確認後10日前後で、回答を普通郵便またはFAXで発送致します。

※ご質問の受付期限は、2025年の6月末日到着分までと致します。ご了承ください。

相続と贈与がわかる本 '24〜'25年版

2024年8月10日発行

監 修	桒原亜矢子
発行者	深見公子
発行所	成美堂出版
	〒162-8445　東京都新宿区新小川町1-7
	電話(03)5206-8151　FAX(03)5206-8159
印 刷	大盛印刷株式会社

©SEIBIDO SHUPPAN 2024　PRINTED IN JAPAN
ISBN978-4-415-33449-3

落丁・乱丁などの不良本はお取り替えします
定価はカバーに表示してあります

・本書および本書の付属物を無断で複写、複製（コピー）、引用することは著作権法上での例外を除き禁じられています。また代行業者等の第三者に依頼してスキャンやデジタル化することは、たとえ個人や家庭内の利用であっても一切認められておりません。